D1349834

ZUR ERKENNTNIS DER DICHTUNG

VI

ZUR ERKENNTNIS DER DICHTUNG

Herausgegeben von

GERHART BAUMANN

Band 6

1968

WILHELM FINK VERLAG MÜNCHEN

MANFRED KARNICK

„WILHELM MEISTERS WANDERJAHRE" ODER DIE KUNST DES MITTELBAREN

Studien zum Problem der Verständigung in Goethes Altersepoche

WILHELM FINK VERLAG MÜNCHEN

Satz und Druck: Alpha Druck GmbH, München
Buchbindearbeiten: Verlagsbuchbinderei H. Klotz, Augsburg

Gedruckt mit Unterstützung des Kultusministeriums Baden-Württemberg

INHALT

EINLEITUNG

Der Roman „Wilhelm Meisters Wanderjahre" ist ein ungewöhnliches Buch. Goethe selbst hat es in zwei Fassungen veröffentlicht, und es ist doch so eingesiegelt auf die Nachwelt gekommen wie der zweite Teil des „Faust".

Es hat keine eigentliche Handlung und keinen eigentlichen Helden. Das Erscheinungsbild ist disparat. Reden, Gespräche und Lieder, Briefe und Tagebücher, Gedichte und Spruchsammlungen, Novellen, Märchen und Mythen finden sich hier ineinandergeschoben und oftmals mit erstaunlicher Nachlässigkeit verknüpft. Umständliche Zustandsbeschreibungen stehen neben jähen Ausbrüchen und dramatischen Einsätzen, ausführliche Darlegungen von zeremonieller Pedanterie neben chiffrenartiger Andeutung, zusammenfassendem Referat und konzepthaftem Umriß.

Der „Herausgeber der Papiere", der immer wieder kommentierend, redigierend, ausgebend und zurückhaltend vor den Leser tritt, hatte guten Grund, das Buch „nur für ein Aggregat" kollektiven Ursprungs auszugeben[1] und die Idee, „das Ganze systematisch construiren und analysiren zu lassen", als „albern" zu verwerfen[2].

Ein Roman, der dergestalt aus allen geläufigen Maßstäben herausfiel — gerade auch aus denen, die Goethes frühere Werke dem Betrachter an die Hand gegeben hatten —, war schlechthin ungefällig. Geneigte Teilnahme durfte er kaum erwarten.

In der Tat hat erst die Wissenschaft unserer Tage, im großen Zusammenhang mit der Erschließung des gesamten Goetheschen Alterswerks seit der Jahrhundertwende, einen Standpunkt gewinnen können, der es zu erlauben scheint, ohne systematische Konstruktion dennoch „das Ganze" der „Wanderjahre" in den Blick zu fassen.[3] Ihre eigenartige Form wurde nun durch die Einsicht in ihre „Spiegel"-Struktur als stilbewußte Gruppierung symbolischer Einzelelemente um einen geheimen Mittelpunkt erkannt. Die scheinbaren Verlegenheitsfloskeln des beifallheischenden Autors: Wo „nicht aus Einem Stück, so ... doch aus Einem Sinn"[4], erfuhren eine späte Legitimation. „Ob wir diese Composition erst als collectiv ansprachen, so müssen wir sie zuletzt als völlig zur Einheit verschlungen betrachten und preisen."[5]

Es ist wahrscheinlich, daß diese neue Sehweise, die auch die offene Form als Form verstehen lernte, mit von Entwicklungen des modernen facettenreich „montierenden" und assoziierenden Romans beeinflußt wurde.[6]

Wenn es aber die „Spiegelung" ist, die das absonderliche Erscheinungsbild dieser Dichtung begründet, dann stellt sich mit einiger Dringlichkeit die Frage, was denn seinerseits die Spiegelung begründe. Dann ist von der Klärung der Voraussetzungen des Spiegelverfahrens und der Bestimmung seiner Rolle im Gesamtzusammenhang der Goetheschen Welt auch ein neuerlicher Aufschluß über die „Wanderjahre" und ein umfassenderes Verständnis ihrer Eigenart zu erhoffen. Eine Untersuchung dieses Zusammenhangs erfordert einen weiten Rahmen und muß sich streckenweise vom Text entfernen, sie kann sich aber von Anfang an durch einige Hinweise Goethes die Richtung geben lassen.

Ein solcher Hinweis kommt aus dem berühmt gewordenen Briefbekenntnis an Iken:

> „Da sich gar manches unserer Erfahrungen nicht rund aussprechen und direct mittheilen läßt, so habe ich seit langem das Mittel gewählt, durch einander gegenüber gestellte und sich gleichsam in einander abspiegelnde Gebilde den geheimeren Sinn dem Aufmerkenden zu offenbaren."[7]

Die letzte Hälfte dieses wichtigen Satzes ist von der Forschung mit großem Ertrag ausgebeutet worden; die erste nicht. Mit ihr leitet Goethe das Spiegelverfahren expressis verbis aus den Schwierigkeiten des Aussprechens und Mitteilens ab. — Ein zweiter Hinweis steht im Gespräch „Über Wahrheit und Wahrscheinlichkeit der Kunstwerke". Er lautet:

> Es gibt, „da wir das, was in uns vorgeht, nicht geradezu ausdrücken können ... ein Bedürfnis des Geistes ..., durch Gegensätze zu operieren, die Frage von zwei Seiten zu beantworten und so gleichsam die Sache in die Mitte zu fassen."[8]

Die Nötigung, „durch Gegensätze zu operieren", wird hier als ein prinzipielles „Bedürfnis des Geistes" gefaßt; und ein dritter Hinweis zeigt, daß dieses Bedürfnis nicht nur auf die Aussprache, sondern auch schon auf das Erkennen gerichtet ist, daß sich manche unserer Erfahrungen augenscheinlich nur aus einander gegenübergestellten und sich gleichsam ineinander abspiegelnden Gebilden überhaupt *gewinnen* lassen. — Goethe schreibt an Carl Friedrich Burdach:

> Da „der Zootom ... mehrere von einander unterschiedene, ja einander entgegengesetzte Geschöpfe ... behandeln und erforschen muß; so ist er immerfort zu bedeutenden Vergleichungen genöthigt, die ihn früher dem allgemeinen Begriff entgegen führen." Ihm „wird immer augenfälliger, daß eins auf das andere hindeutet."[9]

Bis in den Wortlaut hinein kehrt hier eine Äußerung wieder, die Goethe in den „Unterhaltungen deutscher Ausgewanderten" einer Figur in den Mund legt:

> „Ich liebe mir sehr Parallelgeschichten. Eine deutet auf die andere hin und erklärt ihren Sinn besser als viele trockene Worte."[10]

Der Zusammenhang zwischen dem Problem der Verständigung, dem Erkenntnisverfahren und der künstlerischen Gestaltungsweise ist offenkundig. Er legt die Vermutung nahe, daß sich für Goethe der „geheimere Sinn" *aller* Welterscheinungen nur hindeutend und widerspiegelnd „offenbare".

Der Forschende stünde dann der Natur in gleicher Weise gegenüber wie der Leser dem Werk. Das Werk selbst realisierte nicht allein die Folgerungen aus den problematischen Verhältnissen zwischenmenschlicher Mitteilung: „Da sich gar manches ...", es entspräche damit zugleich auch der Mitteilungsart der Natur. Und Goethe hätte mit seinen Spätdichtungen in der Tat die Absicht verwirklicht, die er gesprächsweise verlauten ließ: sich das Reden ganz abzugewöhnen und wie die bildende Natur in lauter Zeichnungen fortzusprechen.[11]

Diese Verknüpfungen können indessen vorerst nur hypothetisch sein. Bevor ihnen nachgegangen wird, ist es geboten, sich der Eigenart der „Wanderjahre" noch einmal an einer ausgezeichneten Stelle zu versichern und das Thema dieser Untersuchungen auch aus der Dichtung selbst zu begründen.

I. MITTEILUNG ALS THEMA

Es ist doch zuletzt alles eine Art von Sprache, wodurch wir uns erst mit der Natur, und auf gleiche Weise mit Freunden unterhalten möchten.[1]

1. Der Eingang

„Im Schatten eines mächtigen Felsen saß Wilhelm an grauser, bedeutender Stelle, wo sich der steile Gebirgsweg um eine Ecke herum schnell nach der Tiefe wendete. Die Sonne stand noch hoch und erleuchtete die Gipfel der Fichten in den Felsengründen zu seinen Füßen. ..."

„Auf dem schmalen Fußsteige, der ins Gebürg hinauflief, ging ein Pilgrim in tiefen Gedanken. Mittag war vorbei. Ein starker Wind sauste durch die blaue Luft. Seine dumpfen mannigfaltigen Stimmen verloren sich wie sie kamen. ..."

Die Ähnlichkeit beider Texte ist offenbar. Ein Fußpfad im Gebirge, ein Mensch, Nachmittag — Entsprechungen des Lokals, der Situation und der Zeit. Beidemal eine einfache, unverschlüsselte Prosa.

Und doch deuten sich sogleich auch einige charakteristische Verschiedenheiten an. Dem zweiten Text genügt eine adverbiale Bestimmung mit Relativsatz zum Aufriß der Örtlichkeit. „Auf dem schmalen Fußsteige, der ins Gebürg hinauflief ...". Wie in einer Bühnenanweisung ist der Schauplatz angegeben, nicht aber eigentlich dargestellt. Unverweilt lenkt der Hauptsatz den Blick vom Umgebenden ab auf den Menschen, ja in ihn hinein. „... ging ein

Pilgrim in tiefen Gedanken." Dies ist auch der rhythmisch nachhaltigere Teil des Satzes. Das freie daktylische Maß wird deutlicher; und der natürliche Ton-Fall nach der offenen Kadenz des Relativsatzes läßt keinen Zweifel, wo die „Satzaussage" zu suchen ist.

Anders im ersten Text. Unauffällig, fast zur Kopula herabgedrückt, stehen Prädikat und Subjekt zwischen den beiden Ortsadverbialen. „Im Schatten eines mächtigen Felsen saß Wilhelm an grauser, bedeutender Stelle ...". Die rhythmischen Gewichte sind gleichmäßig verteilt.[2] Die Aussage über den Menschen könnte als bloß grammatisches Organisationsmittel für eine Aussage über die Landschaft erscheinen. Daß hier größere Genauigkeit der Ortsbestimmung angestrebt ist, liegt am Tage. Eine einzelne Allgemeinangabe reicht nicht aus.

Auch der Folgesatz dient noch der Veranschaulichung der Szene. Er öffnet über jener Stelle am Felsenweg den Himmel und darunter die Gründe, schafft ein ausgewogenes Gleichgewicht von Darüber, Darunter, Inmitten. Mit selbstverständlicher Umsicht aufgenommene Zusammenhänge erscheinen: „Die Sonne" oben „erleuchtete" unten, der Felsen wirft Schatten. Die Landschaft ist deutlich, greifbar und umgrenzt. Augenlandschaft.

Selbst Zeit wird ersehen. „Die Sonne stand noch hoch". Das „noch" zieht Zuvor und Danach ins Jetzt zusammen und konzentriert es zu reinster anschaubarer Gegenwart.

Dem steht eine seltsame Verkehrung im zweiten Text gegenüber. Er verläßt die Gegenwart gerade da, wo er sie bestimmt, wo man ihre Fixierung erwartet. „Mittag war vorbei." Der Festpunkt ist nicht mehr, der Augenblick hat etwas Bodenloses, die Negationsbestimmung entzieht ihm seine stoffliche Dichte. „Wind sauste ...", „Stimmen ... kamen". Die Konturen lösen sich auf, der Eindruck wird rätselvoll und verschwimmend. — Eine Vorfassung des Textes kann den Zugang erleichtern:

> Das Land erhob sich immer mehr, und ward uneben und mannigfach. In allen Richtungen kreuzten sich Bergrücken — Die Schluchten wurden tiefer und schroffer. Felsen blickten schon überall durch, und über den dunklen Wäldern ragten steile Kuppen hervor, die nur mit

wenigen Gebüsch bewachsen zu sein schienen. Der Weg lief an einem Abhange fort, und hob sich nur unmerklich in die Höhe. Wenn auch das Grün der Ebene hier merklich verdunkelt war, so zeigten dafür verschiedene Bergpflanzen die buntesten Blumen, deren schöner Bau und erquickender Geruch den angenehmsten Eindruck machte. Die Gegend schien ganz einsam und nur von weitem glaubte man die Glöckchen einer Herde zu vernehmen. In den Abgründen rauschten Bäche. Der Wald war in mannigfaltigen Haufen am Gebürge gelagert, und reizte das Auge sich in seine duftige kühle Tiefe zu verlieren — Einzelne Raubvögel schwebten um die Spitzen der uralten Tannen. Der Himmel war dunkel und durchsichtig — Nur leichte glänzende Wölkchen streiften langsam durch sein blaues Feld. Auf dem schmalen Fußsteige kam langsam ein Pilger herauf aus der Ebene. Mittag war vorbei. Ein ziemlich starker Wind ließ sich in der Luft verspüren und seine dumpfe, wunderliche Musik verlor sich in ungewisse Fernen. Sie wurde lauter und vernehmlicher in den Wipfeln der Bäume — so daß zuweilen die Endsilben und einzelne Worte einer menschlichen Sprache hervorzutönen schienen. Durch die Bewegungen der Luft schien auch das Sonnenlicht sich zu bewegen, und zu schwanken. Es hatten alle Gegenstände einen ungewissen Schein. Der Pilgrim ging in tiefen Gedanken.

Diese offene, kindliche Prosa wirkt trotz einfacher Satzordnung und Wortwahl nicht monoton. Eine unauffällig wachsende innere Bewegung, die nach und nach in ein Spannungsverhältnis zur gleichbleibenden Melodie der Sätze gerät, entlastet den Text vom natürlichen Gewicht alles Statischen.

Der erste Satz schon ist komparativisch, und er setzt sich in Steigerungen fort, die folgerecht im Superlativ münden: „immer mehr“, „tiefer und schroffer“, das vorausweisende „schon“, die Bewegungsverbindungen „lief ... fort, und hob sich ... in die Höhe“, das Partizip, das noch im Zuständlichen die Bewegung bewahrt, „hier merklich verdunkelt war“, endlich „die buntesten Blumen“, „den angenehmsten Eindruck“. Hier ist eine topographische und grammatische Höhe erreicht, die weitere Komparation zunächst ausschließt. Die Aufwärtsbewegung bricht sich kaum merklich ins Horizontale; Bewegungen sind nicht mehr weitertreibende Impulse kontinuierlicher Richtung, sondern dauernde Elemente einer erreichten „Gegend“. Bäche rauschen, Raubvögel schweben, Wölkchen streifen.

Zugleich mit dieser Veränderung des Bewegungscharakters treten erstmalig zum Auge auch andere Organe der Landschaftsaufnahme: „erquickender Geruch“, „die Glöckchen einer Herde“. Der äußerlichste, vernünftigste, ordentlichste unserer Sinne wird durch innere, gefühlshaftere, weniger definierende ergänzt: Geruch und Gehör. Es ist, als wäre die höhere Gegend auch ein Bereich weiter innen, dem sich die bestimmten Substanzen eher ins Uneindeutige verschleiern.

„Bewachsen zu sein schienen“, „schien ganz einsam“, „glaubte man ... zu vernehmen“, „hervor zu tönen schienen“, „schien ... sich zu bewegen“. Dem befestigenden „Sein“ ist allenthalben ausgewichen. Gegenständliches beginnt sich in Erscheinungs- und Stimmungswerte aufzulösen. Ja, „das Auge“ selbst scheint nun von dieser Tendenz erfaßt: „Der Wald reizte das Auge sich in seine duftige und kühle Tiefe zu verlieren.“ Die einzige Stelle, wo Unbewegtes, Stehendes, spürbar wird, einer der ganz wenigen Sätze auch, in denen überhaupt eine Flexionsform von „sein“ auftaucht, bestätigt den Eindruck: „Der Himmel war dunkel und durchsichtig — Nur leichte glänzende Wölkchen streiften ...“. Was „ist“, ist gerade das Dunkle, Durchsichtige der Himmelstiefe. Unendliches und Unirdisches, das Allerfernste.

Vor diesem Grund erfolgt nun die entschiedene Einführung einer neuen Linie: „Auf dem schmalen Fußsteige kam langsam ein Pilger herauf aus der Ebene.“ Selbst wenn man nicht wüßte, daß die vorgelegte Endfassung an dieser Stelle erst anhebt, wäre der Neueinsatz unüberhörbar. Zum erstenmal erscheint ein Mensch, zum erstenmal eine Zeit — ein neuer Bezugspunkt, eine neue Koordinate. Ihre Einführung in die Dichtung pflegt sonst stoffliche Konkretisierung zu bewirken, „Handlung“ ins Werk zu setzen. Hier indessen intensivieren sie gerade entscheidend die gegengerichteten Tendenzen. Nicht nur, daß der Mensch anonym bleibt („ein Pilger“) und daß sich die Zeit ihren Stützpunkt vielsagend im Vergangenen sucht, auch der Kreis der Aufnahmeorgane wird noch einmal erweitert („Wind ließ sich verspüren“), auch die Rückwirkung der anderen „in ungewisse Fernen“ verdämmernden Sinnesbereiche auf den optischen wiederholt sich, und die Bewegung, die den Text bisher in verdeckter Form bestimmte, kommt nun ausdrücklich zu Wort: „Durch die Bewegungen der Luft schien auch das Sonnenlicht sich zu bewegen, und zu schwanken. Es hatten alle Gegenstände einen ungewissen Schein." Optisches wird unfaßbare Er-scheinung, wird wie visionär erlitten. — „Das Gesicht" hat Friedrich von Hardenberg diese Blätter überschrieben. Sie sind der „Erste Entwurf des Anfangs zum zweiten Theile des Ofterdingen".[3]

Es kann kein Zweifel sein, daß mit diesem Crescendo der Bewegung und Grenzauflösung eine Landschaft betreten ist, die die vorigen unter sich läßt. Die Komparation des Beginns und die Entfaltung der „Gegend" wirken von hier aus wie vorbereitende Orientierungsstufen, über die sich der Dichter in seinen eigentlichen Heimatraum hinaufgeschwungen hat. Der schmale Fußsteig war der Weg des Dichters selbst.

Die Endfassung hat nichts mehr von Schluchten und Klippen, von Bächen, Blumen und Vögeln. Aus zwölf Sätzen wird in radikaler Verkürzung jene einzige Relativbestimmung: „der ins Gebürg hinauflief".

Das Rätselvoll-Verschwimmende des ersten Eindrucks erfährt nun seine Begründung. Drei ineinander verschränkte Steigerungslinien: zunehmende Öffnung der Sinnesbereiche ins Gefühlshaft-Innere, fortschreitende Lösung der Außenkonturen und wachsende Bewegungsintensität — laufen hier in einem gemeinsamen Gipfel zusammen. Die rasche Abwendung vom Optisch-Gegenständlichen ist die Hinwendung ins Sensuell-Bewegte. „Wind sauste". Schall und Atem der Luft verschmelzen in diesem „Zeitwort" zur untrennbaren Einheit einer Bewegung, die ihrem Wesen nach flüchtig und vorübergehend ist, die sich nicht halten und nicht besitzen läßt: „verloren sich wie sie kamen." Nichts steht ein für allemal in der festen angreifbaren Solidität der seienden Dinge. Immer wieder wird hier — und genauso in den folgenden Sätzen — der Boden fortgezogen und in Frage gestellt. „War er vielleicht ...?" „... zu finden hoffte — hoffte? — Er hoffte gar nichts mehr."[4]

Der grenzlösende, allverbindende Wind bringt den unendlichen

Himmel, der im Entwurf noch als fernes wolkendurchstreiftes „blaues Feld“ erschien, in die Nähe: „Wind sauste durch die blaue Luft“; er trägt auf magische Weise Vergangenheit, „Gegenden der Kindheit“, herbei; und er durchdringt das Ich als „weiche heitere Luft“, gerade als der Wanderer „zu sich selbst zu kommen“ scheint. „Alles floß durch mich und über mich und hob mich leise.“[5] Dimensionen vertauschen und durchdringen sich. „Es dünkte ihm, als träumte er jetzt oder habe er geträumt.“[6] Das „oder“ hält die Bereiche in dämmernder Schwebe, durchaus nicht erwacht der Pilgrim zu eindeutiger Wirklichkeit. „Die Welt wird Traum, der Traum wird Welt.“ Was der rückwärts gewandte Blick „sieht“, ist ein „Unübersehliches“; was er bewirkt, ist Selbstentgrenzung: „er wollte sich in die Ferne verweinen, daß auch keine Spur seines Daseins übrig bliebe.“

So führt diese eine Druckseite, mit der der zweite Teil von Novalis' Roman beginnt, in eine geheimnisvoll durchströmte Seelenlandschaft, gehalten nur durch das klar und zart gewirkte Zaubernetz einfacher Sprache.

Der Goethetext (711) nimmt sich dagegen recht nüchtern, karg und spröde aus. Wilhelm im Schatten. Im Schatten des Felsen. Die Sonne steht hoch. Sie erleuchtet die Gipfel. Die Gipfel der Fichten. Die Fichten in den Felsengründen. Die Felsengründe zu seinen Füßen. Die Bezüge sind eindeutig, die Zustände fest. Es weht kein Wind. Der Gebirgspfad der sich „um eine Ecke herum schnell nach der Tiefe“ wendet, ist das einzig Bewegte. Daß hier mit entschiedener Beschränkung ausschließlich Optisches vorgestellt wird, ist vor dem Hintergrund der alle Sinne berührenden Ofterdingen-Atmosphäre nur noch auffallender.

Und doch bleibt merkwürdigerweise ein Schimmer des Gedämpften über dem Bild. Der Kontur ist deutlich, aber nicht grell, der Schatten mächtig, aber nicht hart und gestanzt. Es scheint, als ließen sich hauptsächlich zwei Worte für diesen schwer faßbaren Eindruck verantwortlich machen: „graus“ und „bedeutend“. Denn sie allein gehen weder im Dienste dinghafter Genauigkeit auf noch in der Eindeutigkeit eines fixierten Ausdruckswerts. Beide tragen, wie die Wortgeschichte bestätigt, ein Doppelgesicht[7], beide könnten zwar im Sinne von „trümmerhaft“ und „herausgehoben“ noch einmal die Schärfe der Wiedergabe erhöhen, behalten aber in jedem Fall einen Rest von eigentümlicher Strahlkraft in sich zurück. Dieser trägt zweifellos mit dazu bei, den leisen Hauch der Zurückhaltung über das Ganze zu legen, der so gar nicht zu der fast pedantischen Genauigkeit und nüchternen Prägnanz passen will, die als erstes ins Auge fallen.

Aber ausgeschöpft ist der Text mit solchen Beobachtungen nicht. An seiner Selbstverständlichkeit und Gelassenheit, die von zersplitternder Detailvielfalt gleich weit entfernt ist wie von suggestiver Evokation, die so gar nichts Extremes kennt, scheint die Interpretation regelrecht abzugleiten.

Erst wenn man versucht, von jenen frühesten, äußeren Eindrücken selbst auszugehen, schließt sich das Bild weiter auf:

Ausgewogenheit und Augenlandschaft, Übersichtlichkeit und Sichtbarkeit. Eins bedingt das andere; und jedes bedingt Räumlichkeit. Die Dimension des Raumes scheint gegenüber der der Zeit zu dominieren.

Nicht allein die ruhende Stellung Wilhelms, die in sinnfälligem Gegensatz zu dem körperlich und seelisch bewegten Pilgrim Hardenbergs steht, macht darauf aufmerksam; auch schon das Fehlen aller akustischen Eindrücke und erst recht das Fehlen jener „wunderlichen Musik“ des Ofterdingen deuten darauf hin. Denn das Gehör ist wie kein anderer Sinn auf den Verlauf der Zeit angewiesen, und die Musik macht dem Hörenden diesen Verlauf am entschiedensten bewußt.

Hier jedoch wird zwar die Zeit durchmessen — nur so ist ja die Konzentration in die Zeit-Bestimmung möglich: immer „noch“, „noch“ nicht —, zugleich wird sie aber „veranschaulicht“ und ins Raumhafte aufgehoben: „Die Sonne stand noch hoch“. Da wird die Zeit zum Augenblick, der Augenblick zur Szene. Das Jetzt verwandelt sich ins Hier.

Und damit ist dieses „Hier“ Orts- und Zeitbestimmung ineins, Raum- *und* Zeitpunkt. „Hier“ schneiden sich die Achsen: oben —

unten — in der Mitte, vorher — nachher — jetzt; und „hier“ im Schnittpunkt, das gibt dieser Eingang dem Aufmerkenden zu verstehen, ist die „Stelle“ des Menschen — zwischen Himmel und Gründen, zwischen Vergangenem und Zukünftigem.

Als Ergebnis drängt sich auf: Die Ordnungsprinzipien der Dinge sind zugleich die Strukturachsen des Daseins. Die Wortstellung des ersten Satzes, die kopulative Mittelposition des Subjekts zwischen zwei Ortsbestimmungen, ist nur der folgerechte grammatische Ausdruck der Position des Menschen. „Mit leisem Gewicht und Gegengewicht wägt sich die Natur hin und her, und so entsteht ein Hüben und Drüben, ein Oben und Unten, ein Zuvor und Hernach, wodurch alle die Erscheinungen bedingt werden, die uns im Raum und in der Zeit entgegentreten.“[8] Dasein schon ist Bedingtsein, und der Mensch kann nur da ganz Mensch sein, wo er ist. — Für den Romantiker hätte gelten können: .... wo er nicht ist: „Er wollte sich in die Ferne verweinen, daß auch keine Spur seines Daseins übrig bliebe.“

Der so fixierte Standort des Menschen ist indessen nicht in jeder Hinsicht unveränderlich: Er ist zugleich Stelle an einem Weg, der „in die Tiefe“, der aber auch, wie es wenig später ausgesprochen wird (712, 715), „aufwärts“ führen kann. Man kann von hier ebenso in die weite fruchtbare Ebene wie auf den sonnenerleuchteten Gebirgspaß (715 f.), in bedrohliche, „labyrinthisch miteinander zusammenhängende“ Klüfte (740) wie in die schwindelnde Höhe des einsamen Gipfels gelangen. Wilhelm ist zwar erhoben, er ist aber immer noch erst auf halber Höhe anzutreffen. Und diese Lage gibt Aufschluß über die „Stelle“, die er in seinem eigenen Werde-Gang erreicht hat, weist zurück auf den langen, erst spät ins Rechte führenden Irrweg seiner Lehrjahre, deutet voraus auf alle weiteren Wege der Wanderjahre und gestattet damit zugleich dem Dichter in selten umfassender Weise, die Höhen und Tiefen, die Gefahren und Verheißungen, die Möglichkeiten des menschlichen Lebenswegs überhaupt anzudeuten. „Der Poet“, heißt es in der ersten Betrachtung aus Makariens Archiv (1235), „deutet auf die Stelle hin.“

So scheint denn in der nüchternen, endlichen Wirklichkeitslandschaft Goethes, wenn man schärfer zusieht, nicht weniger Geheimnis zu walten als in der zauberhaften, unendlichen Geheimnislandschaft des Novalis. Es ist nur ein Geheimnis ganz anderer Art, eines, das im Augenhaften, Umgrenzten, Wirklichen und deren Bezügen selber geborgen liegt, das sich, mit Hofmannsthal zu sprechen, an der Oberfläche versteckt. Solch offenbare Geheimnisse heißen bei Goethe „Symbol". Dieser Eingang, daran kann kein Zweifel sein, ist „hoch symbolisch intentionirt".[9]

Diese Erkenntnis erleichtert die Auslegung der folgenden Sätze. Sie geben Antwort auf die Frage, wie sich der Mensch an dem ihm angewiesenen Platz denn verhalte.

> Er bemerkte eben etwas in seine Schreibtafel, als Felix, der umhergeklettert war, mit einem Stein in der Hand zu ihm kam. „Wie nennt man diesen Stein, Vater?" sagte der Knabe.
> „Ich weiß nicht", versetzte Wilhelm.
> „Ist das wohl Gold, was darin so glänzt?" sagte jener.
> „Es ist keins!" versetzte dieser; „und ich erinnere mich, daß es die Leute Katzengold nennen."
> „Katzengold!" sagte der Knabe lächelnd; „und warum?"
> „Wahrscheinlich, weil es falsch ist und man die Katzen auch für falsch hält."
> „Das will ich mir merken", sagte der Sohn . . .

Wilhelm sitzt im Schatten der Felsen und bemerkt etwas in seine Schreibtafel: Als Ruhend-Tätiger ist er eingeführt. Und seine Tätigkeit richtet sich nach außen. Denn jedem Bemerken geht ein Aufmerken voraus, das die Dinge zu Gegenständen, die Umwelt zur Objektwelt macht. „In der ganzen sinnlichen Welt kommt alles überhaupt auf das Verhältnis der Gegenstände untereinander an, vorzüglich aber auf das Verhältnis des bedeutendsten irdischen Gegenstandes, des Menschen, zu den übrigen. Hierdurch trennt sich die Welt in zwei Teile, und der Mensch stellt sich als ein Subjekt dem Objekt entgegen."[10]

In dem von Felix eingeleiteten Lehrgespräch wird diese Trennung ganz offenbar. „Wie nennt man diesen Stein, Vater?" „Ich erinnere mich, daß es die Leute Katzengold nennen." Der Dialog läuft durchaus über das Mittel der Sache und nach der Figur:

Jemanden nach etwas fragen, jemandem über etwas Auskunft geben. Ich und Du stehen immer deutlich voneinander abgesetzt vor dem Dritten, dem Gegenstand.

Der trockene, spröde Charakter, den die Rede durch diese sachliche Mittelbarkeit erhält, wird durch die Sparsamkeit der Zwischentexte noch verstärkt: „sagte der Knabe — versetzte Wilhelm — sagte jener — versetzte dieser — sagte der Knabe lächelnd — sagte der Sohn". Keinen Augenblick ist der Dichter selbst fortgerissen. Immer bleiben seine Figuren seine Geschöpfe. Sie sind da, weil sie etwas zu sagen haben. Oder weil sie etwas zu fragen haben?

„Wie nennt man...? Ist das...? ... warum?" Die stufenweise Vertiefung der Fragen ist unüberhörbar. Während Novalis in Frage stellte, um die Gründe aufzuheben, ist hier gerade fragend auf Gründe gezielt, auf den Namen, die Sache und den Bezug.

Man fühlt sich an die orakelhafte Kargheit des Märchengesprächs erinnert: „‚Was ist erquicklicher als Licht?' fragte jener. ‚Das Gespräch', antwortete diese".[11] Oder auch an den abgründigen Wortwechsel Heinrichs von Ofterdingen mit dem Kinde: „‚Wo gehen wir denn hin?' ‚Immer nach Hause.'"[12] — Wiederum ist freilich die innere Differenz größer, als die äußere Zusammengehörigkeit zunächst denken läßt. Während sich die Sprechenden bei Novalis in ein gemeinsames Wir zusammenkreisen, dessen zarte Gleichstimmigkeit jedes Mittleren — auch jedes Zwischen-Textes — entraten kann, findet sich bei Goethe wieder die Dreierfigur von Subjekt, Objekt und Subjekt. Dies kann nicht mehr überraschen.

Es hat sich ja überhaupt die augenfällige Verwandtschaft der Romaneinsätze Goethes und Hardenbergs, die zu Beginn sogar die Vermutung grundsätzlicher Parallelität erlaubt hätte, zunehmend deutlicher aufs Stoffliche eingeschränkt.[13] Mit jeder Beobachtung zur inneren Form rücken die Texte weiter auseinander.

Wo Novalis die Sachenwelt nur wie im Fluge berührt und sogleich wieder verläßt, erscheint sie bei Goethe in entschiedener Genauigkeit, Übersicht und Folge. Wo der Romantiker alle Umgrenzungen verwischt, jedem die Tendenz verleiht, für alles durchlässig zu werden und selbst das Ich ins All aufzulösen, grenzt Goethe energisch ab, setzt zunächst in strenge Besonderung und dann erst in deutlichen Bezug, stellt er das Ich als Subjekt in die Welt als Gegenstand. Der Integration aller Sinne zu einer Art Allgefühl bei Hardenberg steht ausschließliche Beschränkung auf das Ordnend-Optische bei Goethe gegenüber — der Vertauschbarkeit der Bewußtseinslagen und Weltdimensionen, von Traum und Wirklichkeit, die eindeutige Prägnanz zweifelloser Realität — dem Gesetz der Bewegung, das Zeit zum fluktuierenden Feld magischer Ströme macht, das Gesetz des Raumes, welches das der durchmessenen Zeit in sich aufhebt. Dort eine wundersame, zauberhafte, unendliche Geheimnislandschaft, hier die nüchterne, endliche und doch auf eine paradoxe Weise zurückhaltende Wirklichkeitslandschaft, das Symbol, das seine Tiefe an der Oberfläche verborgen hält.

„Auf dem schmalen Fußsteige, der ins Gebürg hinauflief, ging ein Pilgrim in tiefen Gedanken." „Im Schatten eines mächtigen Felsen saß Wilhelm an grauser, bedeutender Stelle".

2. *Wilhelms Gespräch mit Montan*

Der Schwindel

„Es ist nichts natürlicher, als daß uns vor einem großen Anblick schwindelt, vor dem wir uns unerwartet befinden, um zugleich unsere Kleinheit und unsere Größe zu fühlen. Aber es ist ja überhaupt kein echter Genuß als da, wo man erst schwindeln muß."

Diese Worte Jarno-Montans eröffnen eine Gipfelszene (738—743), die sich in mancher Beziehung als gesteigerte Wiederaufnahme des Eingangs verstehen läßt. Die mittelbare Stufenfolge, über die Wilhelm mit seinen Begleitern hier herauf-, über die der Leser an Montan herangeführt worden ist, machte die Steigerung augenfällig.

Zunächst war es nur das Montane, das auf Montan hinwies: „Gestein", von einem „Fremden" zurückgelassen, zeigte an, daß er sich im Gebirge aufhielt (737); die Spuren seiner montanen Tätigkeit, der Schall und die Schlagstellen des Geologenhammers am Felsen[14], leiteten die Suchenden in seine Nähe, „‚Hört ihr pochen?' sprach er. . . . ‚Wir hörens', versetzten die andern." Ein abgemessener, feierlicher Auftakt wie das Klopfen des Zeremonienmeisters vor dem Eintritt der Majestäten.

Dann wurde ein Blick freigegeben: Sie „sahen einen steilen, hohen, nackten Felsen über alles hervorragen, die hohen Gipfel selbst tief unter sich lassend. Auf dem Gipfel erblickten sie eine Person. Sie stand zu entfernt, um erkannt zu werden." Und erst nach nochmaligem gefährlichen Aufstieg wurde die „Person" als Jarno erkennbar, erst nachdem dieser seinem Freunde die Hand gereicht und ihn „aufwärts" gezogen hatte, erfolgte die innige Begrüßung „in der freien Himmesluft" des Gipfels, auf den Montan die Ankommenden niedersitzen heißt, als er bemerkt, daß Wilhelm ein Schwindel überkommt.

Der Kommentar, der dazu gegeben wird, klingt locker und selbstverständlich: „Es ist nichts natürlicher . . .". Zwanglos knüpft er an die konkrete Situation Wilhelms an und wendet sie ins Allgemeine. „. . . . als daß uns vor einem großen Anblick schwindelt . . .". Zwei Nebensätze bringen die nähere Bestimmung des besonderen Zustands wie auch des allgemeinen „Falls". „. . . vor dem wir uns unerwartet befinden, um zugleich unsere Kleinheit und unsere Größe zu fühlen." Wilhelm und seine Lage sind in Montans „wir" mit eingeschlossen. Die Öffnung zum Pluralen ist hier zugleich Interpretation und Präzisierung des Singulären. Der „besondere" Ansatzpunkt findet sich aufgehoben in der Umrißlinie des „allgemeinen" Kreishorizonts, die ihn von rückwärts wieder erreicht hat.

Paradox erscheint dabei die doppelte Kennzeichnung: „um zugleich unsere Kleinheit und unsere Größe zu fühlen." „Klein" oder „groß" ist eines stets „in bezug auf" ein anderes. Der Mensch ist klein „vor dem großen Anblick". Doch warum ist er auch groß? Ein anderer Bezugspunkt bleibt im Dunkel; die Aussage gibt sich bei aller Klarheit der Diktion dem Einblick nicht sogleich preis. Sie hat, so freimütig sie auch ansetzte — „Es ist nichts natürlicher ..." —, etwas „Zurückhaltendes", wie sich ja in sehr ähnlicher Weise auch die nüchterne Übersichtlichkeit des Eingangsbildes dagegen zu verwahren wußte, gleich bis auf den Grund durchschaut zu werden.

Und doch wird die Rede darum nicht „bedeutungsschwer". Genauso verbindlich und sicher, wie sie begann, fährt sie an- und abschließend fort: „Aber es ist ja überhaupt kein echter Genuß als da, wo man erst schwindeln muß." Hatte das „wir" des Vorsatzes das individuelle Erlebnis Wilhelms für „uns" in einen allgemeinen Kreis des Menschheitlichen erweitert, so qualifiziert dieses „überhaupt" jenes Erlebnis als ein Menschengefühl hohen Ranges. „Überhaupt" greift in der deutschen Sprache so weit wie möglich, und „Genuß" ist noch mit dem ganzen metaphysischen Wertgehalt der Herderzeit zu lesen. Zwar ist nicht schon von vornherein jeder Schwindel „echter Genuß"; schwerlich wird Wilhelm ihn hier so empfinden. Doch „echter Genuß" ist „überhaupt" nur, „wo man erst schwindeln muß."

Das „erst" in dieser Position ist mehrsinnig: Erst da, wo uns schwindelt ..., und: Da nur, wo uns erst einmal schwindelt ..., wird uns echter Genuß. Beide Bedeutungen spielen ineinander, beide sind gleichermaßen vernehmlich. So wäre denn der Schwindel ein Letztes („erst da ...") und Erstes („erst einmal ..."), und dieses auch darum, weil anderes ihm folgt. Was könnte aber dem Schwindel folgen?

Wir kennen ihn als einen taumelnden unorientierten Zustand, dem kein Maß und kein Boden mehr fest sind, Horizontale und Vertikale selbst, der rechte Winkel der Endlichkeit, geraten diesem Gefühl ins Wanken; ziehendes, willenlöschendes Kreisen nimmt den Schwindligen anheim, löst alle Selbstsicherheit von innen her auf, macht alles grenzenlos relativ. Mit eindeutiger und einseitiger Begrifflichkeit ist das kaum zu beschreiben. Aber selbst Montans polare Bestimmung von „Kleinheit" und „Größe" wirkt hier noch wie eine Verfestigung; sie ist im genauen Doppelsinn des Wortes „bestimmend": definierend und gesetzgebend. Mit ihr sind nun wieder Bezüge gesetzt, da ist der Schwindel gedeutet und in einem „bestimmten“ Sinne „begriffen“.

Solch Begreifen ist es, was auf den Schwindel folgen kann; und nur der so begriffene Schwindel schenkt „echten Genuß“. Dieses Begreifenkönnen aber trägt zur „Größe“ des Menschen bei:

Denn der Schwindel ist dem Schaudern verwandt, welches „der Menschheit bestes Teil“[15]. Dieses bezeichnet wie jener, in steter Grenznähe zum Wahnsinn, das Erlebnis des Erstaunens, das den ganzen Menschen, körperlich und seelisch, zu ergreifen mächtig ist. „Wenn ganz was Unerwartetes begegnet, / Wenn unser Blick was Ungeheures sieht, / Steht unser Geist auf eine Weile still: / Wir haben nichts, womit wir das vergleichen“, beschreibt Antonio es im „Tasso“.[16] Dies Unvergleichliche des Ungeheuren nimmt ihm auch die Erhabenheit, wie Wilhelm später auf der Sternwarte empfindet: „Das Ungeheure hört auf, erhaben zu sein, es überreicht unsere Fassungskraft ...“ (840). Denn Erhabenheit kennt noch die Relation, ist „erhaben ... über“ und deshalb von der ausgespannten Seele eben noch zu fassen. „Das Erhabene gibt der Seele die schöne Ruhe, sie wird ganz dadurch ausgefüllt, fühlt sich so groß als sie sein kann. Wie herrlich ist ein solches reines Gefühl, wenn es bis gegen den Rand steigt ohne überzulaufen. ... Wenn wir einen solchen Gegenstand zum ersten Mal erblicken, so weitet sich die ungewohnte Seele erst aus, und es macht dies ein schmerzliches Vergnügen .... Durch diese Operation wird die Seele in sich größer“.[17] Das Ungeheure aber ist das radikal Unfaßliche, es „droht uns zu vernichten“ (840). Und da man das Unfaßliche nicht fassen kann, muß man doch sich selber fassen, sonst bricht man zusammen. „Wir müssen ... alle Existenz und Vollkommenheit in unsere Seele dergestalt beschränken, daß sie ... angemessen werden; dann sagen wir erst, daß wir eine Sache begreifen oder sie genießen.“ Dieses eben ist es, was Montans „Bestimmung“ leistet; er fängt an, „zu fügen und zu verbinden um zum Genuß zu gelangen“.[18] — Der Schwindel ist das unmittelbarste Erlebnis der Unendlichkeit; mit der Aktion des Bestimmens sucht der Endliche seiner Ausgesetztheit Herr zu werden. Aus dem „Schwindel“ in der Allverlorenheit wird so „Genuß" des Allzusammenhangs. Und durch dies Begreifen erst, welches die Unbegreiflichkeit erst eigentlich zum Bewußtsein bringt, ist für Goethe das Erstaunen vollzogen.[19]

Ob freilich Wilhelm hier zu den Begreifenden gehört, darf bezweifelt werden. Denn wohl ist die Bemerkung Montans mit dem Einverständnis voraussetzenden „ja" und in der Gebärde des „bekanntlich" gesprochen, wie wenn an ein gemeinsam Allgemeines nur erinnert würde; doch die Antwort bleibt aus.

Nur ein indirekter Bezug stellt sich her. Der Knabe Felix reflektiert die innere Problematik, ihm selber unbewußt, ins Äußere. „Sind denn das da unten die großen Berge, über die wir gestiegen sind? ... Wie klein sehen sie aus!" Wo die Natur die Dimensionen verrückt, wo die Relationen selber relativiert erscheinen, verlieren auch Größe und Kleinheit die scheinbare Festigkeit eines dauernden Maßes. „Hier sind *oben* und *unten* relative Worte des Augenblicks. Ich sage, unter mir auf einer Fläche liegt ein Dorf, und eben diese Fläche liegt vielleicht wieder an einem Abgrund, der viel höher ist als mein Verhältnis zu ihr", schrieb Goethe 1779 aus der Schweiz. „Die Natur hat hier mit sachter Hand das Ungeheure zu bereiten angefangen."[20]

Das Gesetz des Gemäßen und die „herrliche Epoche"

„Und hier", fuhr Felix fort, indem er ein Stückchen Stein vom Gipfel loslöste, „ist ja schon das Katzengold wieder ...". — Es ist ihm zu Beginn schon begegnet, und dort wurde deutlich, daß es ein „falsches", unechtes Mineral ist, dessen erborgten Schein nur Naivität oder Oberflächlichkeit mit gediegenem Gold verwechseln kann. Die knapp bestätigende, kaum merklich einschränkende Antwort Montans hat darum einen skeptischen Hintersinn: „Es ist weit und breit".[21]

Und nun wiederholt sich die Figur des Anfangs. Denn auch hier führt die Frage nach dem Katzengold eine Art mineralogischen Lehrgesprächs herbei. Dessen Charakter freilich ist ein anderer, da dieser „Lehrer“ ein anderer ist. Wilhelm hatte nur mit zufällig-bruchstückhafter Kenntnis aufwarten können; das Gespräch war auch von seiner Seite so laienhaft geführt worden, daß sogar die Umkehr des pädagogischen Gefälles möglich gewesen war: Der Schüler hatte aus dem Lehrer verschüttetes Wissen herausgefragt. Erst: „Ich weiß nicht ...“, dann: „... ich erinnere mich“.

Montan dagegen spricht als der Fachkundige aus der Souveränität des Besitzes. Er erweist sich als der „überlegene Mann“ — gerade weil die Analogie der Situation ihn mit Wilhelm zusammenrückt — auch Wilhelm gegenüber. Seine ruhige Aufmerksamkeit entnimmt der Frage des Knaben die Interessenrichtung: „... da du nach solchen Dingen fragst,“ und geht auf sie ein: „so merke dir, daß du gegenwärtig auf dem ältesten Gebirge, auf dem frühesten Gestein dieser Welt sitzest“.

Der Granit ist hier berufen. Allezeit hat Goethe sich zu ihm hingezogen gefühlt. In einer der „Würde dieses Gesteins“ würdigen Sprache hatte schon der Fünfunddreißigjährige ihm gehuldigt: „Jeder Weg ins unbekannte Gebirge bestätigte die alte Erfahrung, daß das Höchste und das Tiefste Granit sei .... Auf einem hohen nackten Gipfel sitzend und eine weite Gegend überschauend, kann ich mir sagen: Hier ruhst du unmittelbar auf einem Grunde, der bis zu den tiefsten Orten der Erde hinreicht, ... auf dem ältesten ewigen Altare, der unmittelbar auf die Tiefe der Schöpfung gebaut ist .... Diese Klippe, sage ich zu mir selber, stand schroffer, zackiger, höher in die Wolken, da dieser Gipfel noch als eine meerumfloßne Insel in den alten Wassern dastand — um sie sauste der Geist, der über den Wogen brütete ...“.[22]

Den ganzen Hintergrund lebenslanger Forscherneigung läßt der Siebzigjährige in Montans Belehrung mit anklingen. „Das Höchste und das Tiefste“ ist zugleich das Älteste und Früheste. Das gegenständlich Räumliche deutet in die Urferne der Zeit; das gegenwärtig Begegnende führt in die Tiefe des Vergangenen; das Augenblickliche leitet zum Ursprung. Welche Spannungen sind in diesen scheinbaren Tautologien aufgehoben. Raum und Zeit, Gegenwart und Vergangenheit, Augenblick und Ursprung.[23] Nirgends könnten die Dimensionen der Welt sich bedeutender verkörpern als in der „Grundfeste unserer Erde". Der Granit ist orphisches Gestein. Er spricht die Urworte der Natur.

Doch keines von ihnen ist hier ausgeführt. Ein sprichworthafter Gemeinplatz kupiert die Frage des Knaben nach der Weltentstehung: „Schwerlich, . . . gut Ding will Weile haben", und Felix springt auch sogleich wieder ab. Dabei tritt Montans profundem Wissen um die geschichtlichen Ursprünge die ursprüngliche Geschichtslosigkeit des Kindes entgegen. „Ist denn die Welt nicht auf einmal gemacht?" So hat das alte Testament den Knaben gelehrt, und so entspricht es seinem Alter. Das Vorgefundene, „auf einmal" Da-Seiende wird als das selbstverständlich auch „auf einmal" Da-Gewordene begriffen. „Am Anfang schuf Gott Himmel und Erde". Für Werdestufen fehlt noch der Blick. Was ihn affiziert, ist vielmehr das Erlebnis bunter, gegenwärtiger Mannigfaltigkeit. Einfach und genau drückt es sich aus: „Da unten ist also wieder anderes Gestein . . ., und dort wieder anderes, und immer wieder anderes!" Der ganze weite Umkreis breitet sich als unendliche Varietät.

Wie ein Gegenbild zu dieser gliederungslosen, kindlichen Spiegelung ist die umgebende Landschaft durch den Dichter entwickelt.

Voran das alles Überwölbende: „Es war ein sehr schöner Tag" — die Voraussetzung klarer Schau — und der große zusammenfassende Eindruck des Ganzen: „die herrliche Aussicht". Dann der gelenkte Übergang zum Besonderen: „. . . und Jarno ließ sie . . . im einzelnen betrachten". Die Gruppe der gleichrangigen Berge fällt darin als erstes ins Auge: „Noch standen hie und da mehrere Gipfel, dem ähnlich, worauf sie sich befanden." Und nun läßt der Blick sich von den Gliederungen der Landschaft ins Weitere führen, endlich bis zum Horizont hin ziehen. „Ein mittleres Gebirg schien heranzustreben, aber erreichte noch lange die Höhe nicht. Weiter hin verflächte es sich immer mehr; doch zeigten sich wieder seltsam vorspringende Gestalten. Endlich wurden auch in der Ferne die Seen, die Flüsse sichtbar, und eine fruchtreiche Gegend schien sich wie ein Meer auszubreiten." Dabei sind die Sachen, so klar der Betrachterstandpunkt eingehalten ist, doch auch von ihnen selbst her gesehen: „... schien heranzustreben ... erreichte nicht ... verflächte sich ... schien sich ... auszubreiten". — Bei Novalis gab das „Scheinen" jeder Wahrnehmung ein Fragezeichen. Es löste die Körperhaftigkeit der Gegenstände auf und ließ die Umgrenzungen verschwimmen, um Mensch und Natur in die Schwebe eines einzigen, alles durchwaltenden Traumbezuges zu heben. Hier bei Goethe steht es gerade umgekehrt im Dienste gegenstandsbezogener Genauigkeit. Es erlaubt lebendige Anschaulichkeit und hält doch das Bewußtsein uneigentlicher Rede wach, entschuldigt sich gleichsam für die Dynamisierungen des Bildes. Es schafft einen Abstand, aus dem dem Betrachter wie der Sache ihr Recht werden.[24] — Aus der ebenen Weite wendet die Betrachtung sich dann wieder in die zerklüftete Nähe, organisch und naturwahr den großen Bogen vollendend, den der Blick von der Augenhöhe aus abwärts zu beschreiben pflegt. „Zog sich der Blick wieder zurück, so drang er in schauerliche Tiefen, von Wasserfällen durchrauscht, labyrinthisch miteinander zusammenhängend."[25]

Nun setzt etwas Neues ein. Das Gespräch, das auch der Landschaftsausblick nicht unterbrochen hatte, war bislang nur von Montan und Felix bestritten worden; Wilhelm hatte zugehört. Jetzt entläßt der Dichter die Knaben. Und jenes erste Lehrgespräch wird Gegenstand eines zweiten, zwischen Montan und Wilhelm.

Wilhelm war nicht entgangen, daß der Freund, so gefällig er auch „jede Frage" des wißbegierigen Schülers beantwortete, doch nicht rückhaltlos mit seinen Gedanken herausging. Er glaubte zu bemerken, „daß der Lehrer nicht durchaus wahr und aufrichtig sei", und stellt ihn nun deswegen zur Rede.

„Du hast mit dem Kinde über diese Sachen nicht gesprochen, wie du mit dir selber darüber sprichst." Das ist mehr als eine Feststellung, es ist ein Vorwurf. Nur ein noch unbefragt naives Verständnis von Sprechen und Sprache kann ihn erheben. „Wahrheit" und „Aufrichtigkeit" werden für das Selbstgespräch vorausgesetzt und als Norm auch für alle anderen Gespräche angesehen. Die Möglichkeit der Orientierung am Gegenüber, der Anpassung an den Gesprächspartner bleibt außer acht. Es kennzeichnet sich hier immer noch der Wilhelm, über dessen Kindheitserinnerungen Mariane einschlief und über dessen sinnig verständigem Trost auch ihr Sohn Felix entschlummern wird (757).

Montans Entgegnung macht denn auch darauf aufmerksam, an welch komplexe Problematik Wilhelm hier ahnungslos rührt. Der ersten, ein wenig sarkastischen Reaktion: „Das ist auch eine starke Forderung", folgt eine geistvolle Parade: „Spricht man ja mit sich selbst nicht immer, wie man denkt . . .". Dies entzieht dem Ausfall des Freundes die Basis. Schon das Selbstgespräch ist nicht immer so simpel und eindeutig, wie Wilhelm meint.

Wenn man für sich selber anders denken kann, als man mit sich selber spricht, dann muß sich das Denken sprachlos vollziehen, dann erscheint das Sprechen einigermaßen verdächtig. Es kann in Widerspruch zu dem maßgebenden 'Grundgefühl des Rechten geraten, als das Goethe eigentliches Denken verstand. Der überredende und trügende Charakter eines Selbstgesprächs, das anders spricht als das Denken, ist unverkennbar. Und die Sprache selbst, die solchen Möglichkeiten der Täuschung und Selbsttäuschung Vorschub leistet, gerät damit ins Zwielicht.

Nach der einräumenden Inversion des Eingangs: „Spricht man ja . . .", schreitet der Satz statuierend fort: „. . . und es ist Pflicht, andern nur dasjenige zu sagen, was sie aufnehmen können." Man ist gewöhnt, Satzverbindungen als Sinneinheiten zu hören. Deshalb kann dieser Anschluß verwirren. Zu nahe liegt ein kausales Verständnis: Da man mit sich selbst oft anders spricht, als man denkt, ist es Pflicht, auch andern nur zu sagen, was sie aufnehmen können. Eine heimtückische Koppelung. Nach vorwärts legitimiert sie aus der Selbsttäuschung die Täuschung anderer, von rückwärts aus der Anpassung an das Aufnahmevermögen anderer die Selbsttäuschung als Anpassung an das Aufnahmevermögen des Ich. Hier scheint das Verdächtige der Sprache sich actu beweisen zu wollen. Denn es ist klar: So kann der Satz nicht gemeint sein. Das „und" verknüpft hier Heterogenes. Statt zu binden, hält es entfernt. Es erhebt Einspruch gegen das gleichschaltende „wie" Wilhelms: „mit dem Kinde nicht ... wie ... mit dir selber". Zwei verschiedene Bezugspunkte, diesseits und jenseits der disjunktiven Konjunktion „und", strukturieren den Satz. Auf der einen Seite erscheint der Bezug zum Ich; auf der anderen der Bezug zu den „anderen" als Forderung nach bewußter, maßvoller Anpassung des Sprechers an die Möglichkeiten des Hörenden.

Denn: „Der Mensch versteht nichts, als was ihm gemäß ist." Der unendliche Weltstoff und die endliche Natur des Menschen stehen einander gegenüber. Diese versteht „nichts" von jenem — „als" nur das ihr Gemäße. Mit dem Gemäßen befindet sie sich in innerer Übereinstimmung. Dort antwortet das innere dem äußeren, das äußere dem inneren Licht. „Gleiches durch Gleiches" heißt die Empedokleische Grundformel dieser Korrespondenz. Doch grenzenlos vieles bleibt unverstanden, und wenn Ungemäßes begegnet, kann es nur mißverstanden werden.

Darum muß die „Pflicht" des Mitteilenden, „andern nur dasjenige zu sagen, was sie aufnehmen können", in ganz besonderer Weise für den pädagogischen Bezug gelten. Denn dort ist eine Gleichartigkeit der Voraussetzungen, die von jeder Rücksicht entbände, von vornherein nicht gegeben. Dem Schüler ist zunächst immer etwas anderes gemäß als dem Lehrer, dem Kinde natürlich etwas anderes als dem Erwachsenen:

„Die Kinder an der Gegenwart festzuhalten, ihnen eine Benennung, eine Bezeichnung zu überliefern, ist das Beste, was man tun kann. Sie fragen ohnehin früh genug nach den Ursachen."

Dies wirkt wie ein Kommentar zu Felix' Wißbegierde am Anfang. Auch da wurde zuerst die Benennung und „früh genug" dann auch die Ursache erfragt: „Wie nennt man ...? ... Und warum?" Hier erhellt nicht nur, welch hohe Treffsicherheit und gegründete Einsicht der Dichter Montan zugebilligt hat; auch Felix' Stellung tritt deutlicher ans Licht. Er ist als der einmalig einzelne Knabe zugleich auch ein typischer „Vertreter" für die Kinder.

„Es ist ihnen nicht zu verdenken", nimmt nun Wilhelm Partei. „Die Mannigfaltigkeit der Gegenstände verwirrt jeden ..." —

„Da unten ist also wieder anderes Gestein ... und dort wieder anderes, und immer wieder anderes!" — „... und es ist bequemer, anstatt sie zu entwickeln, geschwind zu fragen: woher? und wohin?"

Zusammenhänge erst, zeitlicher wie räumlicher Art, gliedern die Welt und beheben die Verwirrung. Diese Zusammenhänge aus der Tiefe zu entwickeln, erfordert Anspannung und Selbstentwicklung, belohnt aber damit, sie auch aus der Tiefe zu verstehen. Das Fragen nach den Resultaten anderer ist zwar geschwinder und bequemer — es ist aber auch oberflächlicher:

„Und doch kann man", sagte Jarno, „da Kinder die Gegenstände nur oberflächlich sehen, mit ihnen vom Werden und Zweck auch nur oberflächlich reden." Wieder gibt Felix das Zeugnis. Wie behende hatte sich sein Interesse von den „großen Bergen" zum „Katzengold", von der Weltentstehung in die ausgebreitete Vielartigkeit der sichtbaren Gesteine gewendet, wie sehr hatte schon früher das bloße Aussehen seine Meinung bestimmt: „Das sieht nicht aus wie ein Zapfen, es ist ja rund" (711). So war ihm auch nur der äußere Reflex einer inneren Grunderfahrung zugeteilt worden; den Hinweis auf die wesentliche Problematik hatte Goethe dem reifen Mann vorbehalten. (— Wenn Goethe auch die Gegensetzung von „Kern" und „Schale" oft als philiströs abgelehnt und wiederholt zum Ausdruck gebracht hat, daß das rechte Begreifen der „Oberfläche" auch schon die „Tiefe" mit begreift, so hat er diese Begriffe damit doch nicht ein für allemal terminologisch fixiert, sondern sie — wie andere Begriffe und Bilder auch — mit großer Freiheit bald in diesen, bald in jenen Zusammenhängen brauchen können. Hier bei Montan ist der pejorative Ausdruckswert der „Oberflächlichkeit" und der in diesem Sinne oberflächliche Charakter einer Naturbetrachtung, die sich mit der bloßen „Schale" begnügt, nicht zu übersehen.)

Dem oberflächlich Sehen entspricht das oberflächlich Reden. „Werden" und „Zweck", „Woher" und „Wohin" bleiben ausgespart: Die Tiefe, über die das oberflächliche Sehen hinwegsieht, ist auch eine Tiefe des Zeitlichen. „Denn wer versteht irgendeine Erscheinung, wenn er sich von dem Gang des Herankommens (nicht) penetrirt?"[26] Dieses eingehende Verstehen ist dem Kinde versagt. Deshalb eben ist es „das Beste", es „an der Gegenwart festzuhalten", daher auch hat Montan Felix' Frage nach den Ursprüngen kurz abgefangen. Im Gegenwärtigen läßt sich das Angemessene und Unmißverständliche vermitteln. An einer „Benennung", einer „Bezeichnung" ist nicht eben viel zu „verstehen" oder falsch zu verstehen. Sie orientieren und machen die Welt handlich. Und sie sind in bezug zu ihrer frühen Stufe so „richtig" wie die reifsten Resultate auf der spätesten.

„Die meisten Menschen", erwiderte Wilhelm, „bleiben lebenslänglich in diesem Falle und erreichen nicht jene herrliche Epoche, in der uns das Faßliche gemein und albern vorkommt."

Das ist zunächst ein Befund. Die Majorität verharrt auf jener vorläufigen Stufe der dem Menschen geschenkten Möglichkeiten, die Kindern naturgemäß ist. Sie hält sich im Bereich des „Faßlichen", das Goethe der „Sinnlichkeit und dem Verstande" zuordnet.[27] Aus hohem Perspektivpunkt wird hier deren minderer Rang festgestellt; „gemein" in seiner ephemeren Bedeutung steht mit „albern" zusammen. Unter dem Aspekt „herrlicher" Steigerung muß das lebenslängliche „Bleiben" den Charakter dumpfer Stagnation annehmen. Die Reihe geschwind — bequem — oberflächlich — faßlich — gemein — albern stellt sich her.

Weit darüber setzt Wilhelm seine „Epoche" an, da wo man sich nicht begnügt, wo das Unfaßliche und Ungemeine erstrebt wird. — „Epoche" bezeichnet im Deutschen meist einen Zeitraum längerer Erstreckung und hier, wie das „erreichen" zeigt, einen spätzeitlichen. Mit ihm geht Wilhelm über die Aufnahme eines Befundes hinaus und erhebt einen Anspruch. Es ist der Anspruch des Erreichten: „... in der *uns* das Faßliche gemein und albern vorkommt." Damit stellt Wilhelm Meister sich Montan gleich.

Hatte er sich aber nicht eben noch und ebenso den Kindern gleichgestellt? „Es ist ihnen nicht zu verdenken... . Die Mannigfaltigkeit der Gegenstände verwirrt *jeden,* und es ist bequemer...., geschwind zu fragen: woher? und wohin?" Ein leichter innerer

Widerspruch ist unverkennbar. In Montans Zustimmung zeichnet er sich bereits entschiedener ab.

„Man kann sie wohl herrlich nennen ...". Montan pflichtet dem Freunde bei, doch nur, um sogleich den Charakter der Aussage wesentlich zu modifizieren. „... denn es ist ein Mittelzustand zwischen Verzweiflung und Vergötterung." Mit verhaltener Ironie ist so ohne alle Prätention der Abstand wieder hergestellt. Um die gemeinsame Angel des Wortes „herrlich" dreht sich die Betrachtung fast in die Gegenrichtung, legt Verwahrung ein gegen den Eindruck gegründeter Dauer, den das Wort „Epoche" erwecken kann.

Der Verdacht drängt sich auf, daß Wilhelm diesen Zustand gar nicht eigentlich aus seiner Mitte, sondern nur von unten sieht. Denn gerade wer ein Dasein höchsten Anspruchs noch nicht selbst gelebt hat, ist geneigt, es undifferenziert und allein in seiner „Herrlichkeit" zu werten. „Den Gipfel im Auge wandeln wir gern auf der Ebene" (575). Montan dagegen kennt sich auf diesem Gipfel aus. Er differenziert; ihm ist die „Epoche" ein gefährdeter „Mittelzustand" zwischen Extremen. — Und wieder wird die Stelle des Menschen doppelt bestimmt. Oben und Unten, Hüben und Drüben, Zuvor und Hernach, Kleinheit und Größe — Verzweiflung und Vergötterung.

Was den Menschen in die Vergötterung erhebt, ist das göttliche Geschenk, die unfaßliche Unendlichkeit erahnen und erfühlen zu können. Dies ist die „Größe" des Menschen. Das schwindelnde Staunen am Beginn dieser Szene gab ein Bild davon. „In diesem Augenblicke, da die innern anziehenden und bewegenden Kräfte der Erde gleichsam unmittelbar auf mich wirken, da die Einflüsse des Himmels mich näher umschweben, werde ich zu höheren Betrachtungen der Natur hinaufgestimmt .... So einsam ... wird es dem Menschen zumute, der nur den ältesten, ersten, tiefsten Gefühlen der Wahrheit seine Seele eröffnen will. ... Ich fühle die ersten festesten Anfänge unsers Daseins; ich überschaue die Welt, ihre schrofferen und gelinderen Täler und ihre fernen fruchtbaren Weiden, meine Seele wird über sich selbst und über alles erhaben und sehnt sich nach dem nähern Himmel." So der Granitaufsatz.[28]

Die großartige Prosa des dichtenden Naturbetrachters setzt hier zu einem jener Aufschwünge an, wie sie sich ihm an Adler- und Kranichflug entzündeten.

„Aber": „Auf dem Gipfel der Zustände hält man sich nicht lange".[29] Schwerkraft zieht den hohen Wurf zur Erde. „Bald" ist der Scheitelaugenblick vorbei. Auch im Vergänglichen, zwischen Zuvor und Hernach, muß der Mensch sich erkennen: „Aber bald ruft die brennende Sonne Durst und Hunger, seine menschlichen Bedürfnisse zurück. Er sieht sich nach jenen Tälern um, über die sich sein Geist schon hinausschwang, er beneidet die Bewohner jener fruchtbaren quellreichen Ebnen, die auf dem Schutte und Trümmern von Irrtümern und Meinungen ihre glücklichen Wohnungen aufgeschlagen haben, den Staub ihrer Voreltern aufkratzen und das geringe Bedürfnis ihrer Tage in einem engen Kreis ruhig befriedigen." Daß ihm die erahnte und erfühlte Unendlichkeit unfaßlich *bleiben* muß, das macht des Menschen Verzweiflung. „Wo faß ich dich unendliche Natur?"[30] ist Frage ohne Antwort. Des Sterblichen Sehnsucht zum Himmel bleibt immer nur Sehnsucht. Seine engen Grenzen und kleinen Bedingtheiten vermag er nicht zu überschreiten, und das göttliche Gestirn wird ihm zu „brennend". „Weh! ich ertrag' dich nicht!"[31] Dies ist die Kleinheit des Menschen.

Kleinheit und Größe sind Grundrelationen. Sie konstituieren den Menschen. Er fühlt sie als Verzweiflung und Vergötterung im herrlichen Zustand höchsten Anspruchs, er „genießt" sie als begriffenen Schwindel vor dem unerwarteten Anblick des Ungeheuren.

Es sieht so aus, als könnten die anfangs etwas dunklen Antinomien im Doppelgefühl des Schwindels nun deutlicher hervortreten. Schon die von Wilhelm angesprochene „Epoche" scheint alles aufs erfreulichste zu klären. Der logischen Forderung nach Kontrastpunkten antwortet die zwiefache Wendung des Mittelzustandes: Kleinheit gegegenüber dem Unfaßlichen — Größe gegenüber der Gemeinheit der „meisten Menschen". Aus entgegengesetzten Verhältnisrichtungen resultieren entgegengesetzte Verhältnisbestimmungen. Der Mensch ist „einerseits" klein und „andererseits" groß. Umfassende Sicht, die beide Perspektiven ausmißt, konnte das in die sprachliche Figur des Paradoxons zusammenziehen: „... um zugleich unsere Kleinheit und unsere Größe zu fühlen." Von einer Sache wird „zugleich" Eines und sein Gegenteil ausgesagt, jedoch in zweifacher Hinsicht. Das Paradox liegt wie über einer Naht, die durch das „und" markiert wird.

Indessen, die Seele des höher Betrachtenden wurde doch auch „über sich selbst ... erhaben", und in der Sehnsucht nach dem näheren Himmel verschwand schließlich auch von selbst alle Kleinheit: Wenn Vergötterung Größe ist, dann ist deren Ursprung nimmermehr abschätzendes Vergleichen zu Minderem und Niederem, sondern das Göttliche selbst. Klein sind wir vor dem Göttlichen und groß durch das Göttliche! Hier fallen die Beziehungspunkte zusammen. „... um zugleich unsere Kleinheit und unsere Größe zu fühlen", ist nun erst paradox im schärfsten Sinne. Von Einer Sache wird „zugleich" Eines und sein Gegenteil ausgesagt — und in einer Hinsicht! Dieses Paradox ist nahtlos. Das Summierungszeichen „und" wird zum Gleichheitszeichen.

Es liegt in der Natur des Menschen, daß er seinen paradoxen „Mittelzustand" nicht permanent im Gleichgewicht erhalten kann, daß er sich wechselweise mehr dem einen oder dem anderen Pol zuwendet. Es liegt aber ebenso in seiner Natur wie in der des Paradoxen selbst, daß er sich niemals ganz aus dem Doppelbezug zu lösen vermag, daß die Pole immer, auch aus der größten Entfernung, aufeinander zu gerichtet bleiben.

Daher deutet jener Aufsatz über den Granit noch eine andere Bewegung an. Der Erhobene beneidet, verzweifelnd, die glückliche Beschränktheit des „engen Kreises" und begibt sich dann, tätig, selbst darein. „Ich kehre von jeder schweifenden Betrachtung zurück und sehe die Felsen selbst an ...".[32] Ihre eindringende Erforschung setzt er sich vor. Handwerklich und beinahe pedantisch beginnt er, „diese Gesteinsart von anderen wohl unterscheiden zu" lehren. „Noch verwechseln die Italiener eine Lava mit dem kleinkörnigen Granit und die Franzosen den Gneis ...; wir Deutsche ... haben noch vor kurzem das Toteliegende, eine zusammengebackene Steinart aus Quarz und Hornsteinarten und meist unter den Schieferflözen, ferner die graue Wacke des Harzes, ein jüngeres Gemisch von Quarz- und Schieferteilen, mit dem Granit verwechselt."[33]

Ähnlich berichtend und sondernd aber hatte die Betrachtung angehoben, ehe sie sich zum Himmel emporschwang: „Der Granit war in den ältesten Zeiten schon eine merkwürdige Steinart . . . . Die Alten nannten ihn Syenit . . . . Die Neuern gaben dieser Gesteinsart den Namen, den sie jetzt trägt, von ihrem körnigen Ansehen . . .".[34] Damit ist angedeutet, daß sich der Forschende, der mit der Tonart des Beginns am Ende die Kreisfigur schließt, dem Himmel gerade durch tätig-fortschreitendes Erkennen innerhalb des Endlichen und Beschränkten wiederum nähern kann. Je tiefer man in „das Gebiet" der Natur dringt, „desto wahrer wird sie".[35] Da „das Wahre" aber „mit dem Göttlichen identisch", kann gerade aus unserer Kleinheit unsere Vergötterung erwachsen.

„Das Wahre, mit dem Göttlichen identisch, läßt sich niemals von uns direkt erkennen . . .; wir werden es gewahr" — das ermöglicht Vergötterung — „als unbegreifliches Leben" — das bedingt die Verzweiflung — „und können dem Wunsch nicht entsagen, es dennoch zu begreifen"[36] — das ist das Paradox.

So komplex die Bezüge sind, die in Montans Rede von Kleinheit und Größe, Verzweiflung und Vergötterung angesprochen werden, so unvermögend ist Wilhelm, den Andeutungen des Freundes zu folgen. Er springt ab, wie zuvor Felix von den Ursprungsfragen abgesprungen war. Und die Ähnlichkeit mit dem Granitforscher, der ja auch „von jeder schweifenden Betrachtung" zurückkehrt, ist dabei nur scheinbar. Wilhelm schaut nicht „die Felsen selbst an":

„Laß uns bei dem Knaben verharren . . ., der mir nun vor allem angelegen ist. Er hat nun einmal Freude an dem Gestein gewonnen, seitdem wir auf der Reise sind. Kannst du mir nicht so viel mitteilen, daß ich ihm wenigstens auf eine Zeit genugtue?"

Schon die Vokabel „verharren" muß hier in Wilhelms Munde zu denken geben. Mit welcher Sicherheit hat er sich doch eben noch über die Verharrenden erhoben, über jene Vielen, die „lebenslänglich" auf einer Stufe bleiben, auf der nur oberflächlich Gemeines gesehen und oberflächlich über Faßliches geredet werden kann. Wilhelm aber tut in diesem Augenblick nichts anderes. Er selbst weicht nun dem „Entwickeln" aus, wählt das „Bequeme", fragt „geschwind".

Naiv und augenblicklich handelt er gegen seine eigenen Sentenzen. Daß Wilhelms Sicht von oben, aus der Mitte der herrlichen Epoche, im Grunde eine Fiktion unschuldiger Anmaßung gewesen, findet sich hier bestätigt. Die letzte Unverbindlichkeit, mit der er sich den Kindern und Montan auf einmal gleichstellen möchte, hat zu Doppelpositionen geführt, die sich selbst aufheben und bis zur Standpunktlosigkeit neutralisieren. Beinahe scheint Wilhelm jenem leeren Transzendieren verfallen, das Goethe der zeitgenössischen Wissenschaft so ärgerlich ankreidet: „man entfernt sich vom gemeinen Sinn, ohne einen höheren aufzuschließen, transzendiert, phantasiert" und „fürchtet lebendiges Anschauen."[37] — Als „lebendiges Anschauen dieser Gebirge" hatte vormals der Granitforscher seine eigene Betrachtung apostrophiert.[38]

Wilhelms Absicht ist eingestanden: Er möchte mit den Erklärungen Montans als scheineigenem Material schalten. Da ihm die Begriffe fehlen, will er sich mit Wörtern helfen. So würde er aber zum Lehrer ohne Fundus und seine Lehre „betriegliches" Zeug. „Wer nur mit Zeichen wirkt, ist ein Pedant, ein Heuchler oder ein Pfuscher", stand im Lehrbrief zu lesen (576); und wenig später wird Montan unmutig statuieren: „Es ist nichts schrecklicher als ein Lehrer, der nicht mehr weiß, als die Schüler allenfalls wissen sollen. Wer andere lehren will, kann wohl oft das Beste verschweigen, was er weiß, aber er darf nicht halb wissend sein." (744)

Die Abmahnung ist auch hier schon entschieden genug: „Das geht nicht an . . . . In einem jeden neuen Kreise muß man zuerst wieder als Kind anfangen, leidenschaftliches Interesse auf die Sache werfen, sich erst an der Schale freuen, bis man zu dem Kerne zu gelangen das Glück hat." Wilhelm treten seine eigenen Maximen entgegen. Montan ist es, der sie statt seiner realisiert. Man muß als Kind anfangen, nicht aber lebenslänglich „verharren". Dem Erwachsenen kommt das kindhafte Trachten nach flacher Dingherrschaft nicht zu; nicht mehr allein die Richtigkeit, die Draufsicht, die „Schale" sollten ihm genügen, sondern die Wahrheit, die Einsicht, der „Kern". Dieser aber schließt sich nur einläßlichem stufenweisen Erforschen auf. Wer primär Nutzanwendungen im Auge hat, der schielt an der eigentlichen „Sache" schon vorbei.

Die vier knappen Eingangsworte wurden in den „Wanderjahren" schon einmal gesprochen. Das war in der Josephsgeschichte. Dort verwies die Geburtshelferin Elisabeth dem „unbedachtsamen", „ungeduldigen" Joseph seine Voreiligkeit: „Kann ich sie nicht noch einmal selbst sprechen?" versetzte ich. — „Das geht nicht an", sagte Frau Elisabeth (732). Und das Amt, diese notwendige Grenze zu ziehen, paßt sehr wohl zu der würdigen, zurückhaltenden und geheimnisumgebenen Frau. „Das Geheimnis", erzählte der Zimmermann, „womit mich Elisabeth jederzeit empfing, die bündigen Antworten auf meine rätselhaften Fragen, die ich selbst nicht verstand, erregten mir sonderbare Ehrfurcht für sie, und ihr Haus schien mir eine Art von kleinem Heiligtume vorzustellen." (727)

Die Hebamme und Montan, die scheinbare Nebenfigur und eine offenbare Gipfelgestalt des Romans, rücken so auf merkwürdige Weise zusammen. Beide lieben die bündigen Antworten, beide scheinen von einer Aura der Verschlossenheit umgeben, und beide verwahren etwas vor hastigem, unzeitigem Zugriff: Dem Leser wird unauffällig bedeutet, daß Montan, auf seine Weise, auch Maieutiker ist. Jede Zurückweisung, die den andern auf sich selbst zurückweist und Selbst-Entwicklung verlangt, ist ja bereits ein maieutischer Akt. Und noch an diesem Abend wird Montan ein ausdrücklich „sokratisch" genanntes Gleichnis gebrauchen (748) und damit den größten Meister geistiger Hebammenkunst überhaupt berufen.[39]

Mit der „bündigen" Ablehnung Montans beschloß die frühere Fassung das Kapitel und beschließt auch die zweite noch einen Abschnitt des Dialogs.

Gleich zu Beginn hatte Montan, auf die ersten Bedenken Wilhelms hin, den Rahmen des Gesprächs gezogen, indem er die sehr persönliche Bemerkung: „Du hast . . . nicht gesprochen, wie du mit dir selber . . .“, sogleich unpersönlich parierte: „Spricht man ja . . . nicht . . . und es ist Pflicht“. Und damit setzte dann jener ungemein dichte Austausch von Erkenntnissätzen ein, die sich auf den Stufen des Allgemeinen auf und nieder bewegten, dieses Allgemeine selbst aber nie verließen. „Der Mensch . . .“, dann eine Stufe zurück: „Die Kinder . . .“, mit der Relation sogleich wieder hinauf: „was man tun kann“, und so fort: „Sie fragen ohnehin . . . es ist ihnen . . . verwirrt jeden . . . es ist beqeuemer . . . kann man . . . da Kinder . . . die meisten Menschen . . . in der uns . . . man kann wohl . . . es ist“. Und selbst im Schluß noch, der auf die erste direkte Frage Wilhelms die erste direkte Zurückweisung Montans enthält, nicht der geringste Wechsel des Gestus: „In einem jeden . . . muß man die Sache . . . bis man . . . das Glück“.

Im Text mutet das wie eine Reihe von Maximen und Reflexionen an, die die Grenzen und Möglichkeiten von Mitteilung und Aufnahme zum Thema haben. Aus leicht variiertem Blickwinkel sprechen sie ihren Gegenstand wiederholt an und lassen sich dabei von Stichwörtern und Analogien leiten. Obgleich sie selten direkt ineinandergreifen, bleibt ihr innerer Zusammenhang unverkennbar. — Das sind Merkmale, die an den späten Spruchsammlungen immer wieder aufzuweisen sind. Da könnten denn die Figuren als im Grunde entbehrlich, die Verteilung an die Sprecher als willkürlich erscheinen. Abgezogene Weisheiten und Orakelsprüche zufällig dialogisiert. Die Untersuchung hat jedoch gezeigt, daß diese Annahme fehlgriffe. Hier ist das Erstaunliche erreicht, daß die Figuren Allgemeinstes zur Sache sagen und doch zugleich sich selbst kennzeichnen. Gerade das für die Spruchsammlungen Typische ist hier Funktion der Charakteristik. Das Fehlen ein-gehender Antwort-Antwort-Bezüge, die Variation der Aspekte: das wird im Gespräch zur Differenz der Standorte und zum Mißverständnis.

Jede Entgegnung Montans enthält ja bereits eine mehr oder minder verdeckte Korrektur: „Das ist auch eine starke Forderung . . . . Und doch kann man . . . mit ihnen . . . nur oberflächlich reden. . . .Man kann sie wohl herrlich nennen . . . . Das geht nicht an . . ." — ohne daß sie doch je verstehend aufgenommen würde. Es ergibt sich etwas von jenem sublimen Aneinandervorbei, das dem Gespräch zwischen Tasso und der Prinzessin eignet. Wie dort ist der eine der Reifere, Umsichtigere, Überlegene; wie dort hat aber auch nicht nur der eine recht und der andere grob unrecht: Auch Wilhelm sind bedeutsame Einsichten anvertraut. Wie sie ihm allerdings zu Gesicht stehen, das ist unnachahmlich. Wie Wilhelm sich in Widersprüche verstrickt, ohne es gewahr zu werden, wie er sich die Korrekturen Montans zuzieht, ohne sie dann als solche zu erkennen, wie Montan andererseits entschieden und verhalten zugleich operiert, Aufschlüsse gibt, ohne sie aufzudrängen, zustimmt und dabei ins Rechte rückt — das offenbart die ganze Verschiedenartigkeit ihrer Prämissen, ohne daß der Dichter sie uns direkt mitzuteilen brauchte. Was die einzelne Figur ist oder noch nicht ist, erhellt aus dem Bezug. Tun und Denken, die bei Montan verbindlich zusammengehen, finden sich bei Wilhelm noch in lockerer Divergenz. Eine geschlossene, gesammelte Existenz steht einer offenen, erst wachsenden gegenüber. Dieser Wilhelm „Meister" ist gegen Montan natürlich noch Schüler; er ist noch auf der Wanderschaft. Und Montan geht darum im Gespräch mit Wilhelm ebensowenig wie vorher bei der Belehrung des Felix ganz aus sich heraus.

Freilich, die Figuren sind hier nicht das Letzte und nicht sich selbst genug. Niemand wird für sie spontane Teilnahme empfinden können. Das persönliche Eigenleben des plastischen Menschen, der aus sich selbst heraus da ist, die Atmosphäre des Lebens, die fast alle Gestalten Goethes umgibt, ist hier zurückgetreten und abgedämpft. Sie ist nicht verloren. Die Figuren sind nicht nur Sprachrohr und nicht durch Verrechnung ihrer Funktionswerte zu erschöpfen. Aber ihre Körperhaftigkeit ist nun transparent geworden, das Interesse geht durch sie hindurch auf ein Allgemeines, das in ihnen und in ihren Zwischenbezügen zur Erscheinung kommt. „Die Interessen", hat sich Hofmannsthal dazu notiert, „für die der Autor unseren Geist in Bewegung setzen will, sind ganz geistig, von der abstraktesten (‚entsagenden') Art."[40]

Nicht nur in der Bedeutungsfracht des Dialogs steht dieses Romangespräch der „Pandora“ nahe.

Aus den Reflexen des maximenhaft Allgemeinen im Vordergrund erhellen die Figuren im Mittelgrund, und durch sie wiederum tritt ein Allgemeines im Hintergrund in neuer Tiefe ans Licht.

Der Gegensatz zur Menge, die Sprachabrechnung und das Buch der Natur

Schon in seiner letzten Anfrage hatte Wilhelm, ein wenig verständnislos und ein wenig ungeduldig, den Rahmen des Allgemeinen wieder verlassen. „Kannst du mir nicht...?“ Und nun befragt er in frontaler Direktheit das Du des Gesprächspartners:

„So sage mir denn ... wie bist du zu diesen Kenntnissen und Einsichten gelangt? denn es ist doch so lange noch nicht her, daß wir auseinandergingen.“ — Verwundert steht der Wanderer, der Unverbindliche, dem ständiger Ortswechsel verordnet ist, vor der festen und entschiedenen Einseitigkeit des Freundes. Wer viele Wege ohne bestimmtes Ziel zu gehen hat, muß darüber erstaunen, wie weit man es in Kürze auf einem einzigen bringen kann — sofern man nur den „Acker der Zeit“ emsig bestellt. Für die Fruchtbarkeit der Resignation, „daß ein Individuum sich resignieren müsse, wenn es zu etwas kommen will“[41], fehlt Wilhelm noch das rechte Organ. Gerade dafür aber ist Montan das lebendige Beispiel:

„Mein Freund, ... wir mußten uns resignieren, wo nicht für immer, doch für eine gute Zeit. Das erste, was einem tüchtigen Menschen unter solchen Umständen einfällt, ist, ein neues Leben zu beginnen. Neue Gegenstände sind ihm nicht genug: diese taugen nur zur Zerstreuung; er fordert ein neues Ganze und stellt sich gleich in dessen Mitte.“

Montan hütet sich wohl, so unmittelbar zu entgegnen, wie er gefragt wurde. Sogleich rückt er sich wieder ab aus der „persönlichsten“ ersten Person in die unpersönlichste dritte, begreift sich als Exempel, indem er sich als Exemplar im genus der „Tüchtigen“ begreift. Jeder von diesen „Tüchtigen“ reagiert unter entsprechenden „Umständen“ entsprechend. Unter dem Zwang der Resignation stellt er sich in „ein neues Ganze“, indem er sich wie der Witterungslehrer entschließt, „irgendwo den Mittelpunkt hinzusetzen und alsdann zu sehen und zu suchen, wie er das übrige peripherisch behandle.“[42] So sieht Montan sich aus der Distanz, eingeordnet und unter anderen, sieht sich, um goethesch zu reden, „historisch“.

Diesen Abstand aber will ihm Wilhelms nächste Frage nicht mehr gestatten. Das temperierte Gespräch wird lebhafter, Wilhelm „fällt ein“: „Warum denn aber ... gerade dieses Allerseltsamste, diese einsamste aller Neigungen?“ Und Montan „ruft“ dagegen. Das ist bei der kultivierten Konstanz der allgemeinen Tonlage, in der sonst nur „versetzt“, „gesagt“ und „erwidert“ wird, ein vergleichsweise heftiger Ausschlag. An dieser Stelle sagt Montan zum erstenmal „ich“:

„Eben deshalb ..., weil sie einsiedlerisch ist. Die Menschen wollt ich meiden. Ihnen ist nicht zu helfen, und sie hindern uns, daß man sich selbst hilft. Sind sie glücklich, so soll man sie in ihren Albernheiten gewähren lassen; sind sie unglücklich, so soll man sie retten, ohne diese Albernheiten anzutasten; und niemand fragt jemals, ob du glücklich oder unglücklich bist.“

Wilhelm hat dem Freunde ein privates Bekenntnis abgenötigt. Ein zentraler Punkt seiner Existenz scheint hier berührt. Und es ist durchsichtig, daß er schon zu dem allerersten Einwand Wilhelms in einem inneren Zusammenhang steht: „Du hast mit dem Kinde ... nicht gesprochen, wie du mit dir selber ... sprichst“. Dort ging es an dem Sonderfall der Kinder um die Grenzen und Möglichkeiten der Lehrmitteilung, hier geht es um deren Voraussetzungen und Bedingungen: die Grundeinschätzung „der Menschen“ und des Mitmenschseins überhaupt. Während allerdings dort mit dem Gleichmut weltsicherer Weisheit statuiert wurde, ist hier ein bitterer, engagierter Klang nicht zu überhören. Nach dem tätig gefaßten, fruchtbaren Aspekt der Entsagung tritt nun auch ihre andere, dunkle Seite hervor, jenes Muß, das uns auf uns selbst zurückwirft: „wir mußten uns resignieren.“

„Nur Verzweiflung kann einen dazu bringen", hatte Goethe schon 1797 Meyer nach Rom geschrieben[43], und noch zwei Jahre vor seinem Tode machte er dem Kanzler v. Müller jenes erschütterndste seiner Bekenntnisse: „Darum entsage ich der Geselligkeit und halte mich an die Tête à tête. Ich bin alt genug um Ruhe zu wünschen. Ich habe keinen Glauben an die Welt und habe verzweifeln gelernt."[44] Dieser dunkle Klang, den man lange nicht hat hören wollen, von dem her aber die Heiterkeit der späten Entsagung erst als menschliche Leistung recht gewürdigt zu werden vermag, ist hier bei Montan mit angetönt. Der Einsichtige ist der Einsame: „... und niemand fragt jemals, ob du glücklich oder unglücklich bist." Er gehört nicht zur Menge, zu jenen „meisten" Menschen, denen es „wohl wird zusammen".[45] Er sieht sie ohne Illusionen. Das Katzengold ist „weit und breit", und „das Absurde was man vertilgen möchte ist gerade dem Menschen das Werteste"[46]: das wußte Montan wie Goethe. Jeden umfassenden Besserungsanliegens hat er sich seit langem entschlagen. Die Menschenwelt im ganzen erscheint, beinah erasmisch, unter dem Vorzeichen der Torheit: „Töricht auf Beßrung der Toren zu harren".[47] Und doch waltet noch so etwas wie Liebe in der skeptischen Betrachtung. Denn das Glück der Einzelnen gibt den Richtpunkt des Verhaltens. „Sind sie glücklich, so soll man sie ... lassen; sind sie unglücklich, so soll man sie retten". Illusionslose Menschlichkeit, bescheidene Größe und demütige Ironie.

Daß das „Glück" den Menschen gerade in Verbindung mit „Albernheiten" beigelegt wird, ist freilich bezeichnend. Es schließt sich so in geheimer Korrespondenz an jene mindere Reihe des Geschwind-Bequem-Oberflächlich-Faßlich-Gemein-Albernen an und zeigt in der Gegenspiegelung noch eines deutlich: Diese Sätze sind gewiß von keinem Glücklichen gesprochen. Der gehaltene Affekt eines einzelnen Menschen, nicht mehr die gelassene Stimme des allgemeinen Menschseins, ist es, der die Rede bestimmt.[48] Im folgenden geht sie gar in jene „bitter humoristische ... Widerspruchsart" über, die der Kanzler v. Müller an Goethe selbst „so ungern manchmal bemerkte".[49]

Nach Wilhelms lächelnder Zwischenbemerkung: „Es steht noch

nicht ganz so schlimm mit ihnen", repliziert Montan: „Ich will dir dein Glück nicht absprechen . . . . Wandre nur hin, du zweiter Diogenes! Laß dein Lämpchen am hellen Tage nicht verlöschen!" Dies ist die Anwendung der eben geäußerten Überzeugungen auf den gegenwärtigen Fall. Auch Wilhelm ist hier durchaus „nicht zu helfen", weshalb auch ihm das der Menge zugesprochene „Glück" belassen wird.

Den Diogenes bringt Montan dabei auf eine sehr lässige Weise ins Spiel. Während der späte Goethe ihn sonst gerne selbstmythisch als Sinnbild rastlosen Tuns — seiner grenzenlosen Relativität wie unabweisbaren Notwendigkeit — beruft oder mit seinem „Faß" als Inbegriff eingeschlossener Bedürfnislosigkeit die eigene Behausung apostrophiert, spielt er hier einmal auch auf den kynischen Spaß des Menschensuchens[50] an. Indessen, die inneren Beziehungen haben sich umgekehrt. Der bissige Einfall soll hier gerade die Vertrauensseligkeit des Menschen-Freundes kennzeichnen helfen: „Es steht noch nicht ganz so schlimm mit ihnen." Die Rolle des Kynikers dagegen übernimmt eher Jarno:

„Dort hinabwärts liegt eine neue Welt vor dir; aber ich will wetten, es geht darin zu wie in der alten hinter uns. Wenn du nicht kuppeln und Schulden bezahlen kannst, so bist du unter ihnen nichts nütze."

Dies ist nun allerdings schwarz gesehen. Und jener Schuhu aus den „Vögeln" kann einem in den Sinn kommen, der „auf dem Gipfel dieses überhohen Berges . . . wohnt, der mit nichts zufrieden ist" und der endlich von sich selbst bekennt, er habe „Korrespondenz mit allen Malkontenten in der ganzen Welt."[51]

Der timonisch hypochondrische Zug ist es, der sie in der Tat in eine gewisse Verwandtschaft bringt. Montan hat ihn ja bereits vom Jarno der „Lehrjahre" ererbt. Schon sein schiefes und unklares Geburtsverhältnis (187) schien ihn zu Schroffheit und Menschenverachtung zu disponieren. Und doch war er nie eindeutig darauf festzulegen. Immer wieder verhinderten Gegengewichte die Fixierung. „. . . denn er empfand gegen den Fremden, ob er gleich etwas Kaltes und Abstoßendes hatte, eine gewisse

Neigung" (187). „... der ihm, wiewohl auf eine unfreundliche Art, neue Ideen gab" (207). Da wo Wilhelm Jarnos „hartherzige Kälte" für ausgemacht hält (224), ist offenkundig, daß er selbst in manchem Irrtum befangen und „nicht weit von der Herberge ins Wasser" gefallen ist (208). Jarno wird zwar einerseits im Namen des Verstandes gegen das „Menschenpack" ausfällig (503) und rechnet Wilhelms erbitterte Schauspielercharakteristik sogleich der Menschheit im ganzen zu (504 f.), er kann es aber andererseits doch „mit den armen Teufeln von Menschen unmöglich so genau nehmen" (666). Und den Gefahren reiner Verstandesdominanz und unbedingten Klarheitsstrebens wirkt er dadurch entgegen, daß er sie im späten Rückblick zu benennen und anzuzeigen weiß. Wie der Abbé die Gesellschaft, bewahrt Jarno so sich selbst vor einer „falschen Richtung" (637 f.).

Dennoch: Den „Explosionen" des „Unmuts" „Luft" zu machen"[52], „alle diese etwas Timonischen Ausdrücke" zu gebrauchen, „die man sich nicht immer versagen sollte"[53], war er der geeignete Mann.

Daß seine Komplexität und Reife ihn — vor allem nun als Montan — weit über jenen mißvergnügten Nachtschuhu hinausheben, braucht nicht ausdrücklich noch belegt zu werden. Während dieser sich in der wohl auf Klopstock abgezielten[54] Kritikersatire schon erschöpft, offenbart die Figur Montans bei jeder neuen Betrachtung auch neue Aspekte.

Auch hier verbirgt sich in der absichtsvoll einseitigen „Grobheit"[55] mehr, als es zunächst scheinen könnte: die Überzeugung nämlich, daß die Menschen überall und zu allen Zeiten in ihrem Wesen unveränderbar die Gleichen sind. Dies Axiom ist fundamental. Man kann sie wohl zu Wander-, Arbeits-, Tatgemeinschaften zusammenschließen, um der „Zeit" gemäß zu leben, aber man hat mit ihnen so zu rechnen, wie sie sind. So legt Montan hier den tiefen Grund gesunder Skepsis, auf welchem die Versuche, „das Beste" aus dem Möglichen zu machen, überhaupt erst aussichtsreich ins Werk gesetzt werden können. Ein notwendiger Kontrapunkt, der allen zu positivistischen Interpretationen der großen Erziehungsunternehmen vorbeugen sollte. Nicht nur die Kreisfigur des steten Neubeginns aller Generationen[56], auch noch der Schluß bestätigt diese Skepsis, die zuletzt nichts anderes ist als die Anerkennung des Wirklichen als eines Göttlichen: „Wirst du doch immer aufs neue hervorgebracht, herrlich Ebenbild Gottes!" (1233)

Und noch etwas anderes spielt in Montans hartem Ausbruch mit. Er, der sich über „die Menge", „den Haufen", „die Majorität", über „die lieben Deutschen", „das liebe, allerliebste, gegenwärtige Publikum", die „Vögel" und „Abderiten" lange schon emporgehoben, dem es um „Höchstes" und „Letztes" geht, hat auch das bloße „Nützesein" weit unter sich gelassen. Schon die maieutische Zurückweisung Wilhelms schlug dieses Thema an; und später wird Montan als Zentralmaxime statuieren: „Was nützt, ist nur ein Teil des Bedeutenden" (745). Denn „die Menge" ist es, die „das Nützliche hervorbringt"[57], die immer nach dem Nutzen „fragt", weil sie — anders als die „wahren Weisen" (1249 MA) — „den Wert einer Sache bloß durch den Nutzen gewahr wird" (1248 MA). Ihr Organ ist der im Grunde autoritätslose[58] „Verstand", der „alles festzuhalten" wünscht, „damit er es nutzen könne", nicht aber die dem Göttlichen verbundene „Vernunft"[59], die auf Werden und „Entwickeln" angewiesen ist (1049 BdW). Daher eben bleiben „die meisten Menschen" in dem „Fall" der Kinder, mit denen man über „Werden und Zweck" nur oberflächlich reden" kann. Zu leicht verwechselt der „Menschenverstand" „Zweck und Wirkung"[60], greift nach der „nächsten besten" (1056 BdW) der „faßlichen Ursachen" und denkt sich „gern als mechanisch . . ., was höherer Art ist"[61]. — Goethe selber hat seine Person nicht selten gegen das nur Nützliche verwahrt: „Nützlich-Nutzen, das ist eure Sache"[62], und Montan, der sich die „Eigenheit" erlaubt, „sich nur um sein selbst willen zu verbrennen" (749), kommt da mit ihm überein.

Es will einleuchten, daß ein so Ab-sonderlicher sich eigentlich nicht mehr *mit* den Vielen und nur allenfalls noch *an* ihnen unterhalten kann — wie er denn auch beim Bergfest die einzelnen bornierten Standpunkte im Streit gewaltsam gegeneinander aufregt (1005), um so dem „Problem“ (1052 BdW), d. i. im Letzten doch „dem Wahren“, „die Ehre zu geben“ (1058 BdW).

Wilhelms Einwand trifft so an einem Punkt, der ihm selber nicht im Sinne lag, etwas Richtiges: „Unterhaltender scheinen sie mir doch . . . als deine starren Felsen.“ Die wahrhaft „ernstliche“ und bereichernde Unterhaltung indessen kann „dies Geschlecht“ (1005) Montan nicht mehr bieten. „Das Faßliche“ ist ihm in der Tat „gemein und albern“ geworden; die Durchschaubarkeit der platten Menschen, bei denen man gar schnell an ein Ende kommt, steht vor der Unendlichkeit der unbegreiflichen Natur einigermaßen bedeutungslos da.

„Keineswegs“, versetzte er, „denn diese sind wenigstens nicht zu begreifen.“ Das Unbegreifliche als das Unterhaltende. Die Antwort ist so verblüffend wie paradox. Dies ist kein Zufall. Denn schon vorher sprachen sich ja die Polaritäten von Größe und Kleinheit, Allverlorenheit und Allzusammenhang, Verzweiflung und Vergötterung im Paradoxen aus. Und eben diese Polaritäten sind auch hier im Spiel: als „tätige Skepsis, welche unablässig bemüht ist, sich selbst zu überwinden“[63], und als jener ständige Versuch, „es dennoch zu begreifen“. Nach außen muß das Paradoxe notwendig befremden. Wer sich im Kraftfeld zwischen jenen Polen weiß, hat ein tiefinneres Verhältnis zu seiner Aussage, mit der er redlichen Geistes das, was er meint, zu sagen sucht. Doch er sagt es so, daß nur er selber oder „seinesgleichen“ es im Grunde ganz verstehen kann. Montans erstes Paradox schon blieb eine monologische Notiz, und auch hier bleibt der Redende mit seiner Rede eigentlich allein. Daher muß Wilhelm sie als Ausrede empfinden:

„Du suchst eine Ausrede . . ., denn es ist nicht in deiner Art, dich mit Dingen abzugeben, die keine Hoffnung übrig lassen, sie zu begreifen.“ So wird die Dialektik dialogisch. Das Dennoch aller höheren Erkenntnisse ist in zwei Positionen auseinandergelegt. Montan bekennt sich zum Unbegreiflichen; und Wilhelm möchte ihm dagegen nur die Mühe ums Begreifliche als artgemäß zusprechen.

Immer noch — oder: gerade jetzt — scheint „die Person" Montans „zu entfernt" zu stehen, „um erkannt zu werden"; dem Trophonios Nietzsches gleich hat er „seinen Weg *für sich* — und, wie billig, seine Bitterkeit, seinen gelegentlichen Verdruß an diesem ‚Für sich': wozu es zum Beispiel gehört, zu wissen, daß selbst seine Freunde nicht erraten können, wo er ist, wohin er geht"[64]. Und wie bei jenem „Unterirdischen" wirken seine Aussprüche für andere orakelhaft. In ihnen ist sein Eigenes ausgesetzt, vorausgesetzt, und doch zurückgehalten für jeden, der dies Eigene nicht selber hat. Wilhelm steht nicht wie vormals St. Joseph bei Elisabeth vor verschlossenem Haus, sondern „paradoxerweise" vor der offenen Tür und vermag trotzdem nicht einzutreten.

So sucht er noch andere Zugänge: „Sei aufrichtig und sage mir, was du an diesen kalten und starren Liebhabereien gefunden hast."

Wieder reagiert Montan mit seiner typischen ersten Bewegung ins Allgemeine: „Das ist schwer von jeder Liebhaberei zu sagen, besonders von dieser." Und dann nach einem Besinnungsaugenblick: „Buchstaben mögen eine schöne Sache sein, und doch sind sie unzulänglich, die Töne auszudrücken; Töne können wir nicht entbehren, und doch sind sie bei weitem nicht hinreichend, den eigentlichen Sinn verlauten zu lassen; am Ende kleben wir am Buchstaben und am Ton und sind nicht besser dran, als wenn wir sie ganz entbehrten; was wir mitteilen, was uns überliefert wird, ist immer nur das Gemeinste, der Mühe gar nicht wert."

Das geht auf die Sprache. Mit pedantischer Symmetrie werden ihre Möglichkeiten und Grenzen gegeneinander aufgerechnet. Zwei sich steigernde Gleichungsschritte, deren Werte sich je gegenseitig wegkürzen: „Buchstaben . . . Töne", „Töne . . . Sinn"; dann der Summierungsstrich: „am Ende . . ."; schließlich das Fazit: „. . . der Mühe gar nicht wert". Die Rechnung bleibt nicht ohne Resultat, doch das Resultat ist negativ. Wie immer bei Goethe stehen „Töne" dem „Sinn" näher als „Buchstaben". Sprache im ganzen erscheint nur als „Surrogat" des „eigentlichen Sinns" (1245 MA) und das Geschriebene wiederum nur als „Surrogat der Rede"[65].

Die absolute Geltung der Sprache wurde in diesem Gespräch schon früh in Frage gestellt; ihre verdächtigen und trügenden Züge waren nicht zu übersehen. Nun aber scheint sie als Verständigungsmittel überhaupt dahinzufallen.

Die Unterredung hat stufenweise verschiedene Aspekte der Grenzen sprachlicher Kommunikation zutage treten lassen.

Zunächst begrenzte sich die Mitteilung aus dem Gegenüber: In dem kurzen Wortwechsel zwischen Montan und Felix, das in der „wiederholten Spiegelung" den Dilettantismus des Lehrgesprächs des Eingangs offenbarte, paßte sich der Lehrer an das Aufnahmevermögen des Kindes an.

In dem Gespräch mit Wilhelm hielt sich der „überlegene Mann" zurück, um den Freund maieutisch auf sich selbst zu verweisen. Trotzdem waren hier zartere und gröbere Mißverständnisse von Anfang an unvermeidlich. Denn das erste Lehrgespräch war Ausgang und ausdrückliches Thema dieses zweiten: „Du hast mit dem Kinde nicht . . .". Wie kann man sich aber *in* der Mitteilung verstehen, wenn man sich schon *über* Mitteilung — und von der frühesten Voraussetzung an — nicht versteht! Das Gespräch hatte einen doppelten Boden. Der Zwang zum Mißverständnis lag in Divergenzen, die der Gegenstand, über den man sich verständigen wollte, bereits in sich schloß. „Der Mensch versteht nichts, als was ihm gemäß ist."

Die offenbare Unmöglichkeit, sich voll verständlich zu machen, führte im Gesprächsfortgang dazu, daß sich die Mitteilung nun auch aus der Person des Mitteilenden selbst begrenzte. Die Scheu Montans, Eigenes ungeschützt dem Mißverstehen auszusetzen, der Widerwille, überhaupt „ich" zu sagen, waren unverkennbar.

Grundsätzliche Skepsis gegenüber „den Menschen" sprach sich aus. „Die Menschen wollt ich meiden." Die Entsagung von Geselligkeit und menschlicher Kommunikation war zugleich Entsagung von „nothwendiger Wort und Sprach Coexistenz"[66]. Sie zeigte den Doppelaspekt aller Entsagung: die Wendung in ein „neues Leben" aus einer „neuen Mitte" — hier die Wendung zur Natur — und auch die Bitterkeit des Abschiednehmens, der Einsamkeit, der Ausgeschlossenheit vom genügsamen „Glück". Gerade weil der Mensch „ein geselliges, gesprächiges Wesen" (793), weil „sich mitzuteilen ... Natur"[67] ist, mußte auch diese zweite Seite mit hervortreten. Heitere Ironie und herber Sarkasmus erwachsen gleichermaßen über der Schwelle sprachlicher Entsagung.

Und nun, nachdem das Gespräch Stufe für Stufe tiefer in die Voraussetzungen gegangen ist, scheint sich die Basis anzubieten. Alle relativen Einschränkungen bleiben zurück, die radikale Unmöglichkeit wesentlicher Mitteilungen wird dargetan und aus der Enge des Mediums Sprache selbst begründet.

Damit wird aber auch dem „Faßlichen" und „Gemeinen", die in dieser Unterredung schon so oft angesprochen wurden, die endgültige Grenze gezogen. Denn der aufs Faßliche angewiesene „Gemeinverstand" ist in seiner nützlich-mechanischen Denkart auch „gewohnt, sich materieller, mechanistischer, atomistischer Ausdrücke zu bedienen; da denn der forterbende Sprachgebrauch zwar im gemeinen Dialog hinreicht, sobald aber die Unterhaltung sich in's Geistige erhebt, den höheren Ansichten vorzüglicher Männer offenbar widerstrebt."[68] So konnte alles, was im Felde des Kommunikablen liegt, aus den verschiedensten Richtungen „rund" und „direkt" benannt werden: geschwind, bequem, oberflächlich, faßlich, gemein, albern, glücklich, nützlich, begreiflich; während jener „eigentliche Sinn" nur mit Superlativen angedeutet: das Beste, das Höchste, das Erste, das Letzte — negativ umschrieben: das Unfaßliche, das Ungemeine — oder im Paradox reflektiert zu erscheinen vermochte: Kleinheit-Größe, Verzweiflung-Vergötterung, unbegreiflich-unterhaltend. Es ist nun offenbar, warum: Die Grenze des Faßlichen und die engere Grenze der Sprache fallen zusammen. „Nur das Gemeinste", das schon immer mit dem Faßlichen in einer minderen Reihe stand, ist ohne weiteres sprechbar und mitteilbar. Und wo es um „höhere Ansichten" geht, muß die Sprache über sich selbst hinausdeuten, muß sie mittelbar anzuzeigen versuchen, daß an der engeren Sprachgrenze nicht alles zu Ende ist, daß „das Eigentliche" jenseits liegt, daß vieles wahr ist, was sich nicht „fassen" läßt.

Deshalb kann auch „derjenige, der sich in höherem Sinne ausgebildet ..., immer voraussetzen, daß er die Majorität gegen sich habe" (1250 MA). Die Einsamkeit der Einsichtigen wird von der Sprache selbst legitimiert. Stets sind „alle möglichen Facilitäten der Communication" den „leicht fassenden ... Menschen" zugeordnet und dem „Höchsten" entgegengesetzt.[69]

Das radikal Unfaßliche, das schwindelerregend Ungeheure, eröffnet die Szene nicht nur, es umfängt sie im ganzen, überall die Grenzen der Erkenntnis, der Verständigung und der Sprache bestimmend.

In Goethes Sprachgebrauch bringt das Wort „Mitteilen" diese Grenzbestimmung zuweilen schon zum Ausdruck: „Ich spreche freylich nur nach meiner Denkweise, die ich Ihnen wohl überliefern, aber nicht mittheilen kann."[70] Oder: „den eigentlichen Charakter irgendeines Wesens kann ... mündliche oder schriftliche Überlieferung ... doch nicht mitteilen."[71] Oder: „so fühlt man doch, daß eine eigentliche Mitteilung unmöglich sei."[72] In der Regel jedoch hält sich das Wort von vornherein und selbstverständlich im Bereich des Möglichen: „Was die Mittheilung meiner Iphigenie betrifft ..."[73]. „Bis wir uns so manche Facta mittheilen ..."[74], „... der gefällig mitgetheilten Münzen ..."[75], „... sende verschiedenes Mitgetheilte dankbar zurück ..."[76]. „Mittheilung des allerliebsten Bildes ...".[77] „Mittheilung der kräftigen, zeitgemäßen Lieder ...".[78] „Mittheilung der energischen märkischen Kunstproducte ...".[79] „Mitteilung" der Farben im Gegensatz zu ihrer „Entziehung".[80] Der Bezug aufs Fertige, auf Fakten und Gegenstände ist überall offenkundig. Besonders eindeutig auch in einem Brief an Caroline von Wolzogen: „Alles liegt noch höchst unbestimmt vor, sollte ich zu klaren Resultaten und Einsichten gelangen so werde nicht ermangeln vertrauliche Mittheilung zu machen."[81]

Montan hat an dieser Stelle nicht das Amt, dem als „gemein" Verworfenen auch sein Recht zuzugestehen, das „Löbliche" des Menschenverstandes, den Eigenwert des Faßlichen, die Möglichkeiten der Mitteilung zu würdigen. Das tut er zum Teil später, das leistet überhaupt dann der Roman im ganzen, der Montans

Verrechnungsergebnis selbst wieder zum Faktor macht, in seinem Stellenwert beleuchtet und „gegen" anderes „arbeiten" läßt.[82] Und doch deutet er mit jenem „Minimum" der „geforderten Farbe", die „eine Ahndung der Totalität unweigerlich zu verlangen scheint"[83], auch hier schon auf die andere Seite hin. „Buchstaben mögen eine schöne Sache sein, und doch . . ., Töne können wir nicht entbehren, und doch . . .". Das ist keine bloße Redefigur, sondern ganz genau die Figur der „Kritik" im Doppelsinne Kants: abweisend, ausschließend *und* einräumend, zuweisend. Eben so hat auch Goethe sie verstanden[84] und auf prägnanteste Weise schon im Lehrbrief realisiert: „Die Worte sind gut, sie sind aber nicht das Beste." (575) Jedes hat seinen „Kreis", „und doch" ist eines das „Höhere".[85] Die Elemente sind gleich gültig, „aber" nicht gleich wertig.

So scheint eine mögliche Wertschätzung der Sprache selbst nach solch vernichtendem Urteil nicht ausgeschlossen. Ja, mit einer Nebenerinnerung an die Heftigkeit unglücklich Liebender möchte man sogar fragen, ob nicht vielleicht gerade der die Grenze der Sprache so kompromißlos bestimmen muß, der am meisten von ihr verlangt.

Merkwürdige Perspektiven eröffnen sich von hier durch das ganze Gespräch. Manche Zusammenhänge werden in ihrer inneren Logik jetzt erst recht durchsichtig; die Sprachkritik scheint allem die definitive Basis zu unterlegen. Aber— gibt Montan nicht doch eine merkwürdige Antwort? Gibt er denn überhaupt ein Antwort? Nicht nach Sprache und Mitteilung hatte Wilhelm gefragt, sondern nach Gründen für die Beschäftigung mit der Felsennatur.

Die Feststellung: „Du willst mir ausweichen", kann man Wilhelm kaum verdenken; „denn was soll das zu diesen Felsen und Zacken?"

„Wenn ich nun aber", versetzte jener, „eben diese Spalten und Risse als Buchstaben behandelte, sie zu entziffern suchte, sie zu Worten bildete und sie fertig zu lesen lernte, hättest du etwas dagegen?"

Eine Konfession im Konditional. Eine herausfordernd-abwehrende, fast feindselige Frage, die sich den Freund vom Leibe zu halten sucht. Es ist aufschlußreich, daß dem späten Goethe dieser Gestus aggressiver Verletzlichkeit noch so meisterhaft und ohne Zwang gelingt, während sich doch viele andere Töne bereits versagen. Nur in der Rätselform des Paradoxen, im Schutze der Möglichkeiten- und Bedingungsform oder hinter Kälte, Heftigkeit und Angriff, die den Zudringenden in einige Entfernung treiben, wenn Geheimes sichtbar wird, kann das Eigenste manchmal noch zur Sprache kommen.

Und dies Eigenste ist hier ein uralter Topos: die Vorstellung vom Weltalphabet, vom „Buch der Natur".[86] Von früh an war sie für Goethe selbstverständlich überlieferter und bald auch erlebter Besitz. Bis in gelegentliche Artigkeiten, herzliche Chiffren der Verbundenheit und einfach gegenständliche Empfindungsbilder schlägt sie sich nieder. So gegenüber Frau von Stein: „Da mir Worte immer fehlen Ihnen zu sagen wie lieb ich Sie habe, schick ich Ihnen die schönen Worte und Hieroglyphen der Natur, mit denen sie uns andeutet, wie lieb sie uns hat."[87] Oder an den Sohn aus Karlsbad: „So sehr man auch die Gegend kennt, so wird man doch immer durch ihre bedeutende Mannichfaltigkeit überrascht. Sie kommt mir jetzt vor wie ein höchst interessantes Mährchen, das man oft gehört hat, und nun wieder vernimmt."[88]

Bereits der Neunzehnjährige verteidigt das „leichte einfältige Buch der Natur" gegen die Verachtung der „Gelehrten"; und hier schon mahnt er: „Wer den einfältigen Weg geht, der gehe ihn, und schweige still" in „Demuth und Bedächtlichkeit".[89] Der Anruf: „Sieh, so ist Natur ein Buch lebendig"[90], bleibt fortab ein leitendes Thema. „Les caracteres de la Nature sont grands et beaux et je pretends qu'ils sont tous lisibles."[91] „Warum ist die Natur immer schön? Überall schön? Überall bedeutend? Sprechend! . . . Ist's nicht, weil die Natur sich ewig in sich bewegt, ewig neu erschafft . . .", fragt eine Anmerkung zum „Falconet"-Aufsatz.[92] Und in Italien dann, gerade im Angesicht der „Kunst" fühlt er es ganz: „Die Natur ist doch das einzige Buch, das auf allen Blättern großen Gehalt bietet."[93] „Wie lesbar mir das Buch der Natur wird kann ich dir nicht ausdrücken, mein langes Buchstabiren hat mir geholfen, ietzt ruckts auf einmal, und meine stille Freude ist unaussprechlich."[94]

Vor allem auch das Phänomen der Farbe ruft immer wieder, mitunter auch in polemischem Zusammenhang, das große Gleichnis herauf. „So kehrt man immer wieder vom Unfaßlichen zum Gleichniß und immer zu demselben Gleichniß zurück"[95]: „Die Natur spricht nichts aus, was ihr selbst unbequem wäre; desto schlimmer wenn sie einem Theoretiker unbequem wird."[96] „... und ich ließ mich nicht irren, daß die ganze physische Gilde in hergebrachten hohlen Chiffren zu sprechen gewohnt ist, deren Abracadabra ihnen die Geister der lebendigen Natur, die überall zu ihnen spricht, möglichst vom trockenen dogmatischen Leichnam abhält."[97] Es ist „nur die Natur, die spricht".[98] „... diese Natursprache auch auf die Farbenlehre anzuwenden, ... war die Hauptabsicht des gegenwärtigen Werkes."[99] „So spricht die Natur ... zu uns durch tausend Erscheinungen".[100]

Was aber ist dies anderes als eine großartige „Mitteilung" im weitesten aller Maßstäbe? Man beginnt zu ahnen, daß die Skepsis gegenüber den Möglichkeiten der Sprache und Mitteilung, die Montan soeben hat hören lassen, doch wohl kein Ausweichen, sondern der vorletzte Schritt zu diesem letzten gewesen ist. Die „Basis" der vorhergegangenen Unterredung ist hier selbst nochmals in der Erde, im Felsenalphabet der bildenden Natur gegründet.

So wie sich Goethe nach dem denkwürdigen Dornburger Gespräch vom 29. April 1818 von seinen Besuchern verabschiedete: „Laßt mich Kinder ..., einsam zu meinen *Steinen* dort unten eilen, denn nach solchem Gespräch geziemt dem alten Merlin sich mit den UrElementen wieder zu befreunden"[101] —, so verabschiedete sich in der ersten Fassung der „Wanderjahre" Montan: „Nun will ich mich aber in die Felsklüfte versenken, mit ihnen ein stummes, unergründliches Gespräch führen."[102]

Mitteilung enthüllt sich als ein kosmischer Bezug. „Alles ist gleich, alles ungleich, alles nützlich und schädlich, sprechend und stumm ..." (1235 MA)! Zwischenmenschliche Mitteilung ist nur ein Sonderfall der allgemeinen. Denn „es ist doch zuletzt alles eine

Art von Sprache, wodurch wir uns erst mit der Natur, und auf gleiche Weise mit Freunden unterhalten möchten."[103]

So waren auch die von Montan im „Begreifen" des Schwindels hergestellten Bezüge schon Mitteilungsbezüge. Der begriffene Schwindel „sagte" etwas, wie die analoge Situation auf der Sternwarte dann explizit bestätigen wird: „diese Gestirne ... sind immer dieselbigen und sagen immer dasselbige" (841). Und der Akt, dies Zugesagte nachzufühlen — „um zugleich unsere Kleinheit und unsere Größe zu fühlen" —, vollendet erst den großen Akt der Mitteilung, macht aus Allverlorenheit den Allzusammenhang, aus körperlichem Schwanken das geistige Erstaunen. Ein Brief an Carl von Martius zeigt, daß an den Grenzen — hier am Schwindel vor dem Ungeheuren — gerade das erhellt, was immer gilt:

Goethe bedankt sich für eine botanische Arbeit: „Nun haben Sie aber das Eigentliche an Ort und Stelle tief empfunden und uns in den Stand gesetzt, auf's reinste nachzufühlen, was die Natur uns zusagt, und wie, ohne Phantasie und Leidenschaft, durch ein wahrhaftes Anschauen hier ein Höchstes entdeckt und zur Kenntniß gebracht wird."[104] — Das Nachfühlen des Zugesagten. Nirgends mag Goethe genauer ausgesprochen haben, was Naturmitteilung für ihn selbst bedeutete.

Daß hier auch jenes „Eigentliche" erscheint, das in der Sprache nicht „verlauten" kann, daß das „Höchste" berufen ist, dem Montans anspruchsvolles Mühen gilt, daß ein „wahrhaftes Anschauen" gewürdigt wird, an dem Wilhelm sich durch Kenntnis „hohler Chiffren" hat vorüberdrücken wollen: dies sind notwendige Koinzidenzen. Gleiche Verbindungselemente gruppieren sich um gleiche Kerne.

Auch jenes Grundgefühl des Rechten, das unterhalb des sprechenden Denkens die Maße gibt und schon im ersten Ansatz der Sprachkritik begegnete, ist mit der nachfühlenden Teilnahme zusammenzusehen. „Das Schlimme ist, daß alles Denken zum Denken nichts hilft; man muß von Natur richtig seyn".[105] In dem Bestreben, „an dem Unendlichen, in das wir gesetzt sind, immer reiner und froher Antheil" zu nehmen[106], bleibt Wörterwissen stets beiseite. Worum es geht, ist das „Mitgefühl des Ewigen", das „die allmütterliche Natur ... dem ... endlichen Menschen auf so manche Weise ... gönnt."[107]

Wer die Natur sich faßlich macht und sie auf Zweck und Nutzen auszubeuten sucht, der nimmt ihr gerade das Sprechende: die ewige Vernunft (1056 BdW). Daher mußte sie, als man „den Mut nicht hatte", ihr diese zuzuerkennen, „geistlos liegen" bleiben. „Was man von ihr verlangte, waren technische, mechanische Dienste, und man fand sie zuletzt auch nur in diesem Sinne faßlich und begreiflich."[108] Und so konnte Wilhelm denn, der mit seinem Drängen nach Bezeichnungswörtern auch auf bloße Faßlichkeit und Zweck und Nutzen abgezielt hatte, das Paradox des Unbegreiflich-Unterhaltenden seinerseits nur unbegreiflich sein: „Du suchst eine Ausrede ...".

In ähnlicher Weise wendet er hier ein: „... aber es scheint mir ein weitläufiges Alphabet", ehe Montan fortfährt: „Enger, als du denkst; man muß es nur kennen lernen wie ein anderes auch. Die Natur hat nur *eine* Schrift, und ich brauche mich nicht mit so vielen Kritzeleien herumzuschleppen. Hier darf ich nicht fürchten, wie wohl geschieht, wenn ich mich lange und liebevoll mit einem Pergament abgegeben habe, daß ein scharfer Kritikus kommt und mir versichert, das alles sei nur untergeschoben."

Diese Gleichnisrede ist scherzhaft und ein wenig hergeholt. Der Abbruch des Gesprächs kündigt sich an. Und doch wird hier noch einmal Wesentliches bekräftigt: Der Text der Natur ist absolut unbezweifelbar. Er spricht die Eine Sprache, die alle Einzelsprachen übersteigt. Nur dem, der sich „lange und liebevoll" mit ihm abgibt, ergibt er sich. Nur der Weg über die einzelnen „Buchstaben" zur Einheit der „Wörter" erschließt die Ganzheit des „Sinns"; *dieses* ist der Weg von der „Schale" zum „Kern".

Lächelnd versetzte der Freund: „Und doch wird man auch hier deine Lesarten streitig machen." — „Eben deswegen", sagte jener, „red ich mit niemanden darüber und mag auch mit dir, eben weil ich dich liebe, das schlechte Zeug von öden Worten nicht weiter wechseln und betrieglich austauschen."

Durch Montan spricht hier der Meister und Liebhaber der Sprache, der sich selbst als den „Todfeind von Wortschällen" bezeichnet hat, der Dichter, der gerade wenn er als Wissenschaftler genau zu sprechen suchte, die Grenze der Sprache empfand und der zeitlebens gegen das „leere Spiel" der „Rechenpfennige", gegen „Scheidemünzen" und „Papiergeld", gegen „Redensarten" und „willkürliche Zeichen", „Wortkram" und „Schwätzen" zu Felde gezogen.[109] Es spricht aber zugleich auch der einläßliche Erforscher und Liebhaber der Natur, der bekannte: „Ich meinerseits möchte mir das Reden ganz abgewöhnen und wie die bildende Natur in lauter Zeichnungen fortsprechen."[110] Daß der Deutende, der auf die „Laute und Anklänge" der „allmütterlichen Natur" hinhört, ein Schweigender sein muß und nicht gleichzeitig noch auf die „Albernheiten" der Vielen hören kann, entspringt innerer Notwendigkeit.[111] Die „Einsicht in den üblen Zustand der Menschen", aus der heraus sich der Jurist Henning nach Goethes „lakonischem" Zeugnis „zur Natur gewendet"[112] und der Montan erst bitter sarkastischen Ausdruck verliehen, ist so für ihn nur ein Moment in einer viel umfassenderen Bewegung, in der großen Wendung vom Versagten zum Zugesagten. „Die Gebirge sind stumme Meister und machen schweigsame Schüler" (1003); „Steine sind stumme Lehrer, sie machen den Beobachter stumm, und das Beste, was man von ihnen lernt, ist nicht mitzuteilen." (1253 MA) Noch einmal leuchtet hier die ganze Flucht der Perspektiven auf. Vom ersten kleinen Lehrgespräch des Anfangs — „Wie nennt man diesen Stein, Vater?" — bis zu den Riesenlettern des Felsenalphabetes zeichnet sich ein einziger großer Zusammenhang ab.

Auf der Oberfläche ist Montans „Eben deswegen ..." eine Sophisterei. Denn wenn er sich ganz und gar nicht äußerte, würde man ihm auch Pergamentdeutungen nicht „streitig machen" können. Der Vorteil der Unbestreitbarkeit des Naturtextes fällt, was die Interpretation angeht, dahin. Zusammenbruch des Inquirierten in den eigenen Widersprüchen. Sieg des freundlich „lächelnden" Wilhelm. So könnte man den Ausgang der Partie ansehen. Indessen, auch hier gibt es wieder doppelte Böden und Hinterhalte, und es ist zuletzt doch Montan, für den eben das Scheitern der Unterredung den Wahrheitsbeweis erbringt. Gerade, daß er trotz aller Sicherungen und Gleichnisreden endlich am Sprachlosen strandet, belegt seine Sprach-Skepsis aus dem Grunde: „daß das Beste unserer Überzeugungen nicht in Worte zu fassen ist". — „Die Sprache ist nicht auf alles eingerichtet ...", formuliert der greise Dichter noch eine Woche vor seinem Tode.[113]

So mündet die Szene, wo sie begann: an der Grenze. Die Empfindung des Ungeheuren und Unsäglichen hatte sie als ein Erstes und Letztes eröffnet, und das Unsägliche erzwingt auch den Beschluß.

Die Interpretation hat sich nicht ohne Grund so intensiv auf dieses Gespräch eingelassen. In Verbindung mit dem Eingang exponiert es das Thema dieser Untersuchungen in allen Aspekten: die Schwierigkeit der Mitteilung, die in der Individualität des Menschen ebenso begründet liegt wie in der Begrenztheit seiner Sprache, das Gesetz des Gemäßen und die daraus resultierenden Mißverständnisse, die Einsamkeit des Einsichtigen gegenüber der Menge, die Entsagung und das voraussetzend-zurückhaltend-erinnernde Sprechen in Maxime und Paradox; desgleichen die Mittelposition des Menschen, die Analogie seiner Bezüge zum Mitmenschen und zur Welt, die Sprache der Natur, die Symbolik des Werks.

Es wird das alles im weiteren noch schärfer gesondert und in einer Folge zu untersuchen sein, die nun nicht mehr der Entwicklung eines einzelnen Textes, sondern allein den Zusammenhängen der Sache gehorcht.

II. MITTEILUNG ZWISCHEN MENSCHEN

Mitteilungen sind schwerer, als man denkt.[1]

1. Offenheit

Goethes Kommunikationsbedürfnis

An der Notwendigkeit der Kommunikation hat Goethe nie Zweifel gelassen. Immer wieder hat er betont, daß Mitteilung und Teilnahme „zum Leben und Wachsen . . . höchst nöthig" seien[2], daß durch sie „erst alles was unser ist und wird zum Leben" komme[3]; und umgekehrt: daß der Mensch „den Glauben an sich selbst" verlieren würde, „wenn er nicht an Teilnahme glauben", sich nicht mitteilen dürfte.[4]

Erst „wenn man sich in andern wiederfindet", weiß man, „daß man ist"[5], empfindet man sich „als ein Ganzes, als ein wahrhaft lebendiges Wesen".[6] „Ohne Theilnahme . . . mag und kann ich nichts genießen, alle Ideen von Abgeschiedenheit sind nur Phantomen des Selbstbetrugs, die mit dem Fieber verschwinden".[7]

Denn Mitteilung ist für Goethe nicht nur fördernd[8], steigernd und klärend[9], befreiend[10], anregend und ermunternd[11]; sie ist ihm darüber hinaus und vor alledem ein elementarer Lebensimpuls, ein angeborenes Naturbedürfnis, das in der menschlichen Mitmenschlichkeit begründet liegt. Wilhelm Meisters aperçu: „Der Mensch ist ein geselliges, gesprächiges Wesen" (793), ist so prinzipiell zu lesen wie die berühmte Definition des Aristoteles. „Sich mitzuteilen ist Natur".[12]

So hat Goethe denn Zeit seines Lebens nach Mitteilung gedrängt und Teilnahme ersehnt: „O Behrisch ich habe angefangen zu leben! daß ich dir alles erzählen könnte!" (1768)[13] Darüber „mögt ich wohl gegenwärtig mit dir sprechen wie über vieles!

Warum sind wir so fern." (1781)[14] „Mich freut nichts als was ich mit dir theilen kann". (1785)[15] „Dabey lern ich denn auch ..., daß es nicht gut ist daß der Mensch allein sey, und sehne mich recht herzlich zu den meinigen." (1786)[16] „Ich ... bedarf wirck-lich eines Gesprächs wie ich es mit Ihnen führen kann". (1795)[17] „Gar oft wünsche ich mir einige Tage vertraulichen Umgangs, um mich sowohl im Leben als im Wissen, wie sonst, wieder einmal gefördert zu sehen." (1811)[18] „Ich fühlte und fühle das, was sie aussprechen nur allzulebhaft: die Sehnsucht nach Mitarbeitenden, die in unserem Sinne —, in deren Sinne wir verführen." (1820)[19] „Ich gestehe gern, daß ich ein entschiedenes Bedürfniß fühle, mich einmal wieder von Grund aus zu besprechen." (1824)[20] „Warum wohnen wir nicht näher an einander! daß man sich noch einige Zeit freier und vollständiger mittheilen könnte." (1826)[21] Und lapidar, scheu und anrührend: „Sagen Sie mir manchmal ein Wort: denn ich bin sehr einsam."[22]

Gerade im Alter, da das Leben immer „prägnanter" wird[23], wächst das Bedürfnis nach „Theilnahme an" dem „gefristeten Daseyn"[24], nach Ermutigung, Zuspruch und Einstimmung: Da „man nicht mehr viel Stunden in Gleichgültigkeit gegen den Augenblick zuzubringen und auf die Zukunft zu hoffen hat"[25], sind „geistreiche, herzliche Zustimmung"[26] und „entschiedene Theilnahme ... um so erwünschter".[27] „Das Alter, das denn doch zuletzt an sich selbst zu zweifeln anfängt, bedarf solcher Zeug-nisse"[28] und lernt „dergleichen wahrhafte Äußerungen ... immer mehr schätzen".[29]

Und auch die „Pflicht des Mitteilens" (1206) wird ihm im Be-wußtsein des nahenden Lebensendes immer dringender: „Die paar Tage, die mir noch gegönnt sind, will ich benutzen, um auszu-sprechen, was ich für wahr und recht halte, und wär's auch nur, um, wie ein dissentirender Minister, meine Protestation zu den Acten zu geben."[30] „Wenn es eine Zeit zu schweigen gab, so gebe es auch eine Zeit zu reden und zu schreiben"[31]; „wenn dem früheren Alter Tun und Wirken gebührt, so ziemt dem späteren Betrach-tung und Mitteilung."[32] „Die Schnepfe des Lebens schwirrt vor-bey, ein guter Schütze muß sie eilig fassen."[33]

Wiederholt drängt er nun auf baldige Antworten, auf Beschleunigung und „lebhaftere Communication“[34]: „Schreiben sie mir öfter: *hora ruit!*“[35] „Ich darf meiner Correspondenz keine langen Pausen mehr zugestehen.“[36] „So manche Unterlassungssünden“ seien noch aufzuholen.[37] Und noch Anfang 1832: „Lassen Sie mich, insofern ich noch einige Zeit auf der wunderlichen Erdoberfläche verweile, gelegentlich einiges von Ihren Fortschritten vernehmen.“[38] „Verschiedenes Hübsche ... ist diese Zeit her bey mir eingekommen, das ich so gern mitgetheilt und dadurch doppelt genossen hätte.“[39]

Mitteilungen in den „Wanderjahren“

In den „Wanderjahren“ spiegelt sich die mitteilungbegründende Gemeinsamkeit und allmenschliche Verwandtschaft in der allgemeinen Verwandtschaft der Personen, ihrer jeweiligen Umgebung und äußeren Bezüge. Ein begrenzter Vorrat von Eigenschaften, Landschaftsmerkmalen und Situationselementen ist da, kaleidoskopartig variiert, über das Ganze verteilt: anmutig, wohlgebildet, munter, heiter, klug, verständig, tätig; reinlich, freundlich, wohlbestellt, zierlich, fruchtbar, ernst und würdig; Finden, Verlieren, Wiederfinden und Liebe übers Kreuz. Auch die Abgesonderten und Wunderlichen, die zurückgezogenen Sammler und neubeginnenden Jünglinge, sind einander ähnlich und unter sich verwandt. Und selbst die großen Ausnahmegestalten, Makarie und Montan (auch dieser schließlich!), bekunden durch ihre Tätigkeit die Zugehörigkeit zur Familie aller Menschen. Auch der Einzelmensch ist Gemeinschaftsmensch:

„Das allgemein Menschliche entwickelt sich aus jedem edlen Gemüth, das aus sich selbst heraus wirkt“.[40] „Alles, was den einen Menschen interessiert, wird auch in dem andern einen Anklang finden“ (838). Oder in der Sprache mythischer Genealogie: „Wir sind eben alle von Adams Kindern.“[41]

So kommt es in diesem Roman immer wieder zu „merkwürdigen“, „heiteren“, „ergötzlichen“ Unterhaltungen (1077), zu

„wechselseitigen Erklärungen und Bekenntnissen tiefer Herzensangelegenheiten“ (1157), zu „anmutig belehrenden“ Gesprächen (850), die sich „durch Frag und Antwort, durch Einwendung und Berichtigung ... gar löblich“ durchschlingen und „gefällig“ hinbewegen (1170). Fast überall ist man von der „Wichtigkeit des augenblicklichen Gesprächs höchlich überzeugt“ (845): im Kreise des Oheims ebenso wie in dem der Makarie, in der Pädagogischen Provinz wie bei den Auswanderern und bei den pietistischen Webern in der Welt der Susanne. Und nicht allein innerhalb dieser in sich zentrierten Bezirke und Verbände, die von vornherein als Gemeinschaften gleicher Grundüberzeugung zu gelten haben (1154), auch über die Grenzen hinweg sucht man sich „durch eine freie Sprachmitteilung ... einander zu nähern“ (987) und selbst mit den Entfernten Kontakt zu halten: „Die Mitteilung durch Boten“ ist „unter diesen desto lebhafter“ (1207).

Auch Wilhelm ist solch ein Bote. Er erhält Zutritt zu den Galerien und Sammlungen des Oheims, zu Makariens Archiv und zu den Schätzen des Sammlers; er empfängt Aufklärung über die „Eigenheiten Makariens“ und die des „wunderlichen Vetters“; er hört den Mathematikaufsatz, das Märchen von der „Neuen Melusine“, die Geschichten St. Josephs und Odoards; er liest Lenardos Tagebücher sowie die Novellen von der „Pilgernden Törin“ und dem „Verräter sein selbst“. Zu allen Kreisen tritt er, „schauend“ und „denkend“ (796), ins Verhältnis. Zwischen allen schafft er, vermittelnd und teilnehmend, „Wege“, die die „größeren und kleineren abgesonderten Anlagen“ miteinander verbinden und so „eine ... verschiedentlich abweichende, charakteristische Szenenfolge dem Durchwandelnden“ darstellen (811).

Dabei gibt es einige wenige Wendungen, die in allen Mitteilungen, geringfügig verändert, immer wiederkehren und die auch der „Redaktor“ (R) des Ganzen bei der Ausgabe seiner Papiere sehr gern in eigenem Namen gebraucht: „Hier ist es ..., wo ich mich ohne weiteres zu erklären wünsche“ (1156). / R: „Wir ... fahren diesmal ... ohne weiteres fort“ (839). — „Ich habe noch manches zu eröffnen (1201) ... meine Angelegenheit vertraulich zu offenbaren (1156) ... bei dieser Gelegenheit noch ein

Geheimnis zu vertrauen" (846). / R: „Hier nun müssen wir vertraulich eröffnen (1213) ... ein Geheimeres offenbaren„ (1219). — „Nun muß ich freilich gestehen (770) ... darf ich wohl bekennen" (1018). / R: „Wir wollen gern bekennen (946) ... mag doch der Redakteur dieser Bogen hier selbst gestehen" (1000). — „Verhehlen dürfen wir nicht (998) ... leugnen aber dürft ich nicht (1100) ... konnte man sich hiebei nicht enthalten" (1220). / R: „Enthalten aber können wir uns doch nicht (839) ... verschweigen aber können wir nicht (1220) ... können wir der Versuchung nicht widerstehen, ein Blatt aus unsern Archiven mitzuteilen" (1220).

Die bevorzugte Verbindung mit den Modalverben „müssen", „können", „dürfen" und die Vorliebe für die negierte Negation lassen diesen Wendungen einerseits eine gewisse Gehemmtheit abmerken; sie erwecken den Eindruck, als wenn sich die Mitteilung — bei den Figuren wie bei ihrem Schöpfer — oftmals erst über einen inneren Widerstand des Mitteilenden hinwegsetzen müßte. Und gerade dies gibt ihnen doch andererseits auch den ganz besonders aufschließenden, offenbarenden und teilgebenden Charakter.

Der voraussetzende Gesprächseingang

Denkt man sich die Bilder, die Goethe vom Eintritt Wilhelms in die Kreise St. Josephs, des Oheims und Makaries entwirft, gleich Transparenten übereinandergelegt, dann umreißen die stärker hervortretenden Hauptlinien eine Figur, die als Grundtyp aller Gesprächsentwicklungen in den „Wanderjahren" gelten kann. Sein deutlichstes Merkmal ist der einfache und doch in sich höchst differenzierte Stufencharakter.

Schon was vor dem eigentlichen Gesprächsbeginn liegt: die Auskünfte über die Personen, mit denen der Ankömmling in Beziehung treten wird, und die mittelbare, schrittweise Hinführung überhaupt —, gehört in diesen Stufengang hinein. Regelmäßig sind es Dritte, die Wilhelm die ersten Aufklärungen geben: der

Bote über die Stellung St. Josephs (718), „Beamte“ über die Anstalten des Oheims (758) und die Nichten über „die würdige Tante“ Makarie (778) — wie denn Wilhelm überhaupt während seiner ganzen Wanderschaft stets von vorhergehenden Bereichen auf die späteren verwiesen wird. Und regelmäßig erscheinen erst Umgebung und Wohnort des Gastgebers, ehe dieser selbst auftritt. Über einschließende Hügelketten, Gräben und Mauern geht der Weg in das eingeschlossene bebaute Gelände, zum Haus hinter Bäumen und in den Innenraum: den „Saal“ mit den Bilderreihen (718 f.; 755, 759; 835 f.).

Gerade die allgemeine Gleichartigkeit des Begegnenden gibt dabei den jeweiligen Abweichungen besondere Bedeutung. Denn „was den Menschen umgibt, wirkt nicht allein auf ihn, er wirkt auch wieder zurück auf selbiges, und indem er sich modifizieren läßt, modifiziert er wieder rings um sich her. So lassen Kleider und Hausrat eines Mannes sicher auf dessen Charakter schließen. ... Stand und Umstände mögen immer das, was den Menschen umgeben muß, bestimmen, aber die Art, womit er sich bestimmen läßt, ist höchst bedeutend.“[42] Beim Oheim wird diese Einsicht des jungen Physiognomikers ausdrücklich bestätigt: Den „bedeutenden Menschen“ kann „man sich ohne Umgebung nicht denken“ (794). Und bei St. Joseph heißt es gar: Die „Übereinstimmung dieses Gebäudes mit seinen Bewohnern ... ist ... noch sonderbarer, als man vermuten sollte: das Gebäude hat eigentlich die Bewohner gemacht.“ (720 f.)

So bringt der Gast nicht nur seine individuellen Prämissen, sondern auch schon eine gewisse Vorgestimmtheit, ein allgemeines Bild von dem, was ihn erwartet, in den Kreis mit, den er betritt. Diese Voraussetzungen abzuklären, sich ihrer auch von Person zu Person zu versichern, ist Aufgabe des Gesprächs.

„Vertrauen“, „Neigung“, „Freundschaft“ sind die Stichwörter, die überall an seinem Anfang stehen (714, 760, 778, 783, 837). Sie umschreiben das Bestreben, ein „gutes Verhältnis“ (714) im gemeinsam Menschlichen zu finden, festzustellen, ob man „unter sich“ (837), ob man „verwandt“ (735 f.), ob der Gesprächspartner „einer der Unsern“ (836) sei. „Freimütig“ heißt man den

Ankömmling willkommen (836), „durch Aufrichtigkeit und Mitteilung" sucht man sein „Vertrauen ... zu gewinnen" (778). Die Vorleistung der Vertrauen Heischenden ist es, den Fremden „als einen Vertrauten" zu behandeln (837). Nur so, indem man die Voraussetzungen, die es zu gewinnen gilt, von einer Seite erst einmal voraussetzt, ist die Wechselseitigkeit zu eröffnen, die „zu aller Mittheilung ... gefordert wird"[43].

In ihrem Verlauf kann dann aus dem Zutrauen zur Person des anderen das Zutrauen in seine Teilnahmefähigkeit erwachsen. „Der neue Freund ... scheint von der Art, wohl auch daran teilzunehmen" (837). Vor Mitteilungen in jenem strengeren Goetheschen Sinn, der die Übermittlung eines Sachlichen, Gegebenen meint, wird es Wilhelm ausdrücklich bescheinigt: „Sie, Freund, sind mir als ein solcher erschienen", der „vielseitig genießen" kann, vor der Verräternovelle (801); „umso mehr als ich an Ihnen fühle, daß Sie imstande sind, auch das Wunderliche ernsthaft zu nehmen", vor St. Josephs Lebensgeschichte (722 f.); „und da wir Ihnen das zutrauen ..." vor dem verheißenen Aufsatz „Über Mathematik und deren Mißbrauch" (838). So gelangt Wilhelm „bei immer wachsendem gegenseitigen Vertrauen" (783) in die „innern Zimmer" und, da er das Dargebrachte „vollkommen zu schätzen" weiß, zuletzt sogar zu den „Heiltümern" (795).

Daß sich dabei die für die Mitteilung vorausgesetzte Gleich-Artigkeit auch auf die Betrachtungs-Art erstreckt, ist selbstverständlich. Allein „mit demjenigen, dessen Principien mit den unsern zusammentreffen", läßt sich „conversiren".[44] Nur wenn „Grundgedanken und Gesinnungen ... übereinstimmen", kann man sich „in beiderseitigem Entwickeln und Aufschließen ... annähern und vereinigen".[45] Daher nimmt man durchweg von „vorläufigen allgemeinen Gesprächen" (760) seinen Ausgang, bevor man sich zum Besonderen wendet: „Laßt uns jedoch nicht im Allgemeinen verharren, macht mich mit Eurer Geschichte bekannt" (721). Und daher setzt man auch gerne Maximen an den Beginn, die nur das Selbstverständliche in Erinnerung zu rufen scheinen: „Denn wenn das Leblose lebendig ist, so kann es auch wohl Lebendiges hervorbringen" (721). — „Dadurch kommt man eben weiter", schreibt Goethe, „wenn man mit mehrern ausdrücklich zum Grunde legt" — voraus setzt —, „was sich von selbst versteht."[46]

Diese Art der Gesprächseinleitung zielt aber nicht allein auf den Mitteilungspartner. Sie zielt auch auf die Sache und faßt sie im voraus zusammen: „Das Gebäude hat eigentlich die Bewohner gemacht. Denn wenn das Leblose ...". Die ganze absonderliche Lebensgeschichte Josephs kann als bloß spezifizierte Ausführung und Illustration dieser allgemeinen Eröffnung verstanden werden. — Und noch deutlicher bei Makarie: „Denn es ist von nichts wenigerem als von dem Mißbrauch fürtrefflicher und weit auslangender Mittel die Rede" (837). Die scheinbar so dunklen und im Leeren schwebenden Sätze des Astronomen fixieren bereits aufs genaueste die Essenz des Gegenstandes. Ja, es ist, als ob sie den Gegenstand, über den hier gehandelt werden soll, allererst hervorbrächten. Unter hundert anderen Aspekten könnte man von derselben Sache reden. Mathematik als Mittel der Ortsbestimmung, als Basis der Technik, als Offenbarung absoluter Ordnungen ...: Es wäre ein anderer Gegenstand. „Kann man doch im höheren Sinne sagen, daß die *Ansicht* der Gegenstand sei."[47]

Die Einstellung des Themas ist bereits ein produktiver, „gegenstandsbestimmender" Akt, der das Resultat in gewisser Weise schon in sich beschließt. Es ist darum kein Zufall, daß die Benennung des Gegenstandes so spät und wie beiläufig erfolgt (838), daß Wilhelms Schlußbemerkung die Materie wiederum in solch allgemeinen Ausdrücken umschreibt, als wäre das Wort „Mathematik" nie gefallen (839 f.), und daß es auch der Autor bei der Wiedergabe dieses Gesprächs — zur Verblüffung des Lesers — mit Eingang und Schluß, mit der Herleitung aus dem Allgemeinen und der Reduktion aufs Allgemeine, bewenden ließ.

Menschliches Voraussetzen: Einstimmung der Partner, und sachliches Voraussetzen: Bestimmung des Gegenstandes, sind aufs engste miteinander verbunden, erscheinen als zwei Seiten ein und desselben Vorgangs.

Der Bezirk des Oheims als Modell einer Mitteilungsprovinz

Was bei Montan bereits im Gegenspiegel sichtbar wurde, stellt sich im Bezirk des Oheims in kräftiger Wirklichkeit vor: Eine selbst für die „Wanderjahre" beispiellose Geläufigkeit und Extensität zwischenmenschlicher Mitteilungen geht hier mit einem entschiedenen Vorwalten des Gemeinverstandes zusammen, der überall das Faßliche, das Nützliche und Zweckhafte obenanstellt.

„Um eines ganz nahen, leicht faßlichen Zweckes willen" ist die hier ausgebreitete Kulturlandschaft „nur der Fruchtbarkeit" gewidmet (754) und nur von dem bestimmt, was „brauchbar ,.. geachtet werden" kann (759): Kindern und Hausfrauen im nahen Gebirge soll es nicht an Kirschen und Äpfeln, „an Kohl noch an Rüben, oder sonst einem Gemüse im Topf ermangeln, damit dem unseligen Kartoffelgenuß ... einigermaßen das Gleichgewicht gehalten werde" (780). „Gradlinig", „regelmäßig, in mancherlei Abteilungen" gegliedert, breiten sich die Felder aus, und gradlinig, regelmäßig, in mancherlei Abteilungen gegliedert erscheint das Leben dieser Provinz im ganzen. Als Felix vom Pferde stürzt und der Vater hinzueilen will, wird er zurückgehalten: „... unser Gesetz ist in solchen Fällen, daß nur der Helfende sich von der Stelle regen darf; der Chirurg ist schon dorten" (786). Jedes „überflüssige Gemütsbedürfnis" ist „abgeschafft"[48], für alle Fälle gibt es ein Gesetz. Auch „über die Strenge, womit die ausstehenden Schulden eingetrieben werden sollen", hat der Oheim „sich ... ein Gesetz gemacht" (856). Und sogar der Bereich der Religion wird durch ein zweckvolles Regelwerk in Ordnung gehalten.

Zwar ist „Religionsfreiheit ... in diesem Bezirk natürlich", und „der öffentliche Kultus wird als ein freies Bekenntnis angesehen" — „hiernach aber wird sehr darauf" geachtet, „daß niemand sich absondere" (798 f.). Und am festgesetzten Ort, in den „mäßig großen" Gemeindehäusern, und zu festgesetzter Zeit, am Wochenende, hat man seine Zugehörigkeit zu bekunden: „Da wir ... zu Betrachtungen, wie sie hier gefordert werden, nicht immer aufgelegt sind, auch nicht immer aufgeregt sein mögen, so ist hiezu der Sonntag bestimmt". Da wir nicht „aufgelegt" sind, wird dekretiert. „Es ist das Gesetz, daß niemand eine Angelegenheit, die ihn beunruhigt oder quält, in die neue Woche hinüber nehmen dürfe" (800). Jeder soll am Sonntag seine „Beschränkung überdenken" und alles, was ihn „drückt, in religioser, sittlicher, geselliger, ökonomischer Beziehung" — wirklich so in einem Atemzug! — „zur Sprache" bringen. Verfehlt doch der Oheim nicht, „abends zu fragen, ob" auch „alles rein gebeichtet und abgetan worden".

Die Anerkennung der „eigentlichen Religion", die „ganz allein mit dem Gewissen zu tun" habe, als „ein Inneres, ja Individuelles" in ausdrücklichem Gegensatz zu allem, was „aufs Öffentliche und Gemeinsam-Sittliche berechnet ist" (799), bietet, wie man sieht, kein Hindernis, sie dann doch wieder sehr kräftig eben dem Öffentlich-Gemeinsam-Sittlichen zu unterwerfen. Das Gewissen „soll erregt, soll beschwichtigt werden. Erregt, wenn es stumpf, untätig, unwirksam dahin brütet, beschwichtigt, wenn es durch reuige Unruhe das Leben zu verbittern droht". Das „Leben" hier, das ist der letzte Bezugspunkt auch der „eigentlichen Religion" in diesem Bereich[49]: „Ernst und Heiligkeit mäßigen die Lust und nur durch Mäßigung erhalten wir uns."

Leben als höchstes Gut und Selbsterhaltung durch das Maß: beides sind tief begründete Goethesche Maximen. Und doch scheint sich darin, man kann sich stellen, wie man will, in dieser flachen Gegend nur so etwas wie eine Temperenzlergesinnung oder ein Vegetarierprogramm auszusprechen. Denn was solchen Prinzipien bei Goethe selbst erst die eigentliche Kraft verleiht, das Wissen ums Unbedingte, das alles Bedingte zum Symbol, alles Leben zum Abglanz und die Beschränktheit der Tat zum Gleichnis erhebt, das fehlt hier vollständig. Es ist kein Zufall, daß man seine Beschränkung allsonntäglich nicht etwa — wie Wilhelm auf der Sternwarte — am Unbeschränkten mißt, sondern sich gänzlich innerhalb des Beschränkten selbst hält. Nach „vorgeschriebener Betrachtung" bemüht man für seine Kümmernisse einen „Arzt", einen „Beamten", einen „Freund" oder „Wohldenkenden" (800).

Gerade im Religiösen, das doch wesenhaft aus dem Unbedingten lebt, dokumentiert sich so eine reine Diätetik des Hierseins, eine „wohlsoutenirte Mittelmäßigkeit“[50], der mit der Verzweiflung auch die Vergötterung abgeschnitten ist. Und man versteht, warum dieser durchdachten Organisation nützlichen Wirkens, dem Philanthropismus greifbarer Zwecke und verständiger Tätigkeit im ganzen der Eindruck des Vordergründigen anhaften muß. Dem schätzbaren „Tun“ fehlt das wirklich fundierende „Denken“. „Was nützt, ist nur ein Teil des Bedeutenden“ (745), aber doch auch ein Teil des *Bedeutenden,* und davon weiß man hier nichts.

Neben dem Faßlich-Nützlich-Gemeinverständigen ist es vor allem der ungemein ausgeprägte Mitteilungstrieb der Bewohner, der dieser Provinz das Gesicht gibt. Eine Unmenge an „Nachrichten und Geschichten, Anekdoten“ und „Beschreibungen von gegenwärtigen Zuständen einzelner Menschen in Briefen und größeren Aufsätzen ... zirkuliert ... in der Stille“ (793). „Lenardo an die Tante“ mit „Nachschrift“, „Die Tante an Julietten“, „Juliette an die Tante“, „Hersilie an die Tante“ mit „Nachschrift um Nachschrift“, „Die Tante den Nichten“, „Hersilie an die Tante“, „Die Tante an Hersilie“ ... Wilhelm drängt sich angesichts dieses betriebsamen Briefwechsels, in dem es mit der Frage nach Übersendung der Korrespondenz selbst wieder um „Mitteilung“ geht, die Bemerkung auf, daß hier „einer den anderen nicht zum Schreiben kommen ließe, wenn nicht das Schreiben gewöhnlich ein Geschäft wäre, das man einsam und allein abtun muß“. In dieser „Sphäre“, schreibt er, „bringt man beinahe so viel Zeit zu, seinen Verwandten und Freunden dasjenige mitzuteilen, womit man sich beschäftigt, als man Zeit sich zu beschäftigen selbst hatte.“ Es hat den Anschein, als stände das von Goethe so hart gerügte „Journal- und Tageblattverzeddeln“, durch das alles „ins Öffentliche geschleppt“, der vorhergehende Augenblick immer vom nächsten „verspeist“ und das hervorgebrachte „Gute ... gleich vom Mittelmäßigen und Schlechten verschlungen“ wird[51], als Muster hinter diesem eifrigen Wörtertausch.

Indessen bleibt es keineswegs bei solcher Zirkulation „in der

Stille". Sprachliche Regsamkeit und Kommunikationslust bekunden sich hier in allen Bereichen: In der ausgefallenen Organisation des Mittagstisches, die eigens darauf abgestellt ist, die größte Liberalität mitmenschlichen Verkehrs zu ermöglichen, wo sich die gemischteste Gesellschaft zusammenfindet und jeder „von dem letzten Augenblick zu erzählen und mitzuteilen" weiß (784). In den „Inschriften", die der „werte Mann" überall „in goldenen Buchstaben über unsern Häupten" (779) „beliebt". In der Auslegung dieser Sprüche, bei der es die Interpreten, nach Hersiliens spöttischen Worten, „um die Wette" verstehen, bei der man einander überbietet, die „lakonischen Worte recht wahr zu finden" (781 f.). Und nicht zuletzt in jener Abrede, sich in die verschiedenen Nationalliteraturen zu teilen (760 f.), die Positionen schafft, von denen aus sich nur umso angeregter konversieren läßt.

Denn mit den „Nationalitäten" verhält es sich wie mit der „Persönlichkeit": „Die Besonderheiten einer jeden muß man kennen lernen, um sie ihr zu lassen, um gerade dadurch mit ihr zu verkehren; denn die Eigenheiten einer Nation sind wie ihre Münzsorten, sie erleichtern den Verkehr, ja sie machen ihn erst vollkommen möglich."[52] Und Erleichterung des Verkehrs ist auch die Hauptabsicht bei dieser Organisierung der Standpunkte. Da drängen sich keinerlei persönliche Anliegen störend hervor, da redet man als Anwalt eines selbstgewählten Klienten, da vertritt man nicht sich, sondern seine „Sache". Das Gespräch an sich selbst ist das Ziel — als verbindende und verbindliche soziale Erscheinung.

Der Abstand zu den beiden Gipfelfiguren ist offenkundig. Während man hier Romane und Novellen liest, liest Montan das Buch der äußeren Natur, liest Makarie mit „einsichtigem Wohlwollen" in der „inneren Natur" der Menschen (837). Während man sich hier mit Genuß und Beredsamkeit von künstlich fixierten Positionen aus über das Gelesene unterhält, läßt sich Montan nur widerwillig zu wortkargen Andeutungen herbei, spricht Makarie gleich „einer unsichtbar gewordenen Ursibylle rein göttliche Worte über die menschlichen Dinge ganz einfach" aus (778). Schweigen und Sprachskepsis einerseits und das magische Vermögen, Göttliches zur Sprache zu bringen andererseits, fassen den Oheimbezirk gleichsam in die Mitte und enthüllen das Mittel-Maß der hier möglichen Mitteilungen.

Ihr Zusammentreffen mit dem Nützlich-Verständigen in diesem Bezirk ist demnach kein unbegründetes Nebeneinander, sondern eine notwendige Korrespondenz. Das Mittelmaß des Faßlichen, das sich weislich vor jedem Absturz in Verzweiflung und vor jedem Aufschwung zur Vergötterung bewahrt, und das Mittelmaß der Kommunikation, das jeden Gefühlsausdruck und jegliche Anspannung des Geistes ins Gesellige nivelliert[53], binden und bedingen sich wechselweise.

Vielleicht kommt das nirgends deutlicher zum Ausdruck als in der Entstehungsgeschichte eines zentralen „Wahlspruchs", den der Oheim sich in einer Zeit, da „die Maximen einer allgemeinen Menschlichkeit" das Feld beherrschten, „nach Gesinnungen" aus- und umgebildet hat, „die sich ganz aufs Praktische bezogen":

> Er verhehlte uns nicht, wie er jenen liberalen Wahlspruch „Den Meisten das Beste" nach seiner Art verwandelt und „Vielen das Erwünschte" zugedacht. Die Meisten lassen sich nicht finden noch kennen, was das Beste sei, noch weniger ausmitteln.
> Viele jedoch sind immer um uns her; was sie wünschen, erfahren wir, was sie wünschen sollten, überlegen wir, und so läßt sich denn immer Bedeutendes tun und schaffen. (779 f.)

Das fordernde Leitwort der philanthropischen Epoche war dem Philanthropen nicht faßlich genug. Denn das Faßliche ist immer auch das Wirkliche oder doch das wirklich Mögliche, und die Superlative „den Meisten", „das Beste" scheinen Unmögliches und Unrealisierbares zu verlangen. Die Meisten lassen sich nicht finden noch kennen, was das Beste sei, noch weniger ausmitteln. Nun gab allerdings gerade dies, was dem Menschenverstand so zuwider sein mußte, der ursprünglichen Maxime Energie und Spannkraft. Denn gerade das Unerreichliche spannt an, ruft auf, gebietet Versammlung der Kräfte. Ständiges Darunterbleiben bei nicht nachlassender Forderung ist auch ein ständiger Apell; und eben weil der Satz „Unmögliches begehrte", verlangte er den Menschen „das Beste" ab. Es „werde dadurch das Möglichste erstrebt, daß Man das Unmögliche postulire", ließ sich Goethe gegenüber dem

Kanzler v. Müller vernehmen.[54] „Die höhern Forderungen sind an sich schon schätzbarer, auch unerfüllt, als niedrige, ganz erfüllte."[55]

Der Oheim indessen nimmt es hier so genau wie bei seiner Autographensammlung. Er reduziert die Maxime grammatisch auf den Positiv und sachlich auf das Mögliche. „Vielen das Erwünschte." Das hat Hand und Fuß. Viele sind immer um uns her; was sie wünschen, erfahren wir, was sie wünschen sollten, überlegen wir. Aus einer „Ideal"-Maxime: „Was verlangt wird, ist nicht gleich zu leisten", ist ein „Real"-Prinzip geworden: „Was nicht geleistet wird, wird nicht verlangt."[56] — Der Gemeinplatz eines Wohlwollenden: Denn „Vielen das Erwünschte" ist zwar eindeutig und solide, löblich und schätzbar, aber zugleich gänzlich spannungslos und auch ein wenig trivial. Der „Verstand", der der Epoche des „aufklärenden Herabziehens" zugehört[57], hat hier als Gemeinverstand das Seine getan. Commonsense und commonplace finden sich, wie seit jeher, zusammen.

Mit Grund hat man als den geschichtlichen Ort des Oheimbezirks das 18. Jahrhundert bestimmt. Goethe nennt es „das selbstkluge ... indem es sich auf eine gewisse klare Verständigkeit sehr viel einbildete und alles nach einem einmal gegebenen Maßstabe abzumessen sich gewöhnte", und er hebt als seinen besonderen Wesenszug „ein Ablehnen alles dessen" hervor, „was sich nicht sogleich erreichen noch überschauen ließ."[58]

Daß sich in der Abspannung der Maxime eine allgemeine Abspannung der Sprache manifestiert, steht außer Zweifel. Gerade weil sie nur im Bereich des Faßlichen zugelassen wird, weil alles, was darüber hinaustrachtet, was sich, auch sprachlich, „nicht sogleich erreichen" und „in verständige und vernünftige Worte ... durchaus fassen" und „einschließen" läßt[59], als Fabelei gilt (777), kann man hier das Wechselgeld der Sprache so unbesorgt und selbstsicher in Umlauf setzen. Das rein Verständige ist immer auch verständlich.

Genau wie bei Montan ist es so das Verhältnis zur Sprache, das zuletzt die konstituierenden Wesenszüge — Mitteilungsfreude und Wirksamkeit im Faßlichen und Mitteilungsscheu und Streben nach Unfaßlichem — verklammert. War dort die engere Grenze der Sprache, die mit der Grenze zwischen Faßlichem und Unfaßlichem zusammenfällt, vom Ausgeschlossenen her bestimmt worden (s. o. 50), so wird sie hier mit Sorgfalt und Entschiedenheit vom Eingeschlossenen her nachgezogen und als die einzige anerkannt. Der Unterschied von Sprachabrechnung und Sprachabspannung bezeichnet auch den Unterschied der beiden Regionen: Er machte die eine zur Einsiedelei und die andere zur „Mitteilungsprovinz".

2. *Verschlossenheit*

Gerade da, wo die Mitteilung selbstsicher, klar und leicht von den Lippen geht, wo alles unternommen wird, sie zu befördern, und keine äußeren Schranken entgegenstehen, zeigt sie ihre prinzipielle innere Begrenztheit. Gerade da weist sie darauf hin, daß vieles außerhalb, in einer Zwischenzone erschwerter Mitteilungsbedingungen oder gar in der Sphäre völliger Sprachlosigkeit liegen muß.

Alles, was sich nicht abmessen, fixieren und fassen läßt: so alles, was den unbekannten Wesenskern der eigenen Person betrifft, und alles, was man heilig hält, was man selbst sich zu berühren scheut, ist den Möglichkeiten gängiger, „runder" und „direkter" Mitteilung entzogen.

Dem entspricht der durchgehende Zug des Zurückhaltens und Zurückweisens, des Verdeckens und Versteckens in den „Wanderjahren", der dem der Offenheit und Mitteilungsfreude entgegensteht. Er zeigt sich, wenn man einmal aufmerksam geworden ist, auf Schritt und Tritt.

Mitteilungsenthaltung in den „Wanderjahren"

Lenardos Brief

Drei Jahre hat Lenardo, einer „wunderlichen Abrede" gemäß[60], nicht geschrieben. Nur an stummen Lebens-Zeichen, an „Waren", die er von Zeit zu Zeit übersandte, konnten die Angehörigen seinen Reiseweg ablesen. Dennoch, versichert er, sei in dieser „Art seines Außenbleibens ... so viel Wärme enthalten ... als manchmal nicht in stetiger Teilnahme und lebhafter Mitteilung."

Höflich, ehrfurchtsvoll und doch ultimativ — „Es hängt also von Ihnen ab, mich in Ihren Armen zu sehen" — fordert er nun vor seiner Rückkehr Auskunft über die gegenwärtigen Umstände des „guten Onkels", der „lieben Nichten", der „nähern und fernern" Verwandten und der „alten und neuen Bedienten". Überhaupt sei es ihm „höchst nötig", beteuert er, „zu vernehmen, wie es in dem Kreise steht, in den" er „wieder einzutreten im Begriff" sei. Denn aus „der Fremde" wolle er „wirklich ... wie ein Fremder hineinkommen, der, um angenehm zu sein, sich erst erkundigt, was man in dem Hause will und mag".

In einer Nachschrift bittet er noch um „ein Wort" über die „Geschäftsmänner", „Gerichtshalter" und „Pachter" und stellt in diesem Zusammenhang, als Exempel für seine gute Erinnerung an die früheren Verhältnisse, die Frage: „Was ist mit Valerinen geworden, der Tochter des Pachters, den unser Onkel kurz vor meiner Abreise, zwar mit Recht, aber doch, dünkt mich, mit ziemlicher Härte austrieb? Sie sehen, ich erinnere mich noch manches Umstandes; ich weiß wohl noch alles."

Stellt man diese letzte Versicherung mit einer Maxime zusammen, die er wenige Zeilen vorher verkündet hat: „Man verändert sich viel weniger, als man glaubt, und die Zustände bleiben sich auch meistens sehr ähnlich" —, so ergibt sich ein merkwürdiger Widerspruch. Wenn sich wenig verändert und er alles noch weiß, warum dann überhaupt dieser Brief? Nun, Hersilie hat es schon gewittert (791), und der Leser weiß es genau: Es ist diese betont beiläufige Erkundigung nach der „Tochter des Pachters", worauf alles ankommt. Lenardo selbst wird später bekennen (852), „daß diese seltsamen Anstalten und Fragen, wie es bei uns aussehe, eigentlich nur zur Absicht hatten, nebenher zu erfahren, wie es mit diesem Kinde stehe.“ *Darum* war es ihm „höchst nötig“, Näheres über den alten Lebenskreis zu „vernehmen“; denn daß „man Menschen, die man kennt, auf geraume Zeit verlassen kann, ohne sie verändert wiederzufinden“, daß er auch ohne jene Erkundigungen hätte gewiß sein können, bei den Seinigen „bald wieder völlig zu Hause zu sein“, das „weiß“ er „sehr gut“.

Der ganze Brief ist also nur ein einziger langer Umweg zu einem nach Kräften versteckten Ziel. Bei aller Beredsamkeit ist er im Grunde der Mitteilungsscheu entsprungen, der Hemmung, das auszusetzen, was allein den Mitteilenden selbst angeht. Seine Herzensangelegenheit war ihm keine Angelegenheit für andere, auch für die engsten Verwandten nicht.

Daß diese zurückhaltende Grundtendenz von der Absicht durchkreuzt wird, etwas über den geheimen Gegenstand zu ermitteln, macht für den Leser den Reiz und machte für Lenardo die Schwierigkeit dieses Briefes aus. Wie sollte er vertrauliche Auskünfte erlangen und dabei doch um die eigene Vorleistung herumkommen, selbst Vertrauen zu gewähren?

Es ist die Ironie der Erzählung, daß sie Lenardo dieses erste Hindernis noch überspielen läßt, daß er den Eindruck zu erwecken vermag, er bilde „sich wirklich ein“, selbst „im Vorschuß zu stehen“ (788), ehe sich zeigt, daß er in ganz falscher Richtung unterwegs ist, daß ihn eine Fehlleistung seines eigenen, von ihm selber so herausgestrichenen Gedächtnisses am Gegenstand vorbei ins Leere führt. „Der Feinste betriegt sich oft, gerade weil er zu viel sichert“, bemerkt die verständige Juliette verständig (789).

Die pilgernde Törin

Während es Lenardo um die verdeckte Ermittlung einer Sache ging, erstrebt die wunderliche Heldin der „verrückten Pilgerschaft“[61] deren völligen Entzug. Die Figur des Umwegs ist bei ihr zur Bewegung des reinen Ausweichens geworden. Vom „Ziel“ ist nurmehr e contrario zu sprechen als von dem, worauf all die maskierten Verhöre ihrer Gastgeber abzielen. Der Vorsatz der Pilgerin selbst ist es allein, das geheimnisvolle Früherlebnis, das ihr Leben verwandelte — d. h.: gerade den Schlüssel zu ihrer Person —, zu verbergen und bei sich zu behalten.

Darum „versteckt“ sie sich, sobald nur „die Absicht, einige Aufklärung von ihr zu gewinnen“, spürbar wird, „hinter allgemeine Sittensprüche, um sich zu rechtfertigen, ohne uns zu belehren“: „Zum Beispiel, wenn wir von ihrem Unglücke sprachen: ‚Das Unglück . . . fällt über Gute und Böse. . . .‘ Suchten wir die Ursache ihrer Flucht . . . zu entdecken: ‚Wenn das Reh flieht . . ., so ist es darum nicht schuldig.‘ Fragten wir, ob sie Verfolgungen erlitten: ‚Das ist das Schicksal mancher Mädchen von guter Geburt, Verfolgungen zu erfahren und auszuhalten. Wer über eine Beleidigung weint, dem werden mehrere begegnen.‘“ (770 f.)

Es erscheint hier eine Seite des allgemeinen und maximenhaften Stils, die seiner mitteilungbegründenden Funktion im Gesprächseingang völlig entgegengesetzt ist, die sich aber schon bei Elisabeth angedeutet und bei Montan entwickelt fand: das Auffangen unangemessener Fragen durch „bündige Antworten“ — „Gut Ding will Weile haben“ —, die Rettung vor Zudringlichkeit im privaten Bereich durch Flucht in die dritte Person, in der „man“ nicht „ich“ zu sagen braucht.

Denn das Allgemeine ist, so genau und treffend es auch die Essenz des Besonderen ansprechen mag, zunächst in der Regel auch dunkel: „Es ist von nichts wenigerem als von dem Mißbrauch fürtrefflicher und weit auslangender Mittel die Rede“. Und allgemeine Maximen können demgemäß ihrer Natur nach ebensowohl verbindend wie isolierend sein.

Herrn von Revannes Hoffnung, „das Vertrauen, das wir ihr einzuflößen suchten,“ — hier wieder das Stichwort für die erste Stufe des Voraussetzens, die jeder Mitteilung vorangehen muß — „würde zuletzt das Geheimnis auf ihre Lippen bringen“ (770), erfüllt sich nicht. Alle „Freundschaftsversicherungen“ und „Bitten selbst waren unwirksam“. Die Fremde bleibt „gerade ohne Offenherzigkeit, zurückgezogen ohne Ängstlichkeit" und gibt ihre Überzeugung nicht preis, daß „sie niemand Rechenschaft schuldig sei" (764).

Diese fortgesetzte Zurückhaltung und die wachsende Rivalität der Neigungen von Vater und Sohn geben nun den Gesprächen mitunter einen Ton leichter Gereiztheit. So läßt der Gastgeber etwa das Wort „Undankbarkeit" fallen und beklagt sich, „daß viele Wohltäter Übles für Gutes zurückerhielten." Und die Unbekannte erwidert „mit Geradheit": „Viele Wohltäter möchten ihren Begünstigten sämtliche Rechte gern abhandeln für eine Linse" (773). — Das maximenhafte Gewand ist hier die Verkleidung direkter Vorwürfe. Hinter dem vieldeutig Allgemeinen steht völlig zweifelsfrei ein eindeutig Konkretes: das Verhältnis der Fremden zum Hausherrn. Das ist von beiden gemeint. Das ist der gemeinsame Bezugspunkt der Rede, auf den Sentenz und Gegensentenz unmittelbar hinzielen. Nur der Anstand kultivierter Gesellschaft hindert daran, ihn unverhüllt auszusprechen.

Die hierin angedeuteten Möglichkeiten verdeckten Sprechens werden im folgenden noch auf die hintergründigste Weise gesteigert. Die Pilgerin erkennt, „daß sie auf einem äußersten Punkte stehe, wo es ihr wohl nicht leicht sein würde, sich lange zu verteidigen" (774); sie meint sich gezwungen, jetzt nicht nur ihr Geheimnis, sondern auch sich selbst zu entziehen, um sich ihrer Maxime getreu zu erhalten. Und die geübte Meisterin sprachlichen Verhüllens verfällt „in diesen bedenklichen Umständen" auf den „wunderlich" genannten „Ausweg" (773), es mit einer Täuschung durch Sprache zu versuchen:

So gegenüber dem Vater, als dieser „eines Tages . . . die Freundschaft, die Dankbarkeit, die sie ihm bezeigte, etwas zu lebhaft erwiderte" (774 f.): „‚Ihre Güte, mein Herr, . . . ängstigt mich; und lassen Sie mich aufrichtig entdecken, warum. Ich fühle wohl, nur Ihnen bin ich meine ganze Dankbarkeit schuldig, aber freilich —' — ‚Grausames Mädchen!' sagte Herr von Revanne, ‚ich verstehe Sie. Mein Sohn hat Ihr Herz gerührt.' — ‚Ach! mein Herr, dabei ist es nicht geblieben. Ich kann nur durch meine Verwirrung ausdrücken —' — ‚Wie? Mademoiselle, Sie wären —' —

‚Ich denke wohl ja', sagte sie, indem sie sich tief verneigte und eine Träne vorbrachte . . . . So verliebt Herr von Revanne war, so mußte er doch diese neue Art von unschuldiger Aufrichtigkeit unter dem Mutterhäubchen bewundern, und er fand die Verneigung sehr am Platze. — ‚Aber, Mademoiselle, das ist mir ganz unbegreiflich —' — ‚Mir auch', sagte sie . . .".

Das ist so bezaubernd wie abgefeimt. Ein Geheimnis wird vorgespiegelt, um es erraten zu lassen; der unausgesprochene Bezugspunkt der Rede ist fingiert; das absichtsvolle Zurückhalten der Mitteilung wird zur Mitteilung einer Scheinwahrheit. Gerade das Innehalten und Aussparen macht die Kunst der Inszenierung aus — wenn natürlich auch die Dezenz des Partners das Spiel erleichtert: Da er sich scheut, die Sache beim Namen zu nennen, enthebt er die liebenswürdige Actrice der Zwangslage, entweder zu lügen oder zu dementieren. In gleichsam pervertierter Form zeigt sich hier, daß das Verschweigen ein wesentliches Mittel der Mitteilung sein kann.

Und analog verfährt Demoiselle gegenüber dem Sohn. Der „erschien . . . mit einem Blicke, der niederschmetternde Worte verkündigte. Doch er stockte und konnte nichts weiter hervorbringen als: ‚Wie? Mademoiselle, ist es möglich?' — ‚Nun was denn, mein Herr?', sagte sie mit einem Lächeln", bewußt dem Ankläger das Eröffnungswort zuspielend. — „‚Wie? was denn? Gehen Sie, Mademoiselle, Sie sind mir ein schönes Wesen! . . . ich durchdringe Ihr Komplott mit meinem Vater. Sie geben mir beide einen Sohn, und es ist mein Bruder, das bin ich gewiß!'" — Die „schöne Unkluge" dagegen: „‚Von nichts sind Sie gewiß; es ist weder Ihr Sohn noch Ihr Bruder. Die Knaben sind bösartig; ich habe keinen gewollt; es ist ein armes Mädchen, das ich weiter führen will, ganz weit von den Menschen, den Bösen, den Toren und den Ungetreuen. . . . Sie wissen, ob ich untreu bin, Ihr Vater weiß es auch.'" (775 f.)

War es gegenüber dem Vater das andeutende Verschweigen, so ist es hier die bewußte Doppeldeutigkeit der Rede, mit der sie den Partner — ohne „ausgesprochene" Unwahrheit — düpiert. Wo der jugendliche Liebhaber die eindeutige Beziehung auf seinen vermeintlich zu erwartenden Bruder sehen muß, da bezieht sie sich, in ihrer Weise auch eindeutig, auf sich selbst. Nur kann das, den delikaten Umständen entsprechend, außer ihr nur der Leser wissen.

Und so, durch diese kleine, in ihren Absichten unschuldige, in ihren sparsamen Mitteln aber höchst entwickelte Musterintrige versteht es „die schöne Unbekannte", die Gegenspieler für eben den Augenblick wechselweise zu neutralisieren, der ihr zum Entkommen genügt. „Allein auf der Welt", wie zu Beginn (763), geht die Fremde in die Fremde zurück.

Ähnlich wollte sich auch Montan „ganz weit von den Menschen" und insbesondere den „Toren" aufhalten und sie absichtlich „meiden". Auch er kehrte, aus der Einsamkeit kommend, wieder in die Einsamkeit ein; auch er schied sich nach der Begegnung mit der Menschenwelt betont wieder von ihr ab, wenn auch in eine ganz andere Richtung als die „flüchtig wie die Engel" (777) erschienene Pilgerin.

Überhaupt ist die Erzählung sehr viel enger in die „Wanderjahre" hineingebunden, als es die Tatsache einer „Übersetzung aus dem Französischen" vielleicht glauben läßt. Nicht nur die Gegensetzung der „verrückten Pilgerschaft" zum planvollen Wandern der Entsagenden, die die erste Fassung unmittelbar aussprach, und die Rivalität von Vater und Sohn, die sich bei Wilhelm, Felix, Hersilie und im „Mann von funfzig Jahren" in anderen Varianten findet, auch das Rätsel um die Hauptfigur und das Geheimnis in einer extremen und doch anmutig gedämpften Lage mögen Goethe bewogen haben, die Novelle beizuziehen.

Geheimnisse

Es ist erstaunlich, was in den „Wanderjahren" alles „verheimlicht" wird: „Makariens Eigenheiten" ihren Verwandten (846, 849); die Gegenwart der „terrestrischen Person" (1225) und Wilhelms Traum der Makarie (848); das Berufsvorhaben Wilhelms (983) und seine „sonderbaren Verpflichtungen" (858) der Leitung des

Bundes und Lenardo; der Aufenthaltsort des „nußbraunen Mädchens“ (868, 962, 981) und ihr privates Bücherstudium mit dem Verlobten (1189) Lenardo und den pietistischen Brüdern; die näheren Umstände von Felix' Botschaft der Hersilie (1009); Odoards Urheberschaft der kostenlosen Bewirtung den Gästen des Hauses (1164); die Einsiedelei des alten Hausfreundes (820), der ganze Prozeß der unbewußten Selbstoffenbarungen und der absichtlichen Durchkreuzung aller Pläne dem „Verräter sein selbst“; die Lage der künftigen Hauptstadt, die Ansichten über die Majorität, über Flaschen und Bücher (1173 f.) Wilhelm und den Auswanderern . . . . „Obwaltende Rätsel“ (839) in allen Gegenden und allen Höhenlagen — vorzüglich aber im Bereich des Bedeutenden und Ehrwürdigen!

Denn gerade „die wichtigsten Angelegenheiten“ sind es, über die man am längsten schweigt (955), die weittragendsten Geschäfte, die „im stillen“ (1083), „unterirdisch“, „den Augen entzogen“ (1002), „im tiefsten Geheimnis“ (1081) und nach der Losung: „Tun ohne Reden“ betrieben werden (981). Und es ist gerade das Allerheiligste, das „abgesondert“ steht und „des Jahrs nur einmal eröffnet“ wird, über dessen „Geheimnisse“ man „einen Schleier“ zieht (892).

„Gewissen Geheimnissen, und wenn sie offenbar wären, muß man durch Verhüllen und Verschweigen Achtung erweisen“ (877), heißt ein Wort der Pädagogen, das sich nicht nur aufs Göttliche, sondern auch aufs Menschlich-Göttliche, auf das zarte, verletzliche, unaussprechliche Geheimnis der Person, bezieht. So halten sich Lenardo und die Schöne-Gute scheu zurück: „Wir schienen uns beide vor Worten und Zeichen zu fürchten, wodurch der glückliche Fund nur allzubald ins Gemeine offenbar werden könnte“ (1186). Und Susanne bittet, gerade über das Schmerzlichste und Bewegendste „einen Schleier . . . werfen . . . zu dürfen“ (1192).

Zurückhaltung und Verschlossenheit können so geradezu zum Kennzeichen des Ranges werden. Bei der Pädagogischen Provinz wird sich das ganz deutlich zeigen. Aber schon bei Lucidor ist es angedeutet: Er „war von tiefem Gemüt . . . deswegen Unterhaltung und Gespräch ihm nie recht glücken wollte" (807); und auch bei Wilhelm Meister selbst: Nirgends tritt er bedeutender auf, als da, wo er als „geheimnisvoller Durchreisender" unter der Maske eines „geborgten Namens" (1191) erscheint.

Die ganze Geheimnistendenz findet ihren symbolischen Ausdruck in der Kette merkwürdiger „Kästchen", die sich durch den Roman zieht: von dem berühmten „Prachtbüchlein" und „Wundergeheimnis", das dreimal in der Geschichte zwischen Hersilie und Felix seine magische Rolle spielt (753 f., 1138 ff., 1229 ff.), über die „verheimlichte" Juwelenschatulle Antonis (816) und das Kosmetikportefeuille, das der „theatralische Freund" mit sich führt (903), bis zum Märchenkästchen der „geheimnisvollen Freundin" (1118) in der „Neuen Melusine". Von keinem von ihnen kann die Rede sein, ohne daß das Wort „Geheimnis" fällt. Und noch das offensichtlich „unsolideste" von allen, das „Toilettenkästchen", das dem oberflächlichen und leicht anrüchigen Zweck männlicher Verjüngungskunst zu Diensten steht, gibt Anlaß zu den gegründetsten Bemerkungen: „Mitteilungen ... sind schwerer als man denkt. ... Man kann das Überlieferte sich nicht gleich zu eigen machen", „Übung und Nachdenken" gehören dazu; „ja selbst diese wollen kaum fruchten, wenn man nicht eben zu der Sache ... ein angebornes Talent hat" (906). Und: „Das müßte gar eine schlechte Kunst sein, die sich auf einmal fassen ließe, deren Letztes von demjenigen gleich geschaut werden könnte, der zuerst hereintritt" (907).

So erweist sich der Roman der Gemeinschaften auch als ein Roman der Geheimnisse. Und auch hier steht dem Verhalten der Figuren wieder ein entsprechendes Verhalten des redigierenden Autors zur Seite. Ob er den tieferen Grund seiner Zurückhaltung selbst andeutet: „dergleichen Dinge wollen getan sein, wenn man sie beurteilen soll. Und in eben diesem Sinne hält der Sammler und Ordner dieser Papiere mit andern Anordnungen zurück" (1174). „Hier aber wagen wir nicht, weiter zu gehen; denn das Unglaubliche verliert seinen Wert, wenn man es näher im einzelnen beschauen will. Doch sagen wir so viel..." (1223); ob er die innere Funktion hinter vorgespiegelten äußeren Schwierigkeiten versteckt: „deshalb denn auch von diesem Gespräche uns freilich nur unvollständige und unbefriedigende Kenntnisse zugekommen. Doch sollen wir auch hier ..." (1157); oder ob er wirklich nur aus offenbarer Nachlässigkeit seine Purpurgewänder mit weißem Faden vernäht[62]: „Auch war ihm indessen ein Gedicht eingefallen, dessen rhythmische Ausführung uns nicht gleich beigeht, dessen Inhalt jedoch ..." (954) —, immer wieder beutet er seine Herausgeberrolle auch dafür aus, etwas *nicht* mitzuteilen.

„Wie diese guten, alles Anteils würdigen Personen ihre nächtlichen Stunden zugebracht, ist uns ein Geheimnis geblieben; den andern Morgen aber ..." (938). „Ob dieses Nachtschrecken gegen Morgen nachließ ..., ist schwer auszumitteln; genug, er ..." (1068). „Wie sich nun der Freund aus einer solchen Verlegenheit gezogen, ist uns selbst unbekannt geblieben, und wir müssen den Fall unter diejenigen rechnen, über welche die Musen auch wohl einen Schleier zu werfen sich die Schalkheit erlauben. Genug, das Jagdgedicht selbst ward abgesendet, von welchem wir jedoch einige Worte nachzubringen haben." (931).

Auffallend ist freilich, wie oft die einschränkenden Konjunktionen „aber", „doch", „jedoch" oder das sowohl abbrechende wie einleitende „genug" der Wendung des Zurückhaltens folgen. Indem sie anzeigen, daß nun „doch" „einige Worte nachzubringen" sind, bereiten sie der Mitteilung durch die grundsätzlichen Hemmungen hindurch wieder eine bescheidene Bahn, heben sie die Mitteilungsenthaltung zum Teil wieder auf. Diese bekommt dadurch mehr den Charakter eines vorsichtigen Abmessens als den radikaler Verschwiegenheit und wird so zu einer Funktion des Mitteilens selbst.

Am deutlichsten ist das dort, wo der Redaktor dem Leser eine Mitteilung nur vorenthält, um sie zugleich für die Zukunft zu verheißen: „Auch dergleichen dürfen wir aus oben angeführten Gründen keinen Platz einräumen. Jedoch werden wir die erste sich darbietende Gelegenheit nicht versäumen und am schicklichen Orte auch das hier Gewonnene mit Auswahl darzubringen wissen" (847). „Welcher Art aber dies gewesen, dürfen wir im Augenblick noch nicht offenbaren, obgleich der Leser bald, noch ehe er diesen Band aus den Händen legt, davon genugsam unterrichtet sein wird" (1008). „Was es aber gewesen, dürfen wir an dieser Stelle dem Leser noch nicht vertrauen, so viel aber..." (750). „Doch ist uns versagt nähere Kenntniß davon gleich jetzt zu ertheilen, weil einem Büchlein wie dem unsrigen Rückhalt und Geheimniß gar wohl ziemen mag."[63]

Goethes Geheimnistrieb

Zu „Rückhalt und Geheimniß" hat Goethe, bei allem Kommunikationsbedürfnis, immer eine besondere Affinität gehabt.

Schon die Zeitgenossen bezeugen es. So Kestner über den Wetzlarer Goethe: Er „äußert sich über gewisse Hauptmaterien gegen wenige; stört andere nicht gern in ihren ruhigen Vorstellungen."[64] Oder Charlotte von Schiller: „Er will... oft erraten sein und spricht sich nicht klar selbst aus."[65] Oder Frau von Stein: „Es ist in seiner Art, unnötig Geheimnisse zu machen"[66]; „Goethe ist selten zu sehen, und es ist immer etwas um ihn, entweder eine Wolke, ein Nebel oder ein Glanz, wo man nicht in seine Atmosphäre kann."[67] Oder Carl Gustav Carus: Es komme ihm so vor, „als habe dieser alte Magus am Ende doch gerade das Beste, was sein war, nicht mitgeteilt und niedergeschrieben."[68]

Und Goethe hat es auf allen Stufen seines Lebens auch selbst ausgesprochen. „Sieh, Lieber, was doch alles schreibens anfang und Ende ist, das bleibt ewig Geheimniß, Gott sey danck, das ich auch nicht offenbaren will den Gaffern und Schwätzern", schreibt er drei Monate nach der Beendung des „Werther" (1774)[69]. Und während der Niederschrift der „Stella": „Ich mag das nicht drucken lassen denn ich will, wenn Gott will, künftig meine Frauen und Kinder in ein Eckelgen begraben oder etabliren; ohne es dem Publico auf die Nase zu hängen.[70] Ich bin das ausgraben und seziren meines armen Werthers so satt" (1775)[71]. Bei der ersten Ausarbeitung des „Egmont", noch in Frankfurt: „Ich kann ich darf Ihnen nicht alles sagen. ... Lass mein Schweigen dir sagen, was keine Worte sagen können" (1775)[72].

In der Weimarer Frühzeit: „von meinen wahren Verhältnissen wird dir kein Reisender was erzählen können, kaum ein Mitwohnender" (1776)[73]; „ich lebe immer in der tollen Welt und bin sehr in mich zurückgezogen" (1777)[74]; „mein Schicksal ist den Menschen ganz verborgen, sie können nichts davon sehen noch hören" (1779)[75]. „Das Beste ist die tiefe Stille, in der ich gegen die Welt lebe und wachse, und gewinne" (1780)[76]. „Im Innersten meiner Plane und Vorsäze und Unternehmungen bleib ich mir geheimnißvoll selbst getreu und knüpfe so wieder mein gesellschafftliches, politisches, moralisches und poetisches Leben in einen verborgenen Knoten zusammen" (1782)[77]. Und programmatisch: „ich habe mir zum Gesetz gemacht, über mich selbst und das Meinige ein gewissenhaftes Stillschweigen zu beobachten" (1781)[78].

Die Reihe ließe sich lückenlos Schritt für Schritt durch die Jahre weiter verfolgen. Das gewohnte, „fast gelobte Stillschweigen"[79], die Neigung „incognito" zu reisen, seine „Existenz", seine „Handlungen", seine „Schriften den Menschen aus den Augen zu rücken" und sich „zwischen" sich selbst und seine eigene „Erscheinung" zu stellen[80], begleiten ihn überall und allezeit. „Je länger man Gegenstände betrachtet, desto weniger getraut man sich etwas allgemeines darüber zu sagen. Man möchte lieber die Sache selbst mit allen ihren Theilen ausdrucken oder gar schweigen", schreibt er aus Rom.[81] „Wenn ich von einem Resultat reden soll das sich in mir zu bilden scheint, so sieht es aus als wenn ich Lust fühlte, immer mehr für mich zu theoretisiren und immer weniger für andere", bemerkt er zu Schiller.[82] — „Der zum Schweigen Gewöhnte schweigt."[83]

„Daß er ein weit höheres Bedürfniß" fühle, „in das innerste Wesen der Menschen und der Dinge einzudringen, ... als sprechend, überliefernd, lehrend oder handelnd sich zu äußern", das hat er selbst geradezu als „Schlüssel" bezeichnet „zu Vielem was an" ihm und seinem „Leben problematisch erscheinen" müsse.[84]

Und es ist das ein Schlüssel vor allem auch zu seiner Altersepoche. Denn nun, da ihm die Jahre gleich sybillinischen Blättern immer kostbarer werden[85], sondert er sich noch entschiedener als früher „nach außen" ab, um sich „nach innen" zu „concentriren"[86] und „die kurze Zeit, die ... übrig bleibt zu eigenen Werken" zu verwenden[87]. Nun kommt er erst recht „aus aller Berührung mit den Menschen".[88] „Meinen Winter bring ich beynahe in absoluter Einsamkeit zu", schreibt er an Zelter.[89] „Ich habe die Zeit her fast mit niemand gesprochen, besonders wenn sprechen allenfalls heißt: wechselseitig reden wie man denkt. Mein ganzes Daseyn seit fünf Monaten steht auf dem Papier".[90] „Wie des Königs Midas Barbier" vertraue er seine „Geheimnisse" nur noch „den verrätherischen Blättern." „Hören und reden mag ich nicht mehr".[91]

So kann er sich jetzt als „magische Auster" verstehen, „über die seltsame Wellen weggehen"[92], als „Einsiedler, der, von seiner Klause aus, das Meer doch immer tosen hört"[93], oder als „Merlin", der „vom leuchtenden Grabe her" das eigene Echo „vernehmen" läßt[94].

Der Widerspruch zur gleichzeitigen Steigerung des Mitteilungs- und Teilnahmebedürfnisses in Goethes Alter ist offenkundig. Es wird sich jedoch zeigen, daß dies kein „schlechter Widerspruch" im Sinne Hegels ist, sondern eine Polarität, aus der ein Drittes, Höheres, ein Mitteilungsverhalten ganz besonderer Art, erwachsen sollte. Schon hier hat sich angedeutet, daß Goethe die Dichtung, die zu ihrer Entstehung der „absoluten Einsamkeit"[95], der „Stille", „Dämmerung" und „Dunkelheit" bedarf[96], auch als „verrätherische Blätter", als ein „Organ in die Ferne"[97] verstanden hat, sich mit den Abwesenden und vielleicht auch mit der Nachwelt zu „unterhalten". Denn „dieses ist ... doch das höchst Reizende eines sonst bedenklichen Autor-Lebens", schrieb er bei der Ankündigung der „Wanderjahre" an Zelter, „daß man seinen Freunden schweigt und indessen eine große Conversation mit ihnen nach allen Weltgegenden hin bereitet."[98]

Es ist indessen nicht der Wunsch nach innerer Sammlung allein, der ihn auf seine isolierte, „einzelne Warte"[99] und in sich selbst zurücktreibt, es ist ebenso das Bewußtsein, daß der lange Lebende und Viele Überlebende[100] eigentlich überhaupt „mit niemandem mehr kontrovertieren... kann" (1241 MA) — „Niemand kennt und versteht meine Prämissen"[101] —, daß seine Äußerungen die anderen nur „verletzen"[102] und „irre machen" würden[103], so wie die Einreden der anderen ja auch ihn selbst in seiner Denkweise verstören. „Was ich recht weiß, weiß ich eigentlich nur mir selbst", schreibt er während der letzten Redaktion der „Wanderjahre" in einer Briefmaxime[104], die ganz ähnlich auch in die „Betrachtungen im Sinne der Wanderer" und in Äußerungen Montans eingegangen ist (1006): „sobald ich damit hervortrete, rückt mir sogleich Bedingung, Bestimmung, Widerrede auf den Hals"; und „Stocken und Stillstehen" — es gibt für Goethe fast nichts Schlimmeres — sind dann die Folge (1055 f. BdW). „Denn, sagte er, in der Jugend glaubt Man noch an die Möglichkeit einer Ausgleichung und Vereinbarung; in älteren Jahren aber sieht man diesen grosen Irrthum ein und hält das Ungleichartige und Unzusagende geradezu von sich ab."[105] Die „Klüfte" zwischen den Menschen, „über die man in jüngerer Zeit wegspringt oder Brükken schlägt", muß man „im Alter, als zur Befestigung des Zustandes gegeben, berechnen".[106]

Darum jetzt immer wieder der Zweifel, „ob denn das was uns eben beschäftigt... nicht vielleicht als ein Fremdes und Unwillkommenes auftrete".[107] — Die Durchkreuzung des Kommunikationstriebes durch den Wunsch, sich zurückzuhalten: „Gar oft... komme ich in Versuchung, dir von meinen Zuständen und Thätigkeiten einige Notiz zu geben, dann aber steh ich wieder an".[108] „Der Brief... ist fertig..., aber ich kannn mich nicht entschließen ihn *ab*zusenden"[109]; „fast möchte ich das Blatt abermals zurückhalten".[110] — Das Schweigen aus dem Bewußtsein überlegener Distanz: „Wir wollen aber diese Betrachtungen für uns behalten; sie nützen der Welt nicht, die immer in ihrem Wuste hingehen mag"[111]; aus dem Respekt vor den anderen: „Ich habe meine eigne Gedanken darüber, die ich aber nicht aufdringen will"[112]; zum Schutz der eigenen Person und zur Verhütung von Mißverständnissen: „Ich werde mich hüten deutlicher zu seyn"[113], „das Wort auszusprechen, das den Menschen oft noch räthselhafter vorkommt als das Räthsel selbst".[114] — Die Verschlossenheit der innersten Bezirke: „Merkwürdige Resultate eines stillen einsamen Denkens möcht ich wohl oft aufzeichnen, dann laß ich's wieder gut seyn."[115] Ich „spüre immer mehr Neigung das Beste, was ich gemacht habe und noch machen kann, zu secretiren."[116]

Selbst manche der späten Tagebucheinträge sind nun von Dunkelheiten und Geheimnissen umgeben: „Wichtige Betrachtungen ins Allgemeine und Besondere."[117] Oder: „Anderes Geheime bedenkend."[118] Aus der Aura solcher Chiffren weht uns etwas an von dem, was sich der Marquis de Custine nach einer Begegnung mit Goethe notierte: „Il me semblait que je regardais au bord d'un abîme d'où montait la voix d'un oracle."[119]

Auch Goethe und gerade der späte Goethe hat sich gehütet, seine „ernstesten Dinge"[120] ungeschützt zur Sprache zu bringen.

Individualität als Hindernis eigentlicher Mitteilung

Die Mitteilungsenthaltung hat viele Aspekte: die Resignation an den Grenzen der Sprache; das Verhüllen des zarten verletzlichen Innern, das sich nur in seiner eigenen Atmosphäre zur Reife entwickeln kann[121]; das Schatzgräberschweigen, mit dem man ernstliche Vorhaben verdeckt[122]; die Zurückgezogenheit, die den vielstimmigen Tageslärm fernhält, damit die Stimme der Natur vernehmlich werde[123]. Alle sind miteinander verwandt, denn alle hängen an Einer Wurzel zusammen. Es ist dies die angeborene Einzelmenschlichkeit, die allen Mitmenschen gemeinsam ist und die doch alle auseinanderhält: „So mußt du sein, dir kannst du nicht entfliehn", die Individualität, die jedes Individuum von jedem andern trennt.

In den „Wanderjahren" bringen nicht nur die Eigenbrötler diese Abgeschlossenheit des Individuums zum Ausdruck — der „schweigsame" Lucidor etwa, dem „jede Mitteilung bedenklich" (807), der „mitten in der sittlich-bürgerlichen Gesellschaft in solcher Verworrenheit befangen" ist (826), daß ihm sogar die altvertrauten Gestalten seiner Anverwandten „gespenstig" werden

(824) —, sondern merkwürdigerweise auch ein offenbarer Liebhaber und Meister der Konversation: „Ohne mich verbergen zu wollen, bin ich gern allein: denn man kanns den andern doch nicht recht machen" (823). Das sagt der „wunderliche" lustige Junker, der alle mit seinen Späßen auf dem laufenden zu halten, der immer wieder stockende Unterhaltungen zu beleben und neue zu arrangieren weiß: der Gesellschaftsmensch, wie er im Buche steht. — An keiner anderen Figur hätte Goethe deutlicher zeigen können, daß auch der Gesellschaftsmensch Einzelmensch ist.

Bereits das Wort „wunderlich" ist in diesem Zusammenhang nicht ohne Bedeutung. Obgleich es in den „Wanderjahren" so oft und so durchgehend verwendet wird, daß es selbst schon wieder typenhaft wirkt und eine Art von Verwandtschaft stiftet[124], steht es in unmittelbarem Bezug zur Individualität. Es bezeichnet nämlich die Außenseite der „Eigenheiten", von denen Goethe sagt, sie seien „irrtümlich nach außen und wahrhaft nach innen"[125]. Und diese Eigenheiten sind nach den Notizen über „Lorenz Sterne" gerade das, „was das Individuum konstituiert"!

Nur das wunderlich-„irrtümliche" Äußere, die „Maske" des Individuums (837), sieht der Mensch am Menschen, das „wahrhaft" Innere bleibt ihm verborgen. „Die wahren Tugenden und die wahren Mängel eines Menschen kommen nie zur Evidenz, und was man von ihm hin und wider trägt, sind alberne Mährchen."[126] „Wenn man die Mängel eines Menschen zugleich mit seinen Vorzügen ... articuliren soll", hieß es in der unterdrückten Fassung von Wilhelms Analogie zum Mathematikproblem, „heben ... Lob und Tadel ... einander auf und es scheint mir immer, daß diejenigen, die sich anmaßen, gerecht zu seyn, Verdienst und Mangel gegeneinander abwiegen zu wollen, die Persönlichkeit selbst vernichten."[127] Und die „Törin" bekannte in ähnlichem Sinn: „Namen und Vaterland verberge sie, eben um des Rufs willen, der dann doch am Ende meistenteils weniger Wirkliches als Mutmaßliches enthalte" (764). Das eigentliche Geheimnis der Person, eben das, was sie als Individuum konstituiert, ist unerreichlich. Das bewußte Sichentziehen ist nur die eigenwillige Verstärkung einer immer schon vorgegebenen Grundtendenz der Individualität. „Individuum est ineffabile".[128]

Dieser Entzugscharakter resultiert aus der antinomischen Beschaffenheit[129] des menschlichen Individuums selbst:

Es ist einerseits das, was Goethe „eine wunderliche Zusammensetzung" nennt[130], eine paradoxe Mischung, „in welcher sich die stärksten Gegensätze vereinigen, Materielles und Geistiges, Gewöhnliches und Unmögliches, Widerwärtiges und Entzückendes, Beschränktes und Grenzenloses"[131], „Gott und Satan, Himmel und Erde alles in Einem"[132]. Es hat am Oberen und Unteren, an Verzweiflung und Vergötterung in gleicher Weise Teil und ist darum innerlich grenzenlos.

Und andererseits ist es doch durch eben diese Teilhaberschaft äußerlich abgegrenzt und durch sie bedingt. Denn „nichts... trennt die Menschen mehr als daß die Portionen dieser... Ingredienzien nach verschiedenen Proportionen gemischt sind".[133] Die Art dieser Mischung, die ihn „spezifiziert" und „nach einer gewissen Seite" hintreibt[134], die seine „Eigenheiten" und damit seine „Eigentümlichkeit" bestimmt, hält ihn „in seiner Indivudualität" auch „gefangen"[135]. Denn die Realisierung einer der unzähligen Kombinationsmöglichkeiten bedeutet notwendig den Ausschluß aller andern. „Der *Brünette*", bemerkt Goethe zum Kanzler von Müller, „könne nun einmal nicht *Blond* seyn, weil er sonst kein Individuum wäre. ... Wie sich einmal der geistige Organism des Menschen gebildet, darüber könne er nicht hinaus".[136] Jeder „stickt in seiner Haut"[137], niemand wird „die Allgemeinheit zugestanden"[138].

Darum ist die komplexe Natur des Menschen von keinem ebenso komplexen Aufnahmevermögen begleitet. Darum ist es „doch immer die Individualität eines Jeden, die ihn hindert, die Individualitäten der andern in ihrem ganzen Umfang gewahr zu werden".[139] Immer nur als Einzelner und immer nur Einzelnes kann der Mensch aufnehmen, „Vorzüge" *oder* „Mängel", den einen Aspekt — den „Mißbrauch fürtrefflicher Mittel" — oder den andern ins Auge fassen. Dem sich entziehenden, paradoxen Charakter des Individuums als Erkenntnisobjekt steht sein einseitiger und einseitig-bestimmender Charakter als Subjekt gegenüber.

„Was ein Andrer *denkt,* wie kann mich das kümmern? Ich kann doch nicht *wie er* denken, weil ich Ich und nicht Er bin. Wie können sich nur die Leute einbilden, daß mich ihr *Denken* intereßieren könnte“![140] Die schroffen Sätze des Sechsundsiebzigjährigen bringen mit aller Schärfe zum Ausdruck, daß „jedem die Art, wie er die Dinge ansieht“, ebenso „angeboren“ ist wie seine Individualität überhaupt[141], „daß die verschiedenen Denkweisen in der Verschiedenheit der Menschen gegründet sind“[142]. „Wir erfahren fast täglich“, heißt es in den Betrachtungen der Wanderer (1055), „daß der eine mit Bequemlichkeit denken mag, was dem andern zu denken unmöglich ist“. „Wir sind ja alle nur einzelne Personnagen die nach unseren Prämissen richtig oder falsch urteilen“.[143] Darum ist denn „jede Überzeugung ... nach Beweisen auf Beweise doch zuletzt ein Act des Willens“[144], sind „alle Beweise“ ihrerseits „nur Varitionen unserer Meynung“[145].

Da, „genau besehen, jedermann von besonderen Prämissen ausgeht“[146] und „nach seiner Art wirken“ muß[147], sind Gegenstellungen in den Denkweisen, „Verwirrung“ und „Confusion“[148] in der Mitteilung unvermeidlich. „Ist doch nichts in der Welt was nicht eine Gegenrede erduldete“.[149] Wie „von den Blättern eines Baumes ... kaum zwey vollkommen gleich befunden werden“, lesen wir bei Eckermann[150], „so möchten sich auch unter tausend Menschen kaum zwey finden, die in ihrer Gesinnungs- und Denkungsweise vollkommen harmoniren.“

Denn Urteil und Denkweise gehorchen, wie es Montan ausgesprochen hat, dem Gesetz des Gemäßen. Und dieses ist nicht nur ein individuelles Auswahlprinzip, nach dem sich ein jeder „eklektisch“ nur „dasjenige aneignet“ (1240 MA), was „seiner Natur am angemessensten“ ist[151], sondern auch ein Gesetz individueller Anverwandlung, die alle fremden Elemente „durch eigene Zutat“[152] der eigenen Mischung amalgamiert. Verschiedene Menschen nehmen nicht nur verschiedene Dinge, sie nehmen auch gleiche Dinge verschieden auf:

„Der Mensch erfährt und genießt nichts, ohne sogleich productiv zu werden. Dies ist die innerste Eigenschaft der menschlichen Natur. Ja man kann ohne Übertreibung sagen, es sei die menschliche Natur selbst."[153] Die Über-Aktivität in der Auslegung der Oheimsentenzen brachte so nur ein allgemeines Gesetz forciert zur Erscheinung: Jede Aufnahme ist bereits Aktion und trägt als solche den Stempel des Individuellen. Jede bestimmt den Gegenstand nach dem Bilde der eigenen Betrachtungsart. „Die Erscheinung ist vom Beobachter nicht losgelöst, vielmehr in die Individualität desselben verschlungen und verwickelt."[154] Nur weil die Voraussetzungen schon potentiell gegenstandsbestimmend sind, konnte es auch das Voraussetzen im Eingang der Gespräche sein. Es ist nun einsichtig, warum man bei der ersten Begegnung stets darauf aus ist, sich der Prämissen des Partners zu versichern. Wenn diese nicht zusammenstimmen, dann stimmt nichts zusammen: weder das Ich mit dem Du noch beide mit der Sache. Wenn dein „Gegenständliches" nicht auch „mir zum Gegenständlichen" werden kann[155], fallen alle Elemente, die zur Mitteilung gehören, von vornherein auseinander. Dann erscheint sogar die eine Sache, von der scheinbar beide als derselben handeln, aufgespalten und zerlegt. „Man kann sie wohl herrlich nennen ..." (s. o. 33), „... es ist ein armes Mädchen, das ich weiter führen will" (s. o. 78). Da wurden durch die verschiedenen Prämissen der bestimmenden Subjekte aus dem je einen Satz gewissermaßen zwei verschiedene, ja entgegengesetzte, die nurmehr wie zufällig denselben Wortlaut hatten. Die beiderseitige Bestimmung des Gegenstandes kann bis zum offenbaren Gegensatz gehen. — Hersilie findet die Oheimmaximen, von hinten gelesen, „ebenso wahr" (781).

Goethe hat die individuelle Aneignung oft einer Übersetzung verglichen.[156] Es ist das ein sehr genauer Vergleich:

Er zeigt einmal, daß seit dem babylonischen Turmbau[157] im Grunde jeder seine eigene Sprache spricht. Daß jeder, da er nach spezifischen „Proportionen" zusammengesetzt ist, „die Sachen unter andern Combinationen" sentieren „und drum ihre Relativität ausdrückend, sie anders benennen muß".[158]

Er zeigt zum zweiten, daß die An-eignung in jedem Fall auch ein An-verwandlung ist: „auch die sorgfältigste Übersetzung bringt immer etwas Fremdes in die Sache"[159], „der Ausdruck verändert sich und der Sinn zugleich"[160]. Daß das Aufgenommene selbst bei einem nur „wenig abweichenden Dialect"[161], selbst bei engster „Verwandtschaft" der Prämissen eine Umformung erleidet. Der Oheim „verhehlte uns nicht, wie er jenen liberalen Wahlspruch: ‚Den Meisten das Beste!' nach seiner Art verwandelt und ‚Vielen das Erwünschte' zugedacht". Wilhelm bekannte, daß er „hie und da" seine „Gesinnungen" statt der des Erzählers „ausgedrückt habe", was gerade „bei der Verwandtschaft", die er „hier mit ihm fühlte, ganz natürlich" gewesen sei (735 f.).

Und der Übersetzungsvergleich bedeutet drittens, daß das Individuelle, streng genommen, überhaupt nicht mittelbar ist. Die „Eigenheiten jeder Sprache" sind „unübersetzlich".[162] Das Gute „ist nicht mitzutheilen, und das Mittheilbare" — eben das, was sich übersetzen läßt — „ist nicht der Mühe werth."[163] „Will ich auf meine eigne Weise reden so erscheint oft das Beste und Einzigste was man mittheilen möchte als Soloecism".[164] — Diese Unübersetzbarkeit der individuellen Sprache ist es, die Mißverständnisse unvermeidlich macht. „Man verändert fremde Reden beim Wiederholen wohl nur darum so sehr, weil man sie nicht verstanden hat."[165] Die Umformung entspringt der Unverständlichkeit der anderen Sprache.

„So lang du lebst und würckst", schreibt schon der Frankfurter Goethe an Lavater[166], „wirst du nicht vermeiden mißverstanden zu werden, darauf mußt du ein vor allemal resigniren."[167] Das „Gespräch" ist doch „überall nichts als ein Austausch von Irrthümern, und ein Kreislauf von beschränkten Eigenheiten".[168] „Denn daß niemand den andern versteht", heißt es im 16. Buch von „Dichtung und Wahrheit", „daß keiner bei denselben Worten dasselbe was der andere denkt, daß ein Gespräch, eine Lektüre bei verschiedenen Personen verschiedene Gedankenfolgen aufregt, hatte ich schon allzu deutlich eingesehn".[169]

Mitteilungen sind nicht nur „schwerer, als man denkt", wie der „theatralische Freund" so treffend zu bemerken wußte; sie sind „eigentlich unmöglich" .

Denn „eigentliche" Mitteilung müßte als unbedingte Mitteilung das Individuum selbst aufheben. Sie hätte zur Voraussetzung, daß der Partner als „ein anderes Ich ... mit uns ein Ganzes" machte.[170] Sie wäre gleichbedeutend mit einer Verwandlung nicht nur des Gegenstandes, sondern der eigenen Person. Solche Verwandlung aber ist nur im Reich der Geister[171] oder in dem der poetischen Einbildungskraft möglich; wie sie denn Novalis, die Eingangstendenzen seines Romans folgerichtig vollendend, dem Heinrich von Ofterdingen zugedacht, wie Goethe sie auf andere Weise der einzigen Makarie erlaubt hat.

Den Menschen der wirklichen Welt jedoch bleibt dieses zweifelhafte Vermögen versagt und erspart. Für sie ist die physische Aufgabe ihrer Individualität identisch mit ihrer Vernichtung. Wer gegen seine Einzelmenschlichkeit anrennt, wütet gegen seine eigene Existenz: „Ich möchte mir oft die Brust zerreißen und das Gehirn einstoßen, daß man einander so wenig sein kann", ruft der von der Krankheit zum Tode gezeichnete Werther aus.[172] Wer die „ungeheure Kluft ..., welche die Menschen voneinander trennt"[173], auf magische Weise überbrücken will, so daß die andere Person „völlig heran", die eigene „völlig hinüber" gebracht wird, droht, von eben dieser Kluft „verschlungen" zu werden, wie es uns die Fernrohrszene zwischen Wilhelm und Natalie in der ersten Fassung der „Wanderjahre" symbolisch bedeutet.[174]

Über „die Abgeschlossenheit ..., die einen jeden umzirkt"[175], kann und darf niemand hinaus. Die Grundbedingtheit, daß „ich Ich und nicht Er bin", ist in der bedingten Welt durch nichts rückgängig zu machen. Unbedingte, „eigentliche", Mitteilung muß in ihr „unmöglich" bleiben.

3. *Durchdringung*

Die sich vereinigenden Gegensätze Goethes

Jedem, der Goethe in größerem Zusammenhang studiert, muß früher oder später auffallen, wie oft er sich über gleiche Gegenstände verschieden äußert, wie oft er die Perspektiven umstellt und wie schwierig, gefährlich, ja unerlaubt es wäre, ihn nur auf eine seiner wechselnden Positionen festzulegen.

So spricht er dem Menschen einmal die „Wahrheit"[176] und ein andermal — ebenso prinzipiell — den „Irrtum" zu[177]; so sieht er falsche Tendenzen einmal als „unentbehrlichen Umweg zum Ziele"[178] und ein andermal nur als überflüssig und schädlich an[179]; so ist ihm die Geschichte einmal das Gebiet, aus dem man „nächst dem Leben" am meisten zu lernen vermag[180], und ein andermal bloß „ein Gewebe von Unsinn", „eine Masse von Thorheiten und Schlechtigkeiten" und „das absurdeste . . ., was es giebt"[181]. In seinen Betrachtungen zur Poesie legt er, wie Eckermann schon verzeichnet, „bald . . . alles Gewicht auf den Stoff, welchen die Welt giebt, bald alles auf das Innere des Dichters; bald soll alles Heil im Gegenstande liegen, bald alles in der Behandlung: bald soll es von einer vollendeten Form kommen, bald, mit Vernachlässigung aller Form, alles vom Geiste."[182]

„Goethe redete mit jedem von uns ein *andres*", schreibt Riemer. „Auch war er zu verschiedenen Tageszeiten ein andrer . . ., und nicht jeder hatte Instrumente, rechte und genügende, ihn aufzuschließen."[183] Eckermann vergleicht ihn in seiner Vorrede „einem vielseitigen Diamanten . . ., der nach jeder Richtung hin eine andere Farbe spiegelt."[184] Der Kanzler von Müller spricht von Goethes „Proteus-Natur, sich in alle Formen zu verwandeln, mit allen zu spielen, die entgegengesetztesten Ansichten aufzufassen und gelten zu lassen".[185] Und Wieland feiert den eben in Weimar erschienenen „Geisterkönig" in einem Hymnus, der das ganze hingerissene und ratlose Staunen der Gesellschaft über die verwirrende Undurchschaubarkeit und Vielförmigkeit von Goethes Wesen zum Ausdruck bringt[186]: „Und wenn wir dachten, wir hättens gefunden, / Und was er sei nun ganz empfunden, / Wie wurd' er so schnell uns wieder neu! / Entschlüpfte plötzlich dem satten Blick / Und kam in andrer Gestalt zurück; / Ließ neue Reize sich uns entfalten; / Und jede der tausendfachen Gestalten, / So ungezwungen, so völlig sein, / Man mußte sie für die wahre halten!"[187]

Hier ist angedeutet, daß viele dieser Goetheschen Widersprüche in der unerhörten Wandlungsfähigkeit seiner Natur begründet liegen, daß sie oft nur Ausdruck der Entwicklung eines rastlos Werdenden sind, der seine Mitwelt immer wieder mit neuen Formen überrascht und erschreckt hat und der noch als Achtzigjähriger nachdrücklich forderte: „Man muß sich immerfort verändern, erneuern, verjüngen, um nicht zu verstocken"; man muß „täglich etwas anderes, *Neues* ... denken".[188] Gerade diese Wandlungsfähigkeit hat ja dem Goetheschen Maskenwesen und seiner Lust, „Versteckens zu spielen"[189], zeitlebens Vorschub geleistet. Oft war es nur die abgestreifte Schlangenhaut, die er den Beurteilern überließ, während er selbst schon, „neu belebt und jung"[190], zu andern Gegenden unterwegs war.

Und doch ist damit nur einiges erklärt. Goethe hat auch gleichzeitig über die nämliche Sache so und anders gesprochen; und selbst die zeitlich entfernten Gegensätze lassen sich, wenn man schärfer zusieht, fast ohne Ausnahme als gleichzeitige denken. Die eigentliche Wurzel seiner „Widersprüchlichkeit" ist nicht in der Verschiedenheit von Wachstumsstufen, sondern in einem durchgehenden Lebens- und Weltprinzip zu suchen. Dieses Prinzip, das sich in seiner Dichtung ebenso wie in seiner gesamten Naturbetrachtung manifestiert, das in der Konfiguration seiner Dramen und in der eingestandenen Scheu vor dem „reintragischen Fall"[191] ebenso zur Geltung kommt wie in seinem Begriff der Metamorphose oder in der Entwicklung der Farbenlehre, ist das Prinzip der Polarität.

„Wir und die Gegenstände, / Licht und Finsternis, / Leib und Seele, / Zwei Seelen, / Geist und Materie, / Gott und Welt, / Gedanke und Ausdehnung, / Ideales und Reales, / Sinnlichkeit und Vernunft, / Phantasie und Verstand, / Sein und Sehnsucht. //

Zwei Körperhälften, / Rechts und Links, / Atemholen. / / Physische Erscheinung: / Magnet."[192] So hat Goethe auf einem Notizblatt im Faszikel „Magnet" die Gesichtspunkte seiner polaren „Weltanschauung"[193] zusammengefaßt. Und wenige Zeilen später spricht er das Grundsätzliche aus: „Was in die Erscheinung tritt, muß sich trennen, um nur zu erscheinen. Das Getrennte sucht sich wieder, und es kann sich wieder finden und vereinigen". „Die Vereinigung ... im höhern Sinn" geschieht, „indem das Getrennte ... durch die Verbindung der gesteigerten Seiten ein Drittes, Neues, Höheres, Unerwartetes hervorbringt."

Genauso sind auch Goethes Widersprüche zu lesen. So wie sich alles Erscheinende trennen muß, um nur zu erscheinen, so muß sich „das Wort ... ablösen" und „vereinzeln, um etwas zu sagen" und „zu bedeuten", so muß „der Mensch, indem er spricht, ... für den Augenblick einseitig werden."[194] Und so wie sich das in der Erscheinung Getrennte stets wieder „sucht", so fordert „das ausgesprochene Wort ... den Gegensinn"[195], so schließen die Goetheschen Gegen-Sätze einander nicht aus, sondern streben danach, sich in einem Höheren, Unausgesprochenen und vielleicht Unaussprechbaren wieder zu „vereinigen". Sie sind augenblickliche Manifestationen einer ungemein reichen Natur, die sich selbst als „eins und doppelt" verstand, deren vielberufene Harmonie die beispiellose Vereinigung von Gegensätzen und „Harmonie" durchaus im griechischen Ursinn der „Spannung" war. — Nach Goethes Definition: „der indifferent scheinende Zustand eines energischen Wesens in völliger Bereitschaft, sich zu manifestieren, zu differenzieren" und: „zu polarisieren".[196] — Und sie sind zugleich Versuche, der polaren Struktur der Welt gerecht zu werden und dem Wahren, das immer als „Problem" in die Erscheinung tritt, von „rechts und links" näher zu kommen.[197] Denn „dasjenige, was man das *Wahre* nennt", entwickelt Eckermann ganz im Goetheschen Geiste, ist, „selbst in Betreff eines einzigen Gegenstandes, ... keineswegs etwas Kleines, Enges, Beschränktes; vielmehr ist es, wenn auch etwas Einfaches, doch zugleich etwas Umfangreiches, das, gleich den mannigfaltigen Offenbarungen eines weit und tief greifenden Naturgesetzes, nicht so leicht zu sagen ist. Es ist nicht abzuthun durch Spruch, auch nicht durch Spruch und Spruch, auch nicht durch Spruch und Widerspruch, sondern man gelangt durch alles dies zusammen erst zu Approximationen, geschweige zum Ziel selber."[198]

Darum kann der Spruch durch den Widerspruch, die Figur durch die Gegenfigur bei Goethe nie dementiert, „überwunden" oder aufgehoben werden — weder Egmont durch Oranien, Tasso durch Antonio oder Faust durch Mephisto in den Dramen noch Suleika durch Hatem im Divan oder „Eins und alles" durch das „Vermächtnis" in „Gott und Welt". Immer sind beide Stimmen zu hören, immer sind beide Pole zu einem Paradoxon über Abstände vereint, das uns „anregt, das Entgegengesetzte zu überschauen und in Übereinstimmung zu bringen" (784). Derjenige, der Goethe nur einseitig, und derjenige, der seine Gegensätze nur antithetisch nimmt, muß seine Eigenart in gleicher Weise verfehlen. — So sind denn auch die widerstreitenden Züge, die dem Betrachter aus den „Wanderjahren" entgegentreten, zusammenzusehen.

Die Durchdringung von Offenheit und Verschlossenheit und die Bedeutung des Erinnerns

Offenheit und Verschlossenheit, Kommunikationsbedürfnis und Geheimnistrieb, Mitmenschlichkeit und Individualität, Unmöglichkeit und Notwendigkeit der Mitteilung . . . . Die Gegensätze sind deutlich. Nur einige wenige Hinweise ließen bisher auf gewisse Gemeinsamkeiten schließen: Die Wendungen des Eröffnens hatten sich offenbar über eine innere Hemmung des Sprechenden hinwegzusetzen, die der Verschlossenheit nahmen sich selbst zu einem Teil wieder zurück; auf beiden Seiten liebt man den allgemeinen, maximenhaften Stil; und von den „Eigenheiten", die das Individuum konstituieren, hieß es im Bezirk des Oheims, daß sie den „Verkehr erleichtern".

Evident wird die Möglichkeit der Übereinkunft erst in dem Bereich der „Wanderjahre", der die Spannungen am entschiedensten verdichtet, der als Bezirk ausdrücklicher Lehrmitteilungen dennoch der verschlossenste von allen ist: in der Pädagogischen Provinz.

Das erste, was Wilhelm hier begegnet, ist wieder die „wunderliche" Außenseite: der seltsame Kleiderschnitt der Knaben, die merkwürdigen Grußgebärden, der Ausschluß von Mädchen und Instrumentalmusik, die Unverständlichkeit der Adresse seines Einführungsbriefs, in die selbst die Schüler „sich nicht finden" können (875). Die Antworten, die der Ankömmling auf seine Fragen erhält, sind nur karg und knapp-zugemessen, nicht selten ganz ablehnend: „Das gebührt Höheren als ich bin" (876). „Auch was das betrifft, darf ich mich nicht weiter auslassen" (877). „Für diesmal kann ich Euch weiter nichts zeigen". „Soviel sei für diesmal genug" (892). Und selbst die ausdrücklichen Aufklärungen, die die Oberen „in Erwiderung des" dargebrachten „Vertrauens" (!) gewähren (880), tragen dank ihres maximenhaften Lehrbriefstils einen verschlüsselten Charakter, behalten auf jeder Stufe der Eröffnungen etwas zurück, über das auf der nächsten gehandelt wird, ohne es doch je ganz auszugeben. „‚Könnt Ihr es selbst finden, so sprecht es aus.' Wilhelm bedachte sich eine kurze Zeit und schüttelte den Kopf" (881). „Die Männer hielten inne, Wilhelm schwieg eine Weile nachdenkend; da er aber in sich die Anmaßung nicht fühlte, den Sinn jener sonderbaren Worte zu deuten, so bat er die Würdigen, in ihrem Vortrag fortzufahren" (883).

Erst nach dem Besuch der Heiligtümer werden ihm als einem „Vertrauten" Aufschlüsse zuteil — auch da jedoch mit „Maß und Ziel" (893) —, die ihm vorher verweigert wurden, beginnen anfängliche Dunkelheiten auf verborgene Weise ihren geheimen Sinn zu enthüllen: „Im Maße der Einweihung Wilhelms haben sich ‚die Dreie' (tres) in ‚die Dreie' (trinitas) verwandelt."[199] Der strenge Instanzenzug, der zäsurierende Stufencharakter dieser Einführung, ist unverkennbar.

Er bestimmt in analoger Weise auch den Bildungsgang der Zöglinge. Erst wenn sie sich „an der Umgebung" geprüft haben, wird entschieden, ob man „zur förmlichen Aufnahme geneigt" sei

(879). Und auch danach wird ihnen die „hohe Lehre" vorläufig nur als „sinnliches Zeichen" und später dann „mit einigem symbolischen Anklang" überliefert. Die „oberste Deutung" erfahren sie erst ganz zuletzt (885). Das „äußere allgemein Weltliche" der Ehrfurcht vor dem Überuns steht allen Knaben „von Jugend auf" offen, das „innere besonders Geistige und Herzliche" der Ehrfurcht vor dem Nebenuns nur denen, „die mit einiger Besonnenheit heranwachsen"; und das „Heiligtum des Schmerzes" der Ehrfurcht vor dem Unteruns, das „preiszugeben und gemein zu machen . . ., Frechheit" wäre, wird überhaupt „des Jahrs nur einmal eröffnet" und auch den Jünglingen nur ein einzigesmal, bei ihrer Entlassung, gezeigt (892). Es ist das erklärte Prinzip der Pädagogen, daß man „gewissen Geheimnissen, und wenn sie offenbar wären, . . . durch Verhüllen und Verschweigen Achtung erweisen" müsse (877).

Das knappe Referat sollte genügen, auf den wesentlichen Zusammenhang aufmerksam zu machen. Denn daß der zurückhaltende Stufengang sich in beiden Fällen, bei Wilhelm ebenso wie bei den Zöglingen, an dem orientiert, was dem Einzelnen jeweils „gemäß" (880) ist, daß er sich aus der Rücksicht auf die individuellen Prämissen bestimmt, ist offensichtlich. Ebendiese Rücksicht aber war es, die den Eingang der Gespräche bestimmte, und auch da hat man sich der Voraussetzungen stufenweise versichert. Die Stufen der Verschlossenheit sind immer auch Stufen des Eröffnens, die Stufen des Eröffnens Stufen der Verschlossenheit.

So ist jede Versicherung gemäßer Voraussetzungen zugleich eine Absicherung gegenüber den ungemäßen. Wenn man Wilhelm die geforderten Prämissen nicht „zugetraut" hätte, wären ihm auch Josephs Lebensgeschichte, die Novellen Hersiliens und der Mathematikaufsatz vorenthalten geblieben. — Gerade wegen der unlösbaren Verschränktheit der menschlichen und sachlichen Aspekte kann auch das Voraussetzen ebensowohl verbinden: beide Partner bestimmen den Gegenstand analog, als trennen: beide bestimmen ihn verschieden. Und allein durch das Voraus-Setzen sind Analogie wie Verschiedenheit zu ermitteln. Ob das mir Gemäße „andern auch gemäß" ist, kann nur die „Mittheilung ausweisen".[200]

Diese Mitteilung aber ist für Goethe in jedem Fall „erinnernd". Denn die Ebene analoger Voraussetzungen, die zu aller Kommunikation gefordert wird, hat er in großer Verwandtschaft mit Platon[201] immer auch als Ebene der Erinnerung und Vorerinnerung verstanden: „Niemand hört, als was er weiß, niemand vernimmt, als was er empfinden, imaginieren und denken kann."[202] „Was man weiß, sieht man erst!"[203] „Man erblickt nur, was Man schon weiß und versteht".[204] „Hätte ich nicht die Welt durch Antizipation bereits in mir getragen, ich wäre mit sehenden Augen blind geblieben und alle Erforschung und Erfahrung wäre nichts gewesen als ein ganz todtes Bemühen".[205]

Das Erlebnis wirklichen sinnlichen Wiedersehens beim ersten Erblicken, das ihm in Rom widerfuhr[206], bestätigte ihm, daß dem Menschen überhaupt und besonders dem Dichter „nichts in der Welt zum Anschauen komme, was er nicht vorher in der Ahnung gelebt", daß „die Elemente der sichtlichen Welt . . . in seiner Natur innerlichst verborgen" seien und „sich nur aus ihm nach und nach zu entwickeln" hätten (848)[207].

Da „alles, was wirken soll, sich an ein Vorhandenes" und Bekanntes „anschließen" muß[208], ist die Erinnerung in diesem weiten Sinn das Medium, in dem die allgemeine Formel der Erkenntnis: „Gleiches durch Gleiches", und das individuelle Gesetz des Gemäßen konkret zusammentreffen, die Stimme, die entscheidet, woran der Mensch sich „anschließen" kann, wovon er sich absondern muß, die die Möglichkeit seiner Erfahrungen und damit sein Leben bestimmt.

In den „Wanderjahren" wird diese bestimmende Kraft der Erinnerung an der pilgernden Törin, an Wilhelm und Montan gezeigt. Die Erinnerung an den ungetreuen Liebhaber treibt die törichte Landläuferin auf ihre Flucht vor der Menschenwelt; die Erinnerung an den Tod des Fischerknaben und das Chirurgenbesteck disponiert Wilhelm durch seine Berufswahl zum Dienst an der Gemeinschaft; und die Erinnerung an die Kindheit bei „Bergbeamten" und „Pochjungen", an den „Weihrauch" des Meiler-Geruchs (!) (747), bringt in Montan sogar alle beide Seiten zur Geltung: in der entlegensten, menschenfernsten Einsamkeit bildet er sich zum „Organ“ des großen Verbandes aus.

Das Erinnern kann absondernd, anschließend und absondernd-anschließend wirken.

Ganz genauso ist es auch mit der erinnernden Mitteilung bestellt. Gerade die Sätze, die schon durch ihren Ton eine Haltung zu erkennen geben, welche mit den eingeschobenen Nebensätzen: „wie wir beide wissen“, oder: „wie jedermann bekannt“, umschrieben werden kann, die ihren voraussetzenden Charakter durch die Gebärde des Erinnerns, durch ihr „ja“ und „eben“, deutlicher als andere zur Schau tragen, gerade diese sind auf eine bemerkenswerte und entschiedene Weise auch zurückhaltend.

„Denn wenn das Leblose lebendig ist, so kann es auch wohl Lebendiges hervorbringen.“ „Denn das ist eben die Eigenschaft der wahren Aufmerksamkeit, daß sie im Augenblick das Nichts zu Allem macht“ (731). Die Sätze St. Josephs konnte Wilhelm dank „der Verwandtschaft“, die er „mit ihm fühlte“, verstehen und sich anverwandeln. — „Aber es ist ja überhaupt kein echter Genuß, als wo man erst schwindeln muß.“ „Spricht man ja mit sich selbst nicht immer, wie man denkt.“ Die Bemerkungen Montans blieben ihm dagegen unverständlich.

Wo das Erinnern eine analoge Eigenerinnerung aufzurufen vermag — „Jene Verehrung seines Weibes, gleicht sie nicht derjenigen, die ich für dich empfinde? und hat nicht selbst das Zusammentreffen dieser beiden Liebenden etwas Ähnliches mit dem unsrigen?“ (736) —, da wird die erinnernde Mitteilung auch aufgenommen, da steht sie dem Partner offen. Wo solche eigenen Erinnerungen aber fehlen, wo kein eigenes Erleben die erinnernde Mitteilung belebt, da kehrt sie, ganz ohne eigenes Zutun und ohne die geringste Veränderung des voraussetzenden Gestus', ihre andere, zurückhaltende, Seite hervor. Da bleibt dem Partner die „offene Tür“ verschlossen, weil seine eigene Natur ihn lähmt und daran hindert einzutreten.

Die erinnernde Mitteilung drängt nicht auf und zerrt nicht in die Sache hinein. Sie weist aber auch nicht von vornherein ab und hält nicht absichtsvoll von der Sache entfernt. Vielmehr stellt sie, anregend und evozierend, alles der Reaktivität des anderen Individuums anheim. Allein der Reflex aus dem Aufnehmenden gibt ihr den erschließenden oder verschließenden Charakter.

Der potentiellen Doppelwertigkeit der Erinnerung entspringt die Doppelwertigkeit auch des Erinnerns: Voraussetzen und Zurückhalten sind hier eins.

Mittelbar kommt die Möglichkeit solcher Durchdringung der Gegensätze auch in der Übereinstimmung der beiden Rundgänge zum Ausdruck, die Wilhelm durch die Heiligtümer der Pädagogischen Provinz und beim Oheim beschreibt:

Eine „kleine Pforte" in der „hohen Mauer" eröffnet Wilhelm zunächst einen „herrlich grünenden Raum, von Bäumen und Büschen . . . beschattet". „Durch ein ansehnliches Portal" betritt er dann die Vorhalle, die „mit Bildern . . . reichlich ausgeziert" ist, und wird von da sogleich in jene „Galerie" eingeladen, in der „symphronistische Handlungen und Begebenheiten" die Hauptbilderreihen oben und unten begleiten. Nachdem dieses, „das Äußere", „abgeschlossen", „tut sich" eine Pforte „auf", und „das Innere" wird „eröffnet"; Wilhelm kommt „in eine ähnliche Galerie", deren Bilder jedoch einen deutlich anderen Charakter tragen als die vorigen, und wird dann abermals durch eine „Pforte" in die erste „Halle des Eingangs" hinausgeleitet. Fortab soll er als ein „Vertrauter" behandelt werden; die „Einweihung" in das Allerheiligste und die Deutung der Eingangsbilder verspricht man ihm für „übers Jahr" (880—893).

Durch einen niedrigen Gang in der „hohen Mauer" gelangt Wilhelm in das Besitztum des Oheims und über einen „von hohen Linden umschatteten Platz", der sich „würdig als Vorhalle des ansehnlichen Gebäudes" ausbreitet, sodann zum Schloß. „Eintretend" findet er „die Wände" mit „Abbildungen" und „Abrissen" „bekleidet" und „geschmückt". Dann wird er „in den Hauptsaal eingelassen", wo Prospektreihen „oben und unten" von korrespondierenden Bildern „eingefaßt" sind, „so daß die Einzelnheiten deutlich in die Augen" fallen „und zugleich ein ununterbrochener Bezug durchaus bemerkbar" bleibt (755, 759 f.).

Nachdem Wilhelm in freimütiger Unterhaltung „immer mehr" die „Gunst" des Hausherrn gewonnen hat, geleitet ihn dieser aus der ersten „Galerie", die jedem Besucher ohne weiteres offensteht, in eine zweite, die sich in den „innern Zimmern" befindet und nur Begünstigten zugänglich ist. Und hier werden ihm, da er „eine so reich herangebrachte Vergangenheit ... zu schätzen" weiß, „zuletzt" auch „Reliquien" und „Heiltümer" gezeigt, ehe er sich — als ein Zeichen besonderen Vertrauens — durch eine „Tapetentür" wieder „in den Saal entlassen" sieht (794 f.).

Selbst wenn man die Typenhaftigkeit und Verwandtschaft so vieler Situationselemente und Bewegungsfiguren in den „Wanderjahren" in Rechnung stellt, bleibt die Ähnlichkeit dieser Wege erstaunlich. Sogar zwischen den offenbaren Extremen, zwischen dem Bezirk der Verschlossenheit und der Mitteilungsprovinz, scheint eine geheime Korrespondenz zu walten. Auch die großen Gemeinschaften, Bezirke und Verbände der „Wanderjahre", die sich immer schon als Einheiten analoger Voraussetzungen verstehen, sind ihrer Natur nach einschließend und ausschließend zugleich. Nicht jeder wird zu den Pädagogen verwiesen, nicht jeder dort aufgenommen und weitergeführt. — Einzelne, die sich nicht einfügen wollen, werden ja sogar wieder daraus verbannt. — Und allein den Begünstigten, denen, die sich selbst dafür qualifizieren, stehen überall die „innern Zimmer" und die „Heiltümer" offen.

Individualität als Bedingung der Mitteilung

Die Vereinigung von Offenheit und Verschlossenheit auf dem Grunde der Voraussetzungen und im Medium des Erinnerns löst auch die Aporie von Mitmenschlichkeit und Individualität. Denn Voraussetzungen und Erinnerungen sind in der hier umschriebenen Bedeutung das Individuellste, was sich denken läßt. Und gerade dieses Individuelle, das eine unbedingte Mitteilung unmöglich macht, ermöglicht offenkundig in vielen Fällen die bedingte: Bedingte Mitteilung bedarf nicht nur der Verwandtschaft und Verknüpfung; sie bedarf genauso auch der Sonderung und Individualität.

„Es gibt keine Mitteilung, keine Lehre ohne Sonderung", statuiert Goethe in „Dichtung und Wahrheit".[209] Denn nur, wenn man „dasjenige, was ein anderer ausgesprochen hat, aus sich selbst" entwickelt, kann man es „verstehen".[210] Nur aus dem „Gemüth", das „aus sich selbst heraus wirkt", entfaltet sich „das allgemein Menschliche"[40].

In den „Wanderjahren" wird es am Gegenbilde Lucidors aufgewiesen. „Zu seinem Vater", heißt es von ihm, „war er nur gewohnt unisono zu sprechen, und sein volles Herz ergoß sich daher in Monologen, sobald er allein war" (807). Seine eigenen einstimmigen Monologe sind also nur das Äquivalent zu den zweistimmigen Monologen des Vaters, dem er sich als zusätzliches Artikulationsorgan, nicht aber als eigenständiger Partner, zur Verfügung stellt. Weil die gewohnten Dialoge auf einer Gehörstäuschung beruhen, weil ihnen alle Qualitäten abgehen, die eine wirkliche Mitteilung fruchtbar und notwendig machen, bedarf Lucidor der monologischen Ergüsse. Das elementare Kommunikationsbedürfnis, das in der menschlichen Mitmenschlichkeit begründet liegt, wird gerade in den Gesprächen, in denen er sich seiner Individualität entäußert, am allerwenigsten befriedigt. Wer die Schranke des Individuellen, die einer „eigentlichen" Mitteilung entgegensteht, von sich aus aufzuheben sucht, der bringt nicht etwa diese eigentliche Mitteilung zustande, der hebt im Gegenteil die Möglichkeit der Mitteilung überhaupt auf. Das Ergebnis der „Verneinung sein selbst" ist in jedem Fall „zuletzt ... Null".[211] Im Gange der Novelle wird sich das auf tragikomische Weise rächen.

Zwischen Individuen ist eine eigentliche Mitteilung unmöglich. Doch nur zwischen Individuen ist die bedingte Mitteilung möglich. Die beiden Maximen des 6. und 7. Kapitels der „Wanderjahre": „Der Mensch ist ein geselliges, gesprächiges Wesen" (793), und: „Der Mensch ist ein beschränktes Wesen" (800), stehen in einem sich wechselseitig bedingenden Zusammenhang. Nicht die Aufgabe, sondern die Ausbildung der Individualität befähigt den Menschen zur Kommunikation.

Einzelmenschlichkeit als Mitmenschlichkeit

Wenn die großen Verbände der „Wanderjahre“ von ihren Mitgliedern Entsagung, bewußte Beschränkung und Einseitigkeit fordern, so bringen sie damit die Gesichtspunkte des Verbandes wie die der Mitglieder gleichermaßen zur Geltung. Einerseits setzt die Arbeitsgemeinschaft die Arbeitsteilung voraus: Der Einzelne muß einseitig sein, damit das Ganze vielseitig sei; nur die Verschiedenheit macht die Ansammlung zum Verband. Und andererseits vermag doch auch der Einzelne selbst nur durch „Einschränkung“ zur „wahren Ausbreitung“[212] zu kommen, durch das Bewußtsein seiner individuellen Zuordnung, durch das Selbstverständnis als „Fall“ unter anderen Fällen, das Ganze zu umgreifen: Nur „wenn er *eins* tut, tut er alles“, sieht er „in dem *einen*, was er recht tut, das Gleichnis von allem, was recht getan wird“ (746)[213]. „Wer allgemein sein will, wird nichts“.[214]

In dieser doppelten Hinsicht ist die Organisation der Wandergemeinschaften ein Abbild von Grundverhältnissen des Menschseins überhaupt. Daß allein das Besondere das Allgemeine konstituiert, daß man nur als Besonderer am Allgemeinen teilhat, gilt prinzipiell.

Zunächst sind es nur die Freunde, Vertrauten und Gleichgesinnten im engen sichtbaren Kreis, denen man sich auf solche Weise zugehörig fühlt[215], dann aber auch, weiter ausgreifend, die räumlich und zeitlich Entfernten, „die echten Menschen aller Zeiten“, die „einander voraus verkünden, aufeinander hinweisen, einander vorarbeiten“[216], die bei aller zeit- und „ortgemäßen“ Zerstreuung eine „große geheime“ „unterirdische ... Vereinigung“ bilden (1002). Goethe nennt sie „die Gemeinschaft der Heiligen“[217] und setzt sie in radikalen Gegensatz zur Majorität[218]: „Alles Große und Gescheidte, sagte er, existirt in der Minorität“[219]. „Zu allen Zeiten sind es nur die Individuen, welche für die Wissenschaft gewirkt"[220]; „sie stehen . . . mit der Menge . . . in Widerstreit"[221]. „Die Menge, die Majorität, ist nothwendig immer absurd und verkehrt"[222]. Man erinnert sich der Haltung, die Jarno den „Meisten" gegenüber an den Tag gelegt hat, und der „zwei oder drei stillen Gäste", die im Streitgespräch beim Bergfest Goethes eigene Eiszeitlehre vertreten (1004).

Da man die Menge als Ganzes aber auch wieder „als ein Individuum ansehen kann"[223], ist schließlich sogar dieser Gegensatz noch zu überwölben, so daß die innere „Ausbreitung" nicht allein die engere oder weitere Gemeinschaft der Übereindenkenden, sondern zuletzt die ganze vielstimmige Menschheit umfaßt. Auf dieser Stufe der Übersicht weiß der Mensch, daß jeder „nur . . . ein Supplement aller übrigen"[224], „daß die Menschheit zusammen erst der wahre Mensch ist"[225]. Und erst wenn er sich dergestalt im „Ganzen" fühlt, kann der bedeutende Mensch „glücklich" sein[226]. Denn dann werden die unvermeidbaren Gegenstellungen nicht mehr als widerwärtig und verstörend empfunden, sondern als notwendig anerkannt: „Indem man seine eigene Individualität ausbildet", sucht „man sich . . . eine liberale Anschauung der übrigen, ja der entgegengesetzten zu verschaffen".[227] Wir „kommen ja, als Individuen, niemals ganz von einer Seite los, und es ist daher unsere Pflicht, die andern auf der ihrigen zu betrachten, zu erkennen und zu lieben".[228] Dann werden alle streitenden Einzeltendenzen ins gleich Gültige aufgehoben: „In unseres Vaters Reiche sind viele Provinzen"[229]; „gar vieles . . ., was sich gerne wechselseitig verdrängen möchte", kann „neben einander bestehen . . .: der Weltgeist ist toleranter als man denkt"[230]. Dann erscheint die Menschheit nicht mehr trotz, sondern auf Grund ihrer Antinomien „verwandt": „Denn gerade dadurch wird es eine Menschheit, daß, wie so manches andere sich entgegensteht, es auch Antinomien der Überzeugung gibt."[231] „Wie Wappenschilder in Stammbäumen . . . bezeichnen" die „persönlichen" Eigenheiten „die Verwandtschaft der großen Menschenfamilie unter einander".[232] „Der Stamm ist immer derselbe, die Verzweigungen gränzenlos".[233] — Und nur kraft der Verzweigungen entsteht der Baum.

Die zweifache Bestimmung der sozialen Stellung des Menschen:

„Auch der Einzelmensch Gemeinschaftsmensch“, „Auch der Gemeinschaftsmensch Einzelmensch“, muß so in eine dritte münden: Nur *als* Einzelmensch ist der Mensch wahrhaft Gemeinschaftsmensch, ist er — im kleinsten Zirkel und in der Menschheit, im „Tun“ und im „Denken“ — Mitmensch überhaupt. Nur als Individuum, das sich nach seiner Weise ausgebildet hat, kann er fördernd ins Ganze wirken, kann er sinnvoll mit andern kommunizieren. Auch darum mag das „Wunderliche“ in den „Wanderjahren“ so leicht typenhaft werden und das Typenhafte „wunderlich“. Die „Eigenheiten“, die das Individuum konstituieren, muß „man als Bezeichnung irgendeines Teils des Mannichfaltigen gar wohl ... gelten lassen“.[234]

Das Analoge

Die verwandtschaftliche Entsprechung von Verschiedenem bezeichnet Goethe als Analogie: „Jedes Existierende ist ein Analogon alles Existierenden; daher erscheint uns das Dasein immer zu gleicher Zeit gesondert und verknüpft. Folgt man der Analogie zu sehr, so fällt alles identisch zusammen; meidet man sie, so zerstreut sich alles ins Unendliche“ (1048 f. BdW). Das Vermögen, Analogien zu sehen, nennt er die „umsichtige Einbildungskraft“: Sie versetzt „den Geist auf viele bezügliche Puncte, damit seine Thätigkeit alles das Zusammengehörige, das Zusammenstimmende wieder vereinige“.[235] Je höher der Bezugspunkt, je weiter die „Umsicht“, desto umfassender der Horizont der möglichen Analogien.

In diesem Sinne fallen die Stufen der Umsicht mit den Stufen der inneren Ausbreitung des Entsagenden zusammen: Das Analoge ist es, das die Gleichsinnigen zum Freundeskreis und zur Gemeinschaft der Heiligen zusammenbindet. „Analog Denkende verstehen sich, wenn auch dem einen oder dem andern Theil der Gegenstand worüber gesprochen oder geurtheilt wird fremd wäre“[236]; sie finden sich „im Innersten aller Hauptpuncte übereinstimmend“, selbst „wenn die Peripherie der Zustände und Gesinnungen ... zunächst auf gesonderte Wege hindeutet"[237]. Durch „etwas Analoges" mußte darum Wilhelm seine Qualifikation zur Gesprächsteilnahme bei Makarie bekunden.

Und das Analoge ist es auch, das unter dem einen Gesichtspunkt der einen Menschheit zuletzt sogar das Entgegengesetzte und einander Bekämpfende einigt und ins Ganze bringt: „der analoge Fall ... stellt sich einem andern entgegen, ohne sich mit ihm zu verbinden"[238]. Selbst das Widersprechende kann noch entsprechend, das Antinomische analog sein: *„Jedes* Existierende ist ein Analogon alles Existierenden". „Gerade dadurch wird es eine Menschheit, daß, wie so manches andere sich entgegensteht, es auch Antinomien der Überzeugung gibt."

Als Bezug zwischen Identität und Zerstreuung entspricht die Analogie völlig der Mittelstellung des Menschen als Mitmensch und Einzelmensch. Nur darum bestimmt sie mit der Forderung nach „analogen" Voraussetzungen und „analogen" Erinnerungen auch seine Mitteilungsbezüge.

Auch das Feld der Mitteilung ist zwischen die radikale Verschiedenheit, durch die sich alles „ins Unendliche zerstreut", und die völlige Gleichheit, in der „alles identisch zusammenfällt", zwischen die Möglichkeiten des Verfehlens und die „eigentliche" Unmöglichkeit der Verständigung, eingeklemmt und auf den Bereich des Analogen angewiesen: „Wenn es nicht ganz seine Worte sind, wenn ich hie und da meine Gesinnungen bei Gelegenheit der seinigen ausgedrückt habe, so war es bei der Verwandtschaft, die ich hier mit ihm fühlte, ganz natürlich" (735 f.). — Das Verwandte, sofern es ganz Eigenes wird, wird verändert. Und diese Veränderung kann nur bei Verwandtem sein, weil allein die Verwandtschaft Anteilnahme und Mitteilung überhaupt gestattet. Das heißt: Man versteht, indem man „dasjenige, was ein anderer ausgesprochen hat, aus sich selbst" entwickelt, zwar das Analoge, doch immer nur das Analoge und niemals dasselbe, weil man auch unter sich zwar analog, doch immer nur analog und niemals identisch sein kann.

Gerade wo die Analogie gegeben ist, zeigt sich, „daß sie ... eigentlich nichts Letztes will" (1044 BdW) und nichts Letztes leisten kann, daß sie „Bedingung" der Mitteilung nicht nur als Ermöglichung, sondern auch als Begrenzung ist.

Wer überhaupt mitteilen will, der muß, genau wie der Einzelmensch, der ins „Leben", in den „Verband" der Menschheit, eintreten will, entsagen. Der muß jeden Anspruch auf Verwandlung und Identifikation aufgeben. Der muß das andere Ich als Sonderwesen stehen lassen, gerade im Einzelmenschen den Mitmenschen sehen und sich eben darum auf dessen individuelle Voraussetzungen und „Erinnerungen" abzustimmen suchen.

Die Mitteilungsart aber, die all dies — offen-verschlossen, voraussetzend, zurückhaltend und erinnernd — bewußt zu leisten unternimmt, soll mit einem Wort Goethes[239] „das Bedeuten" genannt werden.

4. Bedeuten

Das Wort

„Bedeuten" geht etymologisch auf „deuten" (ahd. diuten, germ.* theudian)[240] und das alte Präfix be- (bi-) zurück und ist in der Sprache, gerade durch Goethes Gebrauch[241], hauptsächlich mit seinem Partizipialadjektiv „bedeutend" herrschend geworden.

„Deuten" wird schon lange vor der Goethezeit in dem heute gebräuchlichen Doppelsinn verwendet: als andeuten, hinweisen und ausdeuten, interpretieren. Bei Goethe selbst etwa: „Es gibt Steine des Anstoßes, über die ein jeder Wanderer stolpern muß. Der Poet aber deutet auf die Stelle hin." (1235 MA) „Die Arbeit des Dichters ... verlangt ... vom Zuschauer, daß er jeden Augenblick schaue, merke, deute".[242] „Wenn in einem ... Stücke Stellen vorkommen, die auf gegenwärtige Zustände deuten, dann ist der Theaterschauer höchst entzückt, das sogleich zu deuten".[243] Es bezeichnet eine indirekte (umschreibende) Mitteilungsweise oder eine indirekte (erschließende) Aufnahmeart.

„Bedeutend" erfährt durch Goethe eine Sinnveränderung. Auf Grund seiner ungemein ausgebreiteten, im Alter noch stark zunehmenden Verwendung des Wortes geht es „aus der lebhafteren" — partizipialen — „vorstellung des andeutenden, ahnen lassenden", hindeutenden und bezüglichen über „in die abgezogenere" — adjektivische — „des wichtigen, entscheidenden, ausgezeichneten, groszen" und eminenten.[244]

Wendungen wie: „drum schick ich ... ein Zeichen, das ... viel bedeutend ist"[245], „von der Kaiserinn ... erhielt ich ein ... bedeutendes Zeichen"[246], „die winkenden Götter sehen mich bedeutend an"[247], „Ihre Rede ... giebt die bedeutendsten Winke"[248], zeigen die erste, ursprünglichere Art der Bedeutung.

Verbindungen wie: „bedeutende Stadt"[249], „bedeutende Aussicht"[250], „bedeutendes Vorhaben"[251], „bedeutende Tage"[252], „bedeutende Desiderata"[253], und die Übersetzung von „un haut degré" mit „ein bedeutender Grad"[254] zeigen die zweite.

Auf der Mitte zwischen beiden steht „bedeutend" im Sinne von vielsagend, ausdrucksstark[255]: „ich getrau mir nicht da die Worte sehr bedeutend sind andre unterzulegen".[256] Da die Sprachreiniger „den Werth eines Ausdrucks nicht zu schätzen wissen, so finden sie gar leicht ein Surrogat, welches ihnen eben so bedeutend scheint".[257] — Nur wer die hindeutende Kraft des Wortes verkennt, findet es so unwichtig, „unbedeutend", daß er es leichthin auswechseln kann. Nur wer seinen genau treffenden, individuell bezeichnenden Charakter mißachtet, hat sogleich ein Surrogat bei der Hand.

Gerade an der Nahtstelle beider Bedeutungsarten zeigt sich damit noch ein dritter, spezifisch Goethescher Aspekt des Bedeutenden: der Bezug auf das Charakteristische, Besondere, Individuelle. „In diesen Gebirgen ... empfindet man ... jedes bedeutender, weil es sich ... charakteristischer ausspricht."[258] Wir „finden wohl noch einen bedeutenden Zug, der das Ganze mehr charakterisiert und bedeutender macht".[259] „So zeigt sich die Farbe jederzeit spezifisch, charakteristisch, bedeutend".[260] „Daß die Handschrift des Menschen Bezug auf dessen Charakter habe ..., ist ... kein Zweifel, so wie man ja ... auch Mienen, Ton, ... Bewegung des Körpers als bedeutend mit der ganzen Individualität übereinstimmend anerkennen muß".[261] „Das Gesicht" (einer der Naumburger Stifterfiguren) „ist so individuell, charakteristisch, in allen seinen Theilen übereinstimmend, bedeutend und ganz vortrefflich".[262] Und: „Kein Mensch will begreifen, daß die höchste und einzige Operation der Natur und Kunst die Gestaltung sey, und in der Gestalt die Specification, damit jedes ein besonderes bedeutendes werde, sey und bleibe."[263]

Der Bezug aufs Individuelle, der immer da besonders hervortritt, wo das Wort mit Bedacht und Nachdruck gesetzt wird, schließt die verschiedenen Aspekte des Bedeutenden für Goethe zusammen: Nur als Besonderes ist das Bedeutende auch hinweisend und bezüglich[264], „nur dadurch" setzt es sich in „Verhältnis" zu „einem Ganzen . . ., ohne sich darin aufzulösen"[265]. Und nur durch das Hinweisende und Bezügliche ist es auch eminent, wichtig und vielsagend. „Einzeln" und „getrennt" bedeutet es „nichts".[266] — Von der Verdichtung dieser Relationen in Goethes Symbolbegriff wird noch zu sprechen sein.

Die Mitteilungsart

Die Indirektheit des „Deutens" und die Individualität des „Bedeutenden" sind es, die das Wort „Bedeuten" so besonders geeignet erscheinen lassen, eine Weise des Mitteilens zu bezeichnen, die bewußte Mittelbarkeit und umfassende Rücksicht auf die Individualität vereint.

In der Pädagogischen Provinz sind alle Aspekte dieser Rücksicht, die in den Beispielen des Voraussetzens, Zurückhaltens und Erinnerns einzeln und verstreut begegneten, versammelt, übersichtlich ausgefaltet und pedantisch durchgeführt. Wo man die Menschen „bilden" will, stellt man ihre vorgegebenen Grundanlagen am bewußtesten in Rechnung.

Mit der absichtsvollen Sonderung der Lehrgegenstände, der Symbolgebärden und Deutungsstufen, der Galerien in den Heiligtümern und der Unterrichtsbezirke passen sich die Pädagogen der einseitigen und einseitig-ausschließenden Anlage des Menschen an, dem immer nur Einzelnes und Begrenztes, dieses *oder* jenes aufzunehmen möglich ist. „Wir sondern ... bei jedem Unterricht, bei aller Überlieferung sehr gerne, was nur möglich zu sondern ist", bekennen die Oberen ausdrücklich; „denn dadurch allein" könne „der Begriff des Bedeutenden bei der Jugend entspringen" (891). — Gerade diese Sonderung weist das Bedeuten als reinste Form des Goetheschen, „gegenständlichen", Mitteilens aus.

Mit der allgemeinen Zurückhaltung, mit der man die „hohe Lehre" umgibt, den Geheimnissen, die man aus den bedeutendsten Gegenständen macht, und der Verschlossenheit der Heiligtümer suchen die Lehrer der Provinz der notwendigen Innerlichkeit aller Aneignung zu entsprechen. Da jeder nur allein, für sich selbst und aus sich selbst entwickeln kann, was sein eigen werden soll, wird hier nichts Wichtiges kollektiv eröffnet oder ungeschützt und allen zugänglich ans Tageslicht gestellt. Nur einzeln läßt man die Zöglinge in die inneren Bezirke ein, nur als Einzelnen werden ihnen die nötigen Aufschlüsse erteilt.

Damit kommen die Oberen zugleich jenem gegenstandsbestimmenden und gegenstandsverwandelnden Impuls der Aufnahme entgegen, durch den man alles Mitgeteilte in die eigene Sprache übersetzt. Denn „jedem" ist „geboten, für sich zu behalten ..., was man ihm als Bescheid zu erteilen für gut findet; sie dürfen weder mit Fremden noch untereinander selbst darüber schwatzen, und so modifiziert sich die Lehre hundertfältig" (877). Ganz entsprechend sind die Bildhauer, Maler, Zeichner, Baumeister und Dichter der Kunstregion im „weiten Kreis" um die plastische Gruppe aufgestellt, damit ein „jeder nach seiner Weise" und „eigner ... Denkart", „beibehaltend oder verändernd", verfahre (995 f.), sind die symphronistischen Bilderfriese der Heiligtümer so angeordnet, daß sie sich je nach dem Betrachterstandpunkt in andere Beziehung setzen. Auch die symbolischen Darstellungen und die „von der Dreiheit der mystischen Obern, wie vom delphischen Dreifuß verkündigten Aussprache" sind „keineswegs in sich selbst so begrenzt", „daß sie nicht verschiedene Arten und Stufen der Erkenntniß zulassen sollten".[267]

Überall kommt es darauf an, die Selbsttätigkeit, die Re-produktion, die jeder Teilnahme ihren aktiven Charakter gibt, anzuregen und zu fördern. Die vollkommene Verbildlichung des Ehrwürdigen dient dieser Absicht ebenso wie die scheinbar widersprechende Verbannung vollkommener Vorbilder aus dem Dichterbezirk. Denn zum Bilde kann man immer nur hinführen. Verständnis und Aneignung muß bei der sichtbaren Trennung vom Objekt in jedem Falle der Betrachter leisten. Kein anderer kann durch seine Augen sehen. Und für den angehenden Künstler gilt, daß ihn „selbst vollkommene Vorbilder ... irre" machen können, „indem sie" ihn „veranlassen, notwendige Bildungsstufen zu überspringen"[268], daß das „eigene Produktive" (994) sich am Rohstoff entschiedener manifestiert als in der Nachbehandlung.

Daß jeder „dasjenige" finde, „was ihm gemäß ist" und „wo seine Natur ... hinstrebt" (873), daß jeder auf *seine* Füße gestellt und „an *seine* Hand" gewiesen werde[269], ist überhaupt die Hauptmaxime dieser bedeutenden Pädagogik.[270] Darum rückt man dem Lernenden nicht aufdringlich, dogmatisch und diktierend auf den Leib. Das würde ihn mit Sicherheit entweder verstören oder in sich selbst zurücktreiben und auf der eigenen Denkart, auch auf den eigenen Vorurteilen, nur umso fester beharren lassen. Sondern man versucht, seine eigenen Anlagen freizusetzen, ihm unvermerkt zu sich selber zu verhelfen und ihn so für das Aufzunehmende, auch für das Überindividuelle, Gesetzhafte, zu öffnen. Denn nur „wenn in dem Theilnehmenden dessen eigenes Grundprinzip aufgeregt wird, nach individueller Art und Weise", kann sich „eine Annäherung an" das Mitgeteilte und den Mitteilenden „ergeben".[271] „Lehre thut viel, aber Aufmunterung thut alles", schrieb schon der neunzehnjährige Goethe an Oeser.[272] Und noch der siebenundsechzigjährige bemerkte: „Alles was auf uns wirkt ist nur Anregung ... Gott sey Dank!"[273] In dieser sokratischen Hebammenkunst liegt eigentlich der Schlüssel allen Bedeutens.

„Geburtshilfe leisten nötigt mich der Gott, erzeugen (gebären) aber hat er mir versagt", heißt es im Dialog Theaitetos.[274] Indem der Bedeutende dem Versagten, der eigentlichen Mitteilung durch Verwandlung in die andere Individualität, entsagt, entwickelt er unter Ausnutzung aller Möglichkeiten eben dieser Individualität die höchsten Möglichkeiten der bedingten Kommunikation. Und insofern er dabei offen-verschlossen, voraussetzend-zurückhaltend mitteilt, wird er zugleich der Doppelanlage seiner eigenen Individualität, ihrem Mitteilungsbedürfnis und ihrem Geheimnistrieb, gerecht.

Eine letzte, magische Überhöhung erfährt der maieutische Grundzug des Bedeutens in den „Wanderjahren“ durch die Figur der Makarie.

Sie hat teil am All und nimmt teil an allen; sie entwirrt „bedenkliche . . . Verwicklungen“ zwischen den Menschen (1111), verbindet und schlichtet; sie bildet den Sammelpunkt, an dem sich gegen Ende des Buches die Figuren der „Haupthandlung“ wie der Novellen noch einmal — in verdrießender Vollständigkeit — einfinden (1206—1218).[275]

Und sie, die Allkommunizierende, ist in höchstem Maße mit dem Vermögen begabt, andern zu sich selber zu verhelfen: Alle, „die sich selbst verloren haben“, kommen ihr zu „beichten“ und werden durch „Vorhalten eines sittlich-magischen Spiegels“ (960) oder — in einer noch geheimnisvolleren Weise — durch ihre segnend-begnadende Gebärde (1212 f.) „zu einem neuen Leben“ und „teilnehmender Liebe“ erweckt. Ihr „einsichtiges Wohlwollen“ „verklärt“ und „belebt“. Sie löst die „Schale“ und „veredelt . . . den gesunden Kern“ (837). Obwohl allen „die Freiheit“ bleibt, in der Gegenwart der „wunderwürdigen Frau“ ganz in ihrer „eigenen Natur zu erscheinen“, ist doch jeglicher „veranlaßt, nur das Gute, das Beste, was an ihm“ ist, „an den Tag zu geben“ (1220). Da wird die Selbstentbindung in einer rational nicht mehr faßbaren Weise zur Selbststeigerung. Da ist die antinomische Beschaffenheit der menschlichen Natur überwunden.

Steigernde Freisetzung des anderen Ich und liebende Teilnahme, Individualisierung und Kommunikation, sind in der „Gipfelflamme“ Makarie[276] zu restloser Einheit verschmolzen. Allein der „Heiligen“ ist es vergönnt, bruchlos und unverkürzt zu leisten, was den bedingten Menschen stets nur „analogisierend“ und annäherungsweise gelingt: das Gesonderte zu verknüpfen, das Zusammengehörige „wieder" zu „vereinigen". Nur die mythische Gestalt, die — wie in jener mythischen Vorzeit, wo wir „noch von Gott empfingen Himmelslehr in Erdesprachen"[277] — „rein göttliche Worte über die menschlichen Dinge ganz einfach" ausspricht, stellt die Einheit des Ursprünglichen wieder her.

5. *Zur Sprache*

Die Monologe Lucidors

Der Titel fragt: „Wer ist der Verräter?", und die Novelle setzt gleich forte ein mit dem Ausbruch des Verräters und dem Prozeß des Verratens (801 f.). Ein genußvolles Spiel des Dichterverstandes mit dem Leser, der die Lösung so nah nicht vermuten kann.

„Nein! nein!" rief er aus .... Die beherrschende, Lucidor ganz und gar hinnehmende Abwehrreaktion ist das erste, was als stürmische Verneinung hervorbricht, sobald er sich allein weiß. „‚Nein! nein!' rief er aus ...", und dann — nachdem eine Regiebemerkung das Notwendigste über die Umstände gebracht hat: „als er heftig und eilig ins angewiesene Schlafzimmer trat" (er ist zu Besuch) „und das Licht niedersetzte" (es ist Abend) — noch einmal: „‚nein! es ist nicht möglich! ...'". Das angestaute Gefühl ergießt sich nach außen noch ohne Gegenüber und ohne Wohin. Und doch mindern die ersten Entladungen in der dreifachen Verneinung die innere Bedrängnis so weit, daß Sprache als Sinnvollzug möglich zu werden beginnt: „es ist nicht möglich!" und daß sich die ohnmächtige Ratlosigkeit zum erstenmal artikuliert: „Aber wohin soll ich mich wenden?"

Die Frage muß ihm hier noch quälend offen bleiben. Denn auch der nächste Satz gibt nur eine halbe und indirekte Antwort; und er weist ihn ab von der gewohnten Instanz: „Das erstemal denk ich anders als er, das erstemal empfind ich, will ich anders." Der vertraute Führer, mit dem er seit je „unisono" zu sprechen gewohnt war (807), steht ihm diesmal gerade entgegen — und wird dann trotzdem angerufen:

„O mein Vater! Könntest du unsichtbar gegenwärtig sein, mich durch und durch schauen, du würdest dich überzeugen, daß ich noch derselbe bin, immer der treue, gehorsame, liebevolle Sohn." Die Vergegenwärtigung des Abwesenden vergegenwärtigt ihm jedoch nur noch schmerzlicher das, was ihn von ihm trennt; vom Resonanzkörper des fiktiven Du tönt das eigene Elend stärker zurück: „Nein zu sagen! des Vaters liebstem, lange gehegten Wunsch zu widerstreben! ..." Die Lage, wie sie ist, steigt nun klar in ihm auf, begleitet von einem Gefühl der Empörung auf sich selbst, daß sein eigenes Gefühl ihm — und damit auch dem Vater — nicht in der wünschenswerten Weise gehorcht.

„... wie soll ichs offenbaren? wie soll ichs ausdrücken?" Es zu sagen schon, auch nur für sich selbst, ist schwer — so schwer, daß er in Gedanken versuchsweise noch einmal die Anmutung zu streifen scheint: Soll ich dem Wunsche des Vaters nicht doch entsprechen? Der damit heraufgerufene Gefühlskomplex löst aber nun nochmals die heftige Reaktion des Beginns aus, und diese stürzt über alle Hemmungen hinweg:

„Nein, ich kann Julien nicht heiraten. — Indem ichs ausspreche erschrecke ich." Die Worte haben eine eigene Gewalt; sie machen klar, was ist. Die ganze Zeit meinte er ja nichts anderes. Er weiß es schon den ganzen Tag. Aber jetzt ist es zum erstenmal benannt, und jetzt erst sieht er sich der unglücklichen Situation in voller Schärfe gegenüber.

Auf einer neuen Stufe beängstigender Klarheit wird darum die Konfrontation mit dem Vater wiederholt: „Und wie soll ich vor ihn treten, es ihm eröffnen, dem guten, lieben Vater? Er blickt mich staunend an und schweigt, er schüttelt den Kopf; der einsichtige, kluge, gelehrte Mann weiß keine Worte zu finden. Weh mir!" Immer detaillierter führt der Monolog Lucidor die Verstrickung, die scheinbar zwangsläufige Differenz mit dem Vater durch Verlagerung der eigenen Neigung vor Augen.

Und doch erscheint das Monologisieren auch als eine Befreiung. Denn nun, da die eine Hauptsache, das „Nein", konkret ausgesprochen: „ich kann Julien nicht heiraten", ist auch Raum für die zweite: „Aber wohin soll ich mich wenden?" — „O ich wüßte wohl, wem ich diese Pein, diese Verlegenheit vertraute, wen ich mir zum Fürsprecher ausgriffe!" Und wieder richtet sich Lucidor ein vorgestelltes Gegenüber auf, um sein ganzes Selbst darein zu werfen: „Aus allen dich, Lucinde! und dir möcht ich zuerst sagen, wie ich dich liebe, wie ich mich dir hingebe, und dich flehentlich bitten: ‚Vertritt mich, und kannst du mich lieben, willst du mein sein, so vertritt uns beide!'" Dies scheint ihm nun die Lösung.

So wird man in diesem Monolog Zeuge stufenweiser Verdeutlichungen: vom Gefühlsausbruch zur Formulierung der Frage: wohin?, von dort zum Bewußtsein des Gesamtzustandes, das durch den zweifachen Kommunikationsversuch mit dem Vater und vor allem durch die endliche Benennung des Hauptmoments noch entscheidend verschärft wird, und durch dieses verschärfte Bewußtsein schließlich zur scheinbaren Lösung und Antwort auf die erste Frage: „Aus allen dich, Lucinde! . . . vertritt uns beide!"

Noch prägnanter tritt diese Figur im zweiten Monolog (808 f.) entgegen. Ausdrücklich vom sprechenden Denken erwartet Lucidor hier die Besinnung. Der Aufruf: „Nun besinne dich denn!" leitet das Selbstgespräch ein.

„Nun besinne dich denn! es ist Ernst. Du hast viel Ernstes gelernt und durchdacht; was soll denn Rechtsgelehrsamkeit, wenn du jetzt nicht gleich als Rechtsmann handelst?" War anfangs der richtungslose Ausbruch und dann das fiktive Du das Vorherrschende gewesen, so kommt nun das Ich selbst als Gegenüber ins Spiel. „Siehe dich als einen Bevollmächtigten an, vergiß dich selbst und tue, was du für einen andern zu tun schuldig wärst."

Das Ich kommt mit dem Ich ins Gespräch über die Sache. Nach einer sehr subjektiven Bestandsaufnahme der Beziehungen des „Fremden" zu Lucinde und der „kleinen Närrin" macht er sich selbst den Einwurf: „Warum aber seh ich diese Sache so verwirrt und verschränkt an?" Eine Frage, die mit der Antwort schon schwanger geht: „Ist der Oberamtmann nicht selbst der verständigste, der einsichtigste, liebevollste Vermittler?" Und er entschließt sich sogleich: „Du willst ihm sagen, wie du fühlst und denkst, und er wird mitdenken, wenn auch nicht mitfühlen", und bestärkt sich mit Gründen: „... ist nicht eine wie die andere seine Tochter?"

Und jetzt, wo die Lösung in Aussicht steht, spricht er freier, aus dem Gefühl größerer Sicherheit heraus weiter, läßt er seinem Wunschdenken die Zügel: „Was will denn der Anton Reiser mit Lucinden, die für das Haus geboren ist, um glücklich zu sein und Glück zu schaffen? hefte sich doch das zapplige Quecksilber an den ewigen Juden, das wird eine allerliebste Partie werden."

Der Monolog entfaltet sich so zum Dialog in seiner doppelten Bedeutung: als Zwiegespräch mit sich selbst und als Unterredung, die den Gegenstand „durchspricht". — Die Sprache erscheint als der Vollzugsraum des Denkens und der Entscheidungen.

So auch im dritten Monolog (810). Die Maximen des „guten alten Hausfreundes" haben in Lucidor den Drang erweckt, ihm sich zu eröffnen, und die Sprache des Monologs klärt diesen Drang zum Entschluß ab: „... ich sehe in diesem würdigen Hausfreunde den Stellvertretenden beider Väter; zu ihm will ich reden, ihm alles entdecken, er wirds gewiß vermitteln und hat beinahe schon ausgesprochen, was ich wünsche. Sollte er im einzelnen Falle schelten, was er überhaupt billigt? Morgen früh such ich ihn auf; ich muß diesem Drange Luft machen."

Daß es bei all diesen Klärungen und Entscheidungen nicht ohne Selbstverführung und bedenkliche Bestechung abgeht, ist ersichtlich. Nicht nur die autosuggestive Fragetechnik: „Und ist nicht ...? Was will denn ...? Sollte er ...?" deutet darauf hin, sondern vor allem auch die tragikomische Versalität der Antwort auf die immer gleiche Frage: wohin? die Austauschbarkeit der Retterfiguren: erst Lucinde, dann der Oberamtmann und jetzt der würdige Hausfreund.

Im vierten Monolog (814) scheint Lucidor sich dieser Gefahr der Irreleitung bewußt zu werden: „Was beginne ich nun! ... zu Antoni hab ich kein Vertrauen, er ist weltfremd, ... was könnt ich von ihm hoffen? Mir bleibt nichts übrig, als Lucinden selbst anzugehn; sie muß es wissen, sie zuerst. Dies war ja mein erstes Gefühl; warum lassen wir uns auf Klugheitswege verleiten! Das

Erste soll nun das Letzte sein, und ich hoffe zum Ziel zu gelangen."

Das „erste Gefühl" wird gegen die „Klugheitswege" ausgespielt. Wie bei Montan erscheint das eigentliche Denken als ein Grund-Gefühl des Rechten, deutlich abgehoben von der nicht unverdächtigen Ebene der Sprache, die zu überreden, zu trügen, zu täuschen vermag. Und wie bei Montan zeichnet sich auch hier die Möglichkeit ab, mit der Sprache hinter seinem eigenen Rücken zu denken. „Spricht man ja mit sich selbst nicht immer, wie man denkt". — Die Klugheitswege sind die Wege der Sprache.

Daß Lucidor sich durch sie auch hier noch von seiner eigentlichen Aufgabe abführen läßt: sich selbst zu vertreten, statt sich vertreten zu lassen, bildet die Ironie der Erzählung. Indem er nur durch Hörensagen „so viel Vertrauen" (817) zu dem eben noch energisch abgelehnten Antoni faßt, daß er sich nunmehr ihm zuwenden möchte, desavouiert er abermals sich selbst.

Erst das „Entsetzen" und die gräßlichste Verwirrung treiben ihn dann ganz in sich hinein und damit zugleich aus dem Raum der Sprache hinaus: „... Zähle dir das nicht vor, drösele dirs nicht auf, schweig und entschließe dich!" Darin mündet der fünfte und letzte Monolog (818).

Sprache als Form und Annäherung

Das merkwürdige Doppelgesicht, mit dem die Sprache aus Lucidors Monologen hervorblickt, spiegelt ihr zwiespältiges Wesen und spiegelt auch das zwiespältige Verhältnis Goethes zu ihr. „Glaubt man sich denn zuletzt im Ganzen aufgeklärt", schrieb er im September 1818 an Metternich, „so tritt die neue Schwierigkeit hervor dasjenige durch Worte zu verdeutlichen, womit der Gedancke sich allenfalls begnügt."[278] Und nicht nur mit der Unmöglichkeit, „gar manches unserer Erfahrungen ... direct" mitzuteilen, auch mit dieser „neuen Schwierigkeit": es „durch Worte zu verdeutlichen" und „rund" auszusprechen, hat er die eigentümliche Struktur seiner späteren Werke begründet. Diese neue

Schwierigkeit aber ist aus der Form und Formkraft der Sprache selbst herzuleiten.

„Dem, was sie darstellt, gibt sie vermöge und mittels des Bewußtseins, eine Form . . .", hat sich Riemer nach einem Gespräch mit Goethe aufgezeichnet. „Dem Gehalt . . . gibt die Sprache eine Form, indem sie . . . nennt."[279] Das Preisgedicht auf Howard zeigt, was diese Feststellung impliziert: „Was sich nicht fassen, nicht erreichen läßt, / Er faßt es an, er hält zuerst es fest; / Bestimmt das Unbestimmte, schränkt es ein, / Benennt es treffend! — Sei die Ehre dein! —"[280]

Da das benennende Formen bestimmend[281], einschränkend und feststellend ist, kann die Sprache klären, befreien, schaffen, fördern und weiterführen: „Wohin soll ich mich wenden? . . . Nein, ich kann Julien nicht heiraten. . . . Aus allen dich, Lucinde!" —, kann sie Organ der Welterfassung und Wahrheitserkenntnis sein und von Goethe „unstreitig das Höchste" genannt werden, „was wir haben"[282].

Da sie aber damit zugleich auch vereinseitigend, ausschränkend und kupierend wirkt, kann sie ganz ebenso verdecken, beiseite bringen[283], entwerten[284], täuschen und verführen: „Lucinde! . . . vertritt mich! . . . Ist der Oberamtmann nicht selbst der Vermittler?" — kann sie auf „Klugheitswegen" in die Irre leiten und „betrüben"[285]. „Ihr müßt mich nicht durch Widerspruch verwirren! / Sobald man spricht, beginnt man schon zu irren."[286]

Beides, die klärenden wie die trügenden Wirkungsweisen, sind genuine Leistungen der Sprache, beide entspringen ihrer sowohl einschließenden wie ausschließenden Grundkraft: zu formen.

Ebendiese Kraft erweist sich indessen auch als ihre Schwäche. Sie entzieht ihr notwendig all das, was sich nicht einschließen läßt: die Totalität der Erscheinungen und Eindrücke[287], die vollkommene, unerschöpfliche Ganzheit der Naturwesen und Kunstwerke[288], den Reichtum feinster Tönungen und zarter seelischer Verhältnisse[289], die unlösbare Einheit namen- und grenzenloser Gefühle[290], das stufenlos wachsende und lebendige Werden[291]. Das ist mit den Mitteln, die die Sprache dem natürlichen Menschen an die Hand gibt, nicht dingfest zu machen. Denn „alle Sprachen", sagt Goethe, „sind aus naheliegenden menschlichen Bedürfnissen ... entstanden"[292], und „im gemeinen Leben", wo „wir nur oberflächliche Verhältnisse bezeichnen", „kommen wir notdürftig" damit „fort". „Sobald" aber „von tiefern Verhältnissen die Rede ist"[293], wenn etwa „ein höherer Mensch über das geheime Wirken und Walten der Natur eine Ahndung und Einsicht gewinnt", dann „reicht" die „überlieferte Sprache nicht hin .... Es müßte ihm die Sprache der Geister zu Gebote stehen"[294]. — Darum bestimmten die Sprachabrechnung Montans und die Sprachabspannung des Oheims die engere Grenze der Sprache als die Grenze des Faßlichen.

So ist gerade „das Höchste, das Vorzüglichste am Menschen ... nicht anders als in edler Tat zu gestalten"[295], so ist gerade „das Beste unsrer Überzeugungen nicht in Worte zu fassen .... Die Sprache ist nicht auf alles eingerichtet."[296]

„Da die Sprache das Organ gewesen, wodurch ich mich während meines Lebens am meisten und liebsten den Mitlebenden mittheilte", schreibt Goethe 1816, „so mußte ich darüber, besonders in spätern Zeiten reflectiren"; dabei habe er denn „auf's deutlichste begreifen lernen, daß die Sprache nur ein Surrogat ist, wir mögen nun das was uns innerlich beschäftigt oder was uns von außen anregt ausdrücken wollen".[297] Und noch prägnanter im Aufsatz „Symbolik": „Durch Worte sprechen wir weder die Gegenstände noch uns selbst völlig aus."[298]

Die Form der Sprache schließt sie auch in sich selbst und damit vom Sprecher ebenso wie vom Gegenstand ab. „Das Wort", das „in uns ausgetragen" wird „wie das Kind in der Mutter"[299], löst sich auch wie das Kind von der Mutter ab zu einem eigenen Leben. „Durch die Sprache entsteht gleichsam eine neue Welt, die aus Notwendigem und Zufälligem besteht."[300]

Darum steht das Sprachliche immer nur vermittelnd — oder trennend — *zwischen* den Menschen und der Sache. Mit keinem „identisch", mit keinem „unmittelbar" übereintreffend: „Alle Erscheinungen sind unaussprechlich, denn die Sprache ist auch eine

Erscheinung für sich, die nur ein Verhältnis zu den übrigen hat aber sie nicht herstellen (identisch ausdrücken) kann."[301] „Daß eine Sprache eigentlich nur symbolisch, nur bildlich sei und die Gegenstände niemals unmittelbar, sondern nur im Widerscheine ausdrücke"[302], daß „nichts, was uns in der Erfahrung erscheint, absolut angesprochen und ausgesprochen werden" könne[303], bemerkt Goethe in der „Farbenlehre", werde niemals genug bedacht. „Unsere armen Worte" sind doch „nur Versuche die Erscheinungen zu fassen und auszudrücken, ewig unerreichende Annäherungen."[304]

„Dem, was sie darstellt, gibt" die Sprache „vermöge und mittels des Bewußtseins eine Form ..." — man darf das Zitat nun weiterführen: „... aber freilich den Gehalt, den ganzen Gehalt des Dargestellten kann sie nur andeuten".[305]

Wie die Sonderung des Menschen vom Menschen — die Naturmitgift der Individualität — die „Verwandlung" und Identifikation und damit „eigentliche" Mitteilung unmöglich macht, so verhindert die Sonderung aller Erscheinungen von der Erscheinung der Sprache den identischen Ausdruck und damit das „eigentliche" Sprechen.

Es sind immer nur Annäherungen möglich, an den Menschen und an die Sache. Auch das Sprechen kann wie das Mitteilen immer nur „analog" sein.

Paradox und Maxime als Sprachmittel des Bedeutens

„Es ist nichts natürlicher, als daß uns vor einem großen Anblick schwindelt, vor dem wir uns unerwartet befinden, um zugleich unsere Kleinheit und unsere Größe zu fühlen." „Denn wenn das Leblose lebendig ist, so kann es auch wohl Lebendiges hervorbringen." „Wenn er *eins* tut, tut er alles, oder, um weniger paradox zu sein, in dem *einen,* was er recht tut, sieht er das Gleichnis von allem, was recht getan wird."

Es gibt eine Sprachfigur, in der sich der bestimmende, feststellende Formcharakter und der „widerscheinende", hindeutende Annäherungscharakter der Sprache entschiedener als in allen anderen verdichten, in der sie mit höchstem Bewußtsein nicht nur übernommen, sondern fruchtbar gemacht und noch gesteigert werden. Diese Figur ist das Paradox.

Das Goethesche Paradox hebt die fixierte Einseitigkeit der Sprach-Form durch die Hindeutung, durch den Wechselbezug simultaner Gegensätze, in eine neue Offenheit auf und überwindet zugleich die schwebende Ungenauigkeit der Sprach-Andeutung durch die Fixierung, durch Ausrichtung auf den zugeordneten Gegenpol. Es faßt so das „unschaubare" „Problem", das immer zwischen den „widersprechenden Meinungen" liegen bleibt (1005; 1059 BdW)[306], in die Mitte, bestimmt das Unbestimmte durch Doppelbestimmung und beiderseitige Annäherung.[307] „Wie ein aus Planspiegeln zusammengesetzter Hohlspiegel kräftig auf einen Focus zusammen" wirkt[308], so „deutet" das Paradox mit Schein und „Widerschein", Satz und Gegensatz, „auf die Stelle hin" (1235 MA).

Es leistet das Höchste, was Sprache leisten kann: ohne Verschwommenheit und ohne Zudringlichkeit auf Höheres zu deuten, als sie leisten kann. Wer das Paradox versteht, versteht nicht das Ausgesagte, sondern gerade das Unausgesagte, doch kraft des Ausgesagten.

Diese Mittelbarkeit ist es, die das Paradox zu dem macht, was Goethe, wiederum paradox, ein „offenbares Geheimnis" nennt. Da es immer Sache des Hörenden ist, die Bedeutungsstrahlen der paradoxen Gegenpole bis in den geheimen Schnittpunkt weiterzuverfolgen und als geometrische Örter des Unsäglichen zu erkennen, ist das Paradox in äußerster Verdichtung verschlossen und offen zugleich:

Verschlossen all denjenigen, die nur den offenbaren Widerspruch, mit dem der Spruch „sich selbst zu vernichten" scheint (781), und nicht die geheime Korrespondenz zu sehen vermögen; darum verschlossen vor allem immer dem gemeinen „Menschenverstand“, dem die engere Grenze der Sprache stets die einzige und letzte ist.[309]

Und offen jedem, der imstande ist, „das Entgegengesetzte zu überschauen und“ aus eigener Kraft „in Übereinstimmung zu bringen“ (784).

Wegen dieser unabweislichen Nötigung zur individuellen Auslegung ist das Paradox aber auch in eminenter Weise maieutisch, „anregend“ (784), „stimulierend“ und in einem sehr genauen Sinn „bedeutend“. „So sprach er in lauter Sätzen“, berichtet Schillers Witwe einigermaßen unmutig und verstört über den Goethe von 1814, „die einen Widerspruch auch in sich hatten, daß man alles deuten konnte, wie man es wollte.“[310]

Gerade indem das Paradox den Grundgegebenheiten der Sprache, ihrem Form- und Andeutungscharakter, entspricht, indem es sie aufnimmt und steigert, entspricht es auch den Grundgegebenheiten der Mitteilung, der Individualität und Uneigentlichkeit, und ihrer Verdichtung im Bedeuten. — Das Paradox ist darum das konzentrierteste Sprachmittel bedeutenden Mitteilens überhaupt.

Es ist kein Zufall, daß die Paradoxa bei Goethe in der Regel maximenhaften Charakter tragen und daß sich umgekehrt die Goethesche Maxime so oft zum Paradoxen verdichtet.[311] Die Maximen, die anläßlich Makariens Archiv als „kurze, kaum zusammenhängende Sätze“ und „Resultate“ vorgestellt werden, „die, wenn wir nicht ihre Veranlassung wissen, als paradox erscheinen“, „nötigen“ uns, „vermittelst eines umgekehrten Findens und Erfindens rückwärts zu gehen und uns die Filiation solcher Gedanken von weit her, von unten herauf wo möglich zu vergegenwärtigen“ (847).

Auch sie sind offen: Als Ausdruck der Denkweise werden sie den Gesprächen voraus gesetzt (s. o. 65) — und verschlossen: Als Schutzmittel des Privaten und Ehrwürdigen sind sie den Verletzlichen und den Hütern des Heiligen beigegeben (s. o. 38, 41, 76, 98) — anregend[312] und „bedeutend“. Als Paradoxa über

Abstände deuten auch sie zuletzt alle auf einen geheimen Mittelpunkt.

Die paradoxen Maximen Goethes sind damit gleich weit entfernt von den mystischen Vertauschungen in den Fragmenten des Novalis wie von dem scharfen, sich selbst genießenden Sprachwitz in den Aphorismen eines Karl Kraus. Von Novalis unterscheiden sie sich durch den Bezug der Pole auf den gemeinsamen, unausgesprochenen Brennpunkt und durch die strenge Gegensetzung der Erscheinungen, die sich nur auf Grund ihrer vorhergehenden Absonderung „zu einem entschiedenen Leben . . . verbinden“[313]. Der Romantiker, der sich selbst zu jenem „Ich“ erhebt, „das Eins und Alles zugleich ist“[314], dem die Welt als „Märchen“, als „Ensemble wunderbarer Dinge und Begebenheiten“ und als „musikalische Fantasie“ erscheint[315], weiß auch ohne jede Vermittlung in einem gemeinsamen Dritten und ohne vorhergehende Trennung der Gegensätze „aus Jedem alles zu machen“[316]: „Leben ist der Anfang des Todes“.[317] „Der Mann ist gewissermaßen auch Weib, so wie das Weib Mann“.[318] „Nur der rückwärts gekehrte Blick bringt vorwärts, da der vorwärts gekehrte Blick rückwärts führt.“[319] „Kontraste sind inverse Ähnlichkeiten“.[320] Diese Paradoxa sind nicht Ausdruck des Prinzips von Polarität und Steigerung, sondern Ausdruck einer prästabilierten Identität alles Seienden, auf Grund derer jede Erscheinung „in sich selbst mit dem Andern, und mit sich selbst im Andern“ zusammentrifft.[321] „Alle Ströme sollen dauernd, alle Körper durchdringlich werden.“[322] Das Bild des Doppelspiegels, der „auf einen Focus“ wirkt, wäre hier nicht am Platze.

Es würde aber in anderer Weise auch die fortschreitend sich zuspitzende Paradoxie des 19. und frühen 20. Jahrhunderts[323] verfehlen, als deren Exponenten man Karl Kraus ansehen darf. Denn diese Paradoxie sammelt die Linien nicht auf einen Punkt, sondern bricht sie absichtlich in verschiedene Richtungen; sie lauert den Worten und Wortverbindungen ihren Reizwert, ihren Doppel- und Hintersinn ab; sie lebt aus der Verkehrung und überraschenden Neukombination vorgeprägter Formeln und Vorstellungen.

„Journalisten schreiben, weil sie nichts zu sagen haben, und haben etwas zu sagen, weil sie schreiben.“[324] „Wir Menschen sind doch bessere Wilde.“[325] „Ich habe manchen Gedanken, den ich nicht in Worte fassen könnte, in Worten gefaßt.“[326] Hier spielt die Sprache ein geistreiches Spiel mit sich selbst, dem die Spiel-Weise, das „Wie“[327], so wichtig ist, daß die angesprochene Sache beinahe davon verdeckt wird. Und selbst Sätze, die wie auf Goethe gemünzt erscheinen und deren Aussage von Goethe selbst hätte stammen können, nehmen sich bei dem Wiener Satiriker in ihrer Pointiertheit schon wieder denkbar ungoethesch aus: „Es ist gut, vieles für unbedeutend und alles für bedeutend zu halten.“[328] „Es gibt eine Originalität aus Mangel, die nicht imstande ist, sich zur Banalität emporzuschwingen.“[329] — Gerade Goethes „Sachlichkeit“, die Selbstverständlichkeit und „Leidenschaftslosigkeit seines Sagens, welche immer noch auf die verborgene Ganzheitlichkeit“ deuten[330], heben seine Paradoxa von denen des Karl Kraus wie von denen der meisten späteren Autoren überhaupt ab.

III. MITTEILUNG ALS KOSMISCHER BEZUG

> Der Herr, dem das Orakel in Delphi gehört, sagt nicht heraus und verbirgt nicht, sondern er bedeutet.
>
> Heraklit

„Unsere ganze Aufmerksamkeit muß ... darauf gerichtet sein, der Natur ihr Verfahren abzulauschen“[1], „auf's reinste nachzufühlen, was“ sie „uns zusagt“ (s. o. 55). Denn „dem Tüchtigen ist diese Welt nicht stumm“[2]. Sie „spricht ... zu uns durch tausend Erscheinungen (s. o. 54). „Naturwerke sind immer wie ein erst ausgesprochenes Wort Gottes“[3], und „es ist keine schönere Gottesverehrung als die, ... die aus dem Wechselgespräch mit der Natur ... entspringt“[4].

„Jede Kreatur“ ist „nur ein Ton, eine Schattirung einer grosen Harmonie, die man ... im ganzen und grosen studiren muß, sonst ist iedes Einzelne ein toder Buchstabe“.[5] „Jede Pflanze verkündet ... die ew'gen Gesetze, Jede Blume ... spricht lauter und lauter mit dir. Aber entzifferst du hier der Göttin heilige Lettern, Überall siehst du sie dann, auch in verändertem Zug“[6]; „denn hier spricht die ewige Vernunft durch ein Analogon zu“ uns (1056 BdW). Und „der aufmerksame Forscher“, der sich „durch das Anschauen einer immer schaffenden Natur zur geistigen Teilnahme an ihren Produktionen würdig“ macht[7], „sezt“ daraus „eine Art Alphabet des Weltgeistes zusammen“[8]. Ihm „gesteht“ die Erscheinung ihr „offenbares Geheimnis“[9], ihm „ist die Schrift geschrieben, Die heilgen Sinn nicht jedem“ offenbart (1266).

Es ließe sich mit geringer Mühe ein ganzer Aufsatz aus solchen Zitaten verfassen, und kein wesentlicher Aspekt goethescher Naturbetrachtung brauchte darin unberücksichtigt zu bleiben. Denn diese Gleichnisreden, in denen Goethe das Erscheinen und Wahrnehmen der Weltgegenstände mit Wendungen der Mitteilung und Teilnahme umschreibt, sind mehr als bloß zufällige, hier und da auftauchende sprachliche Hilfszeichen ohne inneren Zusammenhang und weiterreichende Bedeutung. Sie sind Ausdruck einer konstituierenden Grundvorstellung von mythischem Charakter, Ausdruck der durchgehenden Überzeugung des Dichters *und* Naturerforschers Goethe, daß alle Erkenntnisbezüge auch Mitteilungsbezüge sind, daß es „doch zuletzt alles eine Art von Sprache, wodurch wir uns erst mit der Natur und auf gleiche Weise mit Freunden unterhalten möchten".

1. Mensch und Natur

Abstand

In einer „herrlichen, klaren Nacht" erfüllt der würdige Freund der Makarie das Versprechen, Wilhelm „an den Wundern des gestirnten Himmels vollkommen teilnehmen zu lassen" (840 f.):

> (Er) ließ ... seinen Gast die Treppen zur Sternwarte sich hinaufwinden und zuletzt allein auf die völlig freie Fläche eines runden, hohen Turmes heraustreten. Die heiterste Nacht, von allen Sternen leuchtend und funkelnd, umgab den Schauenden, welcher zum erstenmale das hohe Himmelsgewölbe in seiner ganzen Herrlichkeit zu erblicken glaubte.
> ...
> Ergriffen und erstaunt hielt er sich beide Augen zu. Das Ungeheure hört auf, erhaben zu sein, es überreicht unsre Fassungskraft, es droht, uns zu vernichten. „Was bin ich denn gegen das All?" sprach er zu seinem Geiste; „wie kann ich ihm gegenüber, wie kann ich in seiner Mitte stehen?" Nach einem kurzen Überdenken jedoch fuhr er fort: „... Wie kann sich der Mensch gegen das Unendliche stellen, als wenn er alle geistigen Kräfte, die nach vielen Seiten hingezogen werden, in seinem Innersten, Tiefsten versammelt, wenn er sich fragt: ‚Darfst du dich in der Mitte dieser ewig lebendigen Ordnung auch nur denken, sobald sich nicht gleichfalls in dir ein beharrlich Be-

wegtes um einen reinen Mittelpunkt kreisend hervortut?...'
...
Wie oft hast du diese Gestirne leuchten gesehen, und haben sie dich nicht jederzeit anders gefunden? sie aber sind immer dieselbigen und sagen immer dasselbige.... Und so kann ich denn diesmal antworten....."

Mit kontrapunktischer Genauigkeit spiegelt diese Höhenszene — seitenverkehrt und auf der Nachtseite — jene andere auf Montans Granitgipfel wieder: Dort der „steile, hohe, nackte Felsen", hier „die völlig freie Fläche eines runden, hohen Turmes"; dort „der schönste Tag", „die herrliche Aussicht", hier die „herrliche, klare, heiterste Nacht", der „Glanzraum des Äthers"; dort die Welt des „überlegenen Mannes", hier die der „wunderwürdigen Frau"; dort die Abgründe der Erde, hier der Abgrund des Himmels.

Und hier wie dort die staunende Erschütterung bei der unvermittelten Konfrontation mit der Unendlichkeit der Natur: Sie muß in jedem Fall blendend, ergreifend, schwindelerregend wirken, ob sie in den gigantischen Kontrasten der Gebirgsformationen, im brennenden Glanz der „nähern" Sonne oder in der leuchtenden und funkelnden Herrlichkeit des nächtlichen Himmelsgewölbes begegnet. Denn was den Menschen hier in seiner staunenden Erschütterung betrifft, ist das Göttliche selbst, das radikal Unfaßliche. „Es überreicht unsre Fassungskraft, es droht, uns zu vernichten."

Gerade wenn alle Voraussetzungen vollkommener Teilnahme gegeben sind, wenn alle sekundären Beeinträchtigungen und insbesondere jene „inneren Beunruhigungen des Gemüts" entfallen, „die uns alle Umwelt mehr als Nebel und Mißwetter... verdüstern", muß der ungeheure Abstand unverstellt hervortreten. Und gerade in seiner weitgespannten Lichtmetaphorik hat Goethe diese Betroffenheit immer wieder ins Bild gebracht.[10] „In den Glanz der Gottheit" darf der Mensch niemals direkt „hineinblicken..., ohne zu erblinden."[11] Faust, der das „ewige", „heilige Licht" ersehnte, „des Lebens Fackel" zu „entzünden", muß sich „geblendet" abwenden, „vom Augenschmerz durchdrungen".[12] Wilhelm hält sich „ergriffen und erstaunt... beide Augen zu". Und analog umschreibt Goethe das Wesen der Wahrheit: „Das Wahre ist eine Fackel, aber eine ungeheure, deswegen suchen wir alle nur blinzend so daran vorbei zu kommen."[13] Denn „das Wahre" ist ihm „mit dem Göttlichen identisch" und „läßt sich niemals von uns direkt erkennen" (s. o. 36).

Und wie soll auch der endliche Mensch das Unendliche erkennen, dem er so verloren gegenübersteht, als Einzelner, Einseitiger, gegenüber der unmeßbaren Fülle und Tiefe der Welt — „Was bin ich denn gegen das All?" sprach er zu seinem Geiste —, als Vergänglicher gegenüber der Ewigkeit — „Wie oft hast du diese Gestirne leuchten gesehen, und haben sie dich nicht jederzeit anders gefunden? sie aber sind immer dieselbigen . . ." —, als Bedingter, der an seine „Stelle" als einen Raum- und Zeitpunkt fixiert ist, zwischen oben und unten, hüben und drüben, zuvor und hernach!

Wie soll er überhaupt erkennen, da sich doch die Kluft zwischen Mensch und Natur, die das Ausnahmeerlebnis der Gipfelszenen so unverhüllt zutage treten läßt, als Trennlinie zwischen Subjekt und Objekt lückenlos quer durch die Welt zieht: Durch „das Verhältnis des bedeutendsten irdischen Gegenstandes, des Menschen, zu den übrigen . . . trennt sich die Welt in zwei Teile, und der Mensch stellt sich als ein Subjekt dem Objekt entgegen" (s. o. 19).

Wie ist dieser Abstand zu überwinden?

Die Fragen müssen hier noch offen bleiben. Die Antwort wird nur nach und nach zu gewinnen sein. Daß „die Natur" jedoch „immer etwas Problematisches hinter sich behalte, welches zu ergründen die menschlichen Fähigkeiten nicht hinreichen"[14], daß „alles Letzte . . . denn doch unergründlich" bleibt[15], daß „mehr als ein Maaßstab" dazugehört, „um sich in dem Unerforschlichen nur einigermaßen zu finden"[16], das resultiert aus dem Abstand zwischen Mensch und Natur von selbst. Die Sonderung macht auch hier eine „eigentliche Mitteilung" unmöglich. „Diese sind wenigstens nicht zu begreifen", rühmte Montan seinen Felsen nach.

Nur eines läßt trotz allem die Hoffnung übrig, an den „Wundern" der Natur „teilzunehmen" und ihr Alphabet „lesen zu lernen": Der Mensch steht dem All nicht nur „gegenüber", er steht auch „in seiner Mitte". Er „gehört" — trotz des Abstandes — „mit zur Natur".[17]

Einheit

„Was bin ich denn gegen das All?" Die erste bestürzte Frage Wilhelms stellte das umfassende Thema, die beiden nächsten fächerten es nach zwei Seiten hin auf: „wie kann ich ihm gegenüber, wie kann ich in seiner Mitte stehen?" und die folgenden treiben es in wiederholtem Neuansatz weiter der endlichen Lösung zu. Daß auch diese selbst noch fragend zutage kommt, erhält ihr „die Eigenschaft des Problems"[18] und weist zugleich auf dessen Rang und Komplexität.

Das angespannte Bemühen darum spiegelt sich in der Verspanntheit der Diktion:

„Wie kann sich der Mensch gegen das Unendliche stellen,

als wenn er alle geistigen Kräfte, die nach verschiedenen Seiten hingezogen werden, in seinem Innersten, Tiefsten versammelt,

wenn er sich fragt:

‚Darfst du dich in der Mitte dieser ewig lebendigen Ordnung auch nur denken,

sobald sich nicht gleichfalls in dir ein beharrlich Bewegtes um einen reinen Mittelpunkt kreisend hervortut?'"

Die Denkmöglichkeit — „Darfst du dich . . . auch nur denken . . .?" — erschließt nach dem Gesetz „Gleiches durch Gleiches" von rückwärts die Organisation des Denkenden selbst: „gleichfalls in dir".

„Im Innern ist ein Universum auch", heißt es in dem Gedicht, das Goethe für wichtig genug hielt, es in der Ausgabe letzter Hand an zwei Stellen abdrucken zu lassen[19]. „In dem menschlichen Geiste, so wie im Universum, ist nichts oben noch unten; alles fordert gleiche Rechte an einen gemeinsamen Mittelpunkt, der sein geheimes Dasein eben durch das harmonische Verhältnis aller Teile zu ihm manifestiert."[20]

Der Mensch nimmt also nicht allein jene „Mittelstelle" ein, die der Eingang der „Wanderjahre" vor Augen führt, er bildet an dieser Stelle in sich selbst noch einmal die Struktur des Kosmos ab. Er ist „Mitte des All" und „Mitte des Alls seiner Selbst".[21]

Deswegen nur kann er dem Unendlichen gegenüberstehen, ohne „vernichtet" zu werden, darf er, „wie sehr ihn die Erde auch anzieht . . ., den Blick forschend und sehnend zum Himmel" aufheben und es „tief und klar in sich" fühlen, „daß er ein Bürger jenes geistigen Reiches sey, woran wir den Glauben nicht abzulehnen noch aufzugeben vermögen".[22] Er taumelt nicht haltlos im All, sondern ist immer schon aufs genaueste in dessen Ordnung eingelassen.

Goethe hat es mit Bedacht eingerichtet, daß Wilhelm sich dieser geistigen Weltbürgerschaft hier im Kreise Makaries bewußt wird. Denn Makarie ist die wunderbarste Verkörperung solchen „Kosmopolitismus'".

Ihre Visionen kosmischen Selbstverständnisses in den Zeiten der „Krankheit" und das liebevoll teilnehmende Wirken ihrer übrigen Tage stehen einerseits deutlich getrennt nebeneinander und sind andererseits doch ineinander verschränkt und miteinander verbunden. „Ich kann mir sie nur immer als eine Flamme denken", schreibt Wilhelm in der ersten Fassung der „Wanderjahre" an Natalie, „deren Gipfel immer unaufhaltsam nach oben strebt, indem sie, sich in liebevoller Gemeinschaft heruntersenkend, erleuchtend und belebend wirkt."[23] Auch ihr einzigartiges maieutisches Vermögen, mit dem sie läutert, steigert und begnadet, speist sich aus ihrer kosmischen Verbundenheit.

So lebt Makarie gleichermaßen im Endlichen und im Unendlichen. Das göttliche Gold *und* das irdische Grün sind ihre Farben.[24] Daß jeder Mensch und „alles was uns umgibt" eine „doppelte Rolle zu spielen" hat, „eine ideelle und eine empirische"[25], ist bei ihr einmal ganz offenbar. Sie ist Stern, ist „himmlisches Wesen“ in der Ordnung des Universums, enthoben der Erde und entrückt von den Menschen, die ganz große Ausnahme — und bleibt doch im Irdischen tätig, bleibt Geschwister der Mitlebenden, Mensch unter „anderen“. Und gerade diese „doppelte Rolle“, mit der sie ihren ideellen Sonderstatus als letzte und sonst immer verborgene Urvoraussetzung aller Bezüge auch ihren „empirischen“ Mitspielern unterlegt, erhebt den Sphärenmythos zum Weltgleichnis:

Alle endlichen Wesen sind bedingt das, was Makarie im Zustand der Enthobenheit unbedingt ist: Teilhaber an der Unendlichkeit; und alle sind *in* ihrer Bedingtheit von der unbedingten Unendlichkeit durchgeistet. In der Sprache der Spinoza-Studie: „Alle beschränkten Existenzen sind im Unendlichen, sind aber keine Teile des Unendlichen, sie nehmen vielmehr teil an der Unendlichkeit.“[26]

Diese Teilhabe schließt den Menschen mit der ganzen Natur über alle Sonderungen hinweg zusammen. Es ist „doch überall nur *eine* Natur“[27], „wir“ sind „mit der Natur eins“[28]: „Die allgemeine Natur“ und die „menschliche Natur“[29], „Natur von außen“ und „der Mensch (Natur von innen)“[30] stehen für Goethe immer in der innigsten Korrespondenz. Das „Resultat von allem“ seinem „Sinnen und Trachten“, schreibt er in seiner Autobiographie, sei allezeit „jener alte Vorsatz“ gewesen, „die innere und die äußere Natur zu erforschen, und in liebevoller Nachahmung sie eben selbst walten zu lassen.“[31]

Auf diese Weise ist aber auch die bemerkte Differenz zwischen Subjekt und Objekt übergriffen: „Es ist etwas unbekanntes Gesetzliches im Objekt, welches dem unbekannten Gesetzlichen im Subjekt entspricht“[32a], lesen wir in einer Nachlaßnotiz. Aus der Überzeugung, daß „die Natur . . . imgleichen“ wie „der Mensch . . . nach Ideen verfahre“, erwächst Goethe das Vertrauen, daß „die Erscheinung dem klaren Blick in sich selbst die Idee“ entgegentrage.[32] „Erfinden, Entdecken im höhern Sinne“ heißt ihm „eine aus dem Innern am Äußern sich entwickelnde Offenbarung“ (1050 BdW).

Die Einsicht in das Sein der Sache muß so, da „nichts außer uns" ist, „was nicht zugleich in uns wäre", auch in das Sein des Menschen führen.[33] Montans Mühen um den „Kern" der Dinge und Makaries Erschließung des „Kernes" der Menschen stehen einander nicht so fern, wie es scheinen könnte. — Gerade gegenüber den Sternen wird Wilhelm auf sich selbst verwiesen.

So ist denn trotz des Abstandes zur Natur, der eine „eigentliche" Erkenntnis unmöglich macht, ein bedingtes Erkennen nicht ausgeschlossen. Die gleichzeitige „Einheit" stiftet auch hier jene Analogie der Prämissen, welche die uneigentliche Mitteilung ermöglicht. Es ist nicht ohne Bedeutung, daß sich Wilhelm erst beides bewußt machen muß, die abgesonderte „Gegenüber"-Stellung des Menschen und seine einende Mittelposition, ehe er mit der Natur in ausdrückliche Kommunikation treten darf: „sie ... sagen immer dasselbige .... Und so kann ich ... antworten". Die kosmische Mitteilung ist offenbar genauso wie die menschliche auf Individualität und Sonderung nicht weniger als auf Verwandtschaft und Verknüpfung angewiesen.

2. Offenbares Geheimnis

Die bedingte Erscheinungsweise als Manifestation

Der doppelten Bestimmung des Verhältnisses des Menschen zur Welt durch Abstand und Einheit entspricht die doppelte Bestimmung der Erscheinungsweise der Natur als offenbares Geheimnis.

Goethe nennt diese bedingte Erscheinungsweise „Manifestation" oder auch „Gleichnis", „Abglanz" und „Symbol". „Alles, was wir gewahr werden und wovon wir reden können, sind nur Manifestationen der Idee".[34] „Das Wahre, mit dem Göttlichen identisch, läßt sich niemals von uns direkt erkennen, wir schauen es nur im Abglanz, im ... Symbol".[35] „Alles Vergängliche ist nur ein Gleichnis".[36]

Das einschränkende „nur" impliziert dabei sowohl eine Absage wie eine Zusage. Nur („lediglich") in der Erscheinung, in einer vermittelten, uneigentlichen, gedämpften Form ist das Ideelle, Wahre, Göttliche und Unvergängliche für uns da. In seiner „hohen Reinheit"[37] bleibt es uns immerdar entzogen. „Denn ... das belebende und ordnende Prinzip" ist „in der Erscheinung dergestalt bedrängt, daß es sich kaum zu retten weiß" (1239 MA).

Da „das Unbedingte" indessen auch „sich selbst bedingen und so das Bedingte zu seinesgleichen machen kann"[38], ist es uns in der Erscheinung — und nur („allein") in der Erscheinung und nirgendwo sonst — doch zugleich auch zugesagt. „Was man Idee nennt", ist „das was immer zur Erscheinung kommt und daher als Gesetz aller Erscheinungen uns entgegentritt."[39]

Das Unbegreifliche ist in der Erscheinung nicht nur verborgen, sondern auch geborgen und manifest. „Jede Form, auch die gefühlteste, hat etwas Unwahres; allein sie ist ein für allemal das Glas, wodurch wir die heiligen Strahlen der verbreiteten Natur an das Herz der Menschen zum Feuerblick sammeln. Aber das Glas!"[40]

Die Analogie zur Stellung des Menschen liegt auf der Hand. Jede bedingte Erscheinung ist wie der Mensch vom Unbedingten durch einen Abstand getrennt — daher „nur" Manifestation — und mit ihm durch Teilhabe zur Einheit zusammengeschlossen — daher doch „Manifestation".

Es ist der Zusammenhang und Gegensatz von Ursprung und Entsprungenem, von erleuchteter Erscheinung und erleuchtendem Licht:

> So im Kleinen ewig wie im Großen
> Wirkt Natur, wirkt Menschengeist, und beide
> Sind ein Abglanz jenes Urlichts droben,
> Das unsichtbar alle Welt erleuchtet.[41]

„Ideelle" und „bloße" Wirklichkeit

Ist die Erscheinungs-Weise der Natur-„Idee" die Manifestation, so ist ihr Erscheinungs-Raum die Wirklichkeit, „die ewige Realität“[42], „wo das in seiner Einfalt Unbegreifliche sich in tausend und abertausend mannigfaltigen Erscheinungen bei aller Veränderlichkeit unveränderlich offenbart“[43].

Denn „als wirklich“ ist „der Mensch ... in die Mitte einer wirklichen Welt gesetzt“.[44] Und „der Geist des Wirklichen“, schreibt der siebenundsiebzigjährige Goethe einer jungen Kunstfreundin, ist „eigentlich das wahre Ideelle“.[45] Gerade in der „nächsten Wirklichkeit“[46], die überall begegnet, begegnet die Idee — nur auf dem „Wirklichen“ kann sie „sich niederlassen“[47] —, und hier begegnet sie dem, der sie zu sehen weiß, überall. „Nicht in ihrer Reinheit, sondern in der Fülle der Gestalten soll die Idee gesucht werden; Wahrheitsliebe zeigt sich darin, daß man überall das Gute zu finden und zu schätzen weiß.“[48]

Wenn in der ersten Fassung der „Wanderjahre“ über Bergliebhaber bemerkt wird, daß sie „von jedem Stein, von jedem Felsen ein Stück“ abschlagen, „als wenn überall Gold und Silber verborgen wäre“[49], so deutet das symbolisch auf den gleichen Sachverhalt: „Überall“ ist das göttliche Metall, wenn auch „verborgen“, wenn auch nicht rein, sondern als Erz. — In diesem Sinne kann Goethe von einer „ideellen Wirklichkeit“ sprechen.[50]

Daß eben diese „ideelle Wirklichkeit“ auch den Wirklichkeitsreichtum seiner großen Spätwerke begründet, in denen nichts Reales mehr als unwichtig beiseite bleibt[51], steht außer Zweifel. Am unterschiedlichen Charakter der „Gesichte“, die Heinrich von Ofterdingen und Wilhelm Meister zu Beginn des zweiten Teils ihrer Wanderungen erscheinen, wird es ganz deutlich. Heinrich erlebt in seiner „Wüste“ ein „Zeichen“[52]:

> Seitwärts am Gehänge schien ihm ein Mönch unter einem alten Eichbaum zu knien. ... es war ein Felsen, über den sich der Baum herbog. Stillgerührt faßte er den Stein in seine Arme, und drückte ihn lautweinend an seine Brust. „Ach, daß doch jetzt deine Reden sich bewährten und die heilige Mutter ein Zeichen an mir täte! ...“ Wie er so bei sich dachte fing der Baum an zu zittern. Dumpf dröhnte der Felsen und wie aus tiefer, unterirdischer Ferne erhoben sich einige klare Stimmchen und sangen ... und nun hörte der er-

staunte Pilger, daß jemand aus dem Baume sagte: „Wenn du ein Lied zu meinen Ehren auf deiner Laute spielen wirst, so wird ein armes Mädchen herfürkommen. ..."... Da drang durch die Äste ein langer Strahl zu seinen Augen und er sah durch den Strahl in eine feine, kleine wundersame Herrlichkeit... Ganz vorn stand die Geliebte des Pilgers und hatt' es das Ansehen, als wolle sie mit ihm sprechen... Der Anblick war unendlich tröstend und erquickend und der Pilger lag noch lang in seliger Entzückung.

Wie einst der Gott aus dem Dornbusch spricht hier die „heilge Mutter" aus dem „alten Eichbaum" zu ihm. Ununterscheidbar verschmolzen mit der toten Geliebten, schenkt sie Trost und gewährt einen Blick in die „himmlische Glückseligkeit". Ein Wunder ereignet sich, dessen Wunderbarkeit durch das Auftreten des angekündigten Mädchens nicht hinwegerklärt, sondern nur noch gesteigert wird. Der sprechende Baum, der dröhnende Fels, die holdseligen Prophezeiungen, die Eröffnung der wundersamen Märchenherrlichkeit durchbrechen mit „heiligem Strahl" die Ebene der Realität und heben ihre Gesetze aus höherer Befugnis auf.

Wilhelm Meister widerfährt etwas anderes. St. Joseph und die heilige Familie, „die Flucht nach Ägypten", die er „so oft gemalt gesehen", ziehen als lebende Bilder an ihm vorbei, so daß er sie mit Verwunderung hier vor seinen Augen wirklich finden mußte" (712 ff.):

Ein derber, tüchtiger, nicht allzu großer junger Mann, leicht geschürzt, von brauner Haut und schwarzen Haaren, trat kräftig und sorgfältig den Felsen herab, indem er hinter sich einen Esel führte, der erst sein wohlgeputztes Haupt zeigte, dann aber die schöne Last, die er trug, sehen ließ. Ein sanftes, liebenswürdiges Weib saß auf einem großen, wohlbeschlagenen Sattel; in einem blauen Mantel, der sie umgab, hielt sie ein Wochenkind, das sie an ihre Brust drückte und mit unbeschreiblicher Lieblichkeit betrachtete. ... Der Mann hatte eine Polieraxt auf der Schulter und ein langes eisernes Winkelmaß. Die Kinder trugen große Schilfbüschel, als wenn es Palmen wären...

„Im ersten Augenblick" kann der Zweifel aufsteigen, ob dies „wirkliche Wanderer" oder „nur Geister" seien. Der Zweifel aber hält nicht an. Zu genau ist hier gesehen, was sich „zeigt": „... Schilfbüschel, *als wenn* es Palmen wären"[53]. Und dann bringt die

Lebensgeschichte dieses zweiten Joseph die Erklärung nach. Sie ist sonderbar genug und führt über die merkwürdigsten Situations- und Begebenheitsverkettungen. Gerade das ganz Besondere, Nicht-Wiederholbare, hat dieses Wiederholungs-Bild zuwege gebracht und die reine Darstellung eines Allgemeinen und Exemplarischen ermöglicht. Indessen, es ging dabei schließlich doch mit rechten Dingen zu: Der Name Joseph, der frühe Eindruck der Heiligenfresken, der Esel zur Verrichtung der Botendienste, das Ergreifen des Zimmerhandwerks; das Streben, sich seinem „Paten" äußerlich anzugleichen; die Begegnung mit der schwangeren Maria, deren Mann in den Kriegswirren ums Leben kam; die Niederkunft und die Heirat, die Joseph zum Pflegevater macht — das sind reale Verknüpfungen und begründete Zusammenhänge.

Die Erscheinung bei Novalis ist ein wirkliches Wunder, d. i.: ein Unwirkliches; die Erscheinung bei Goethe ist ein scheinbares Wunder, d. i.: ein Wirkliches. Für Novalis ist das Wunder wirklich, für Goethe ist das Wirkliche wunderbar.[54]

Darum kann man auch über Wunder und Geheimnis bei Goethe so viel leichter hinweglesen als bei dem Romantiker. Das Wirkliche erscheint ja allermeist als das Selbstverständliche, und gerade dieses ist es, das sich immer „zu entziehen liebt". Von allen Geheimnissen sind die offenbaren am schwersten erkennbar. Als Chiffren der Dichtung wie als Chiffren der „großen, leise sprechenden Natur"[55].

„Was wir überall und immer um uns sehen", bemerkt Goethe in der Geschichte der Farbenlehre, „das schauen und genießen wir wohl, aber wir beobachten es kaum, wir denken nicht darüber".[56] „Das Beste", das man „im Vordergrunde ganz nahe" hat[57], das „vor allen Türen liegt"[58], ist „so einfach", daß es „sich dem Blick" verbirgt[59].

Dieses „Beste" aber ist eben „der Geist", der „wunderbare" Gleichnis- und Abglanzcharakter der Wirklichkeit: Gerade angesichts eines ausdrücklich zum „Gleichnis" erhobenen Realen (748) ruft Jarno unmutig aus: Ich „begreif . . . nicht, wie du so blind sein kannst, wie du noch lange suchen magst, wie du nicht siehst, daß du dich ganz in der Nähe ... befindest." Und gerade als Wilhelm das so hartnäckig Übersehene endlich benennt, zeigt er, daß er dessen Gleichnischarakter immer noch übersieht: „Nun denn! ... ein Kohlenmeiler; aber was soll das ...?"

Ebenso fragt auch Goethe: „Was soll das Reale an sich?"[60] Und der abschätzige Ton dieser Frage ist nicht zu überhören. Denn das Reale an sich ist nurmehr die Hülse des Faktischen, das „bloße", aller metaphysischen Bezüge entkleidete Wirkliche, das wie das bloß „Richtige ... nicht sechs Pfennige wert" ist, „wenn es weiter nichts zu bringen hat"[61]. Ein Zufälliges und Gemeines, das zur „Region einer niederen Realität" gehört[62], aus der kein „eigentlicher Gewinn für unsere höhere Natur" zu holen ist[63]: „Das Zufällig-Wirkliche, an dem wir weder ein Gesetz der Natur noch der Freiheit für den Augenblick entdecken, nennen wir das Gemeine."[64]

So wie die Manifestation Entzugs- und Bergungsform des Unbedingten, so ist diese „bloße" Wirklichkeit Entzugs- und Bergungsform der „ideellen". Da das Ideelle gerade in der „nächsten Wirklichkeit" erscheint, dem Menschen aber in der Regel „zur Erkenntnis das Nächste nicht genügt"[65], bleibt ihm das darin Erscheinende meist verborgen. Das Bild des Apoll unter den Hirten Admets belehrt die Besucher der Pädagogischen Provinz, „daß, wenn die Götter den Menschen erscheinen, sie gewöhnlich unerkannt unter ihnen wandeln" (887).

Das göttliche Geheimnis der Natur schützt sich somit auf doppelte Weise: indem es sich nur mittelbar, als Manifestation, offenbart und so eigentliche Erkenntnis von vornherein ausschließt, und: indem es diese mittelbare Offenbarungsweise selbst noch zum Geheimnis, auch die bedingte Erkenntnis noch von der „Phantasie" des Betrachters „für die Wahrheit des Realen"[66] abhängig macht.

Wie diese Phantasie wirksam ist, wie sie „aufgeregt", „erweckt" (977) und doch auch wieder beeinträchtigt werden kann, zeigt das gemeinsame Naturerlebnis Wilhelms, des Malers, Hilaries und der Schönen Witwe auf dem Lago Maggiore.

Wilhelm werden hier durch den „gleichgestimmten, aber zu ganz andern Genüssen und Tätigkeiten gebildeten Freund", dessen „klugdichtender Wahrheitssinn" rühmende Erwähnung findet, „die Augen aufgetan" und „in gesprächiger Hindeutung auf die wechselnden Herrlichkeiten der Gegend, mehr aber noch durch konzentrierte Nachahmung . . . die Umwelt aufgeschlossen" (966 f.). Und auch Hilariens Malbegabung erfährt „durch das große, freie Talent . . . des Künstlers" entschiedene Förderung. Während sie sonst trotz eingeborner Fähigkeit und „fleißigster Ausführung" den „Charakter der Gegenstände" nie hinlänglich auszusprechen vermochte und sich aus Furcht, „den Gegenstand zu entweihen, . . . ängstlich . . . im Detail" verlor, faßt sie nun den Mut, nur einige „Hauptmaximen" zu befolgen und sich „weniger an die Teile als ans Ganze" zu halten. Sie gewinnt dadurch eine neue „Sicherheit des Striches" und der Komposition und empfindet in der „auf einmal verliehenen vollkommneren Darstellungsgabe" die „Wonne, . . . dem Unaussprechlichen näher zu treten" (976 f.). — „Und so schwammen die Freunde auf zierlichem Nachen von Ufer zu Ufer, den See in jeder Richtung durchkreuzend." So entging „ihnen weder Sonnenaufgang noch -untergang und keine der tausend Schattierungen, mit denen das Himmelslicht sein Firmament und von da See und Erde freigebigst überspendet und sich im Abglanz erst vollkommen verherrlicht" (966). — Indem die Kunst die Augen öffnet und die Erscheinungen als „Abglanz", als Zeichen für das „Unaussprechliche" verstehen lehrt, trägt sie wesentlich dazu bei, daß „die Natur" dem Menschen „das offenbare Geheimnis ihrer Schönheit entfaltet" (967).

Analoges leistet aber auch die rechte Wissenschaft: „Wie nah" das „wissenschaftliche Verlangen . . ., die lebendigen Bildungen . . . zu erkennen, ihre äußern sichtbaren, greiflichen Teile im Zusammenhange zu erfassen" und „als Andeutungen des Innern aufzunehmen", „mit dem Kunst- und Nachahmungstriebe zusammenhängt", schreibt Goethe in der Einleitung zur Morphologie[67], „braucht wohl nicht umständlich ausgeführt zu werden." Was er im dichterischen Bild des durch die Kunst gesteigerten Naturerlebens auf dem großen See zum Vorschein bringt, gilt für alle

Bereiche des Verhältnisses von Mensch und Natur: Überall führt „konzentrierte Nachahmung" weiter als bloßes „Ansehen". Überall erschließt erst der Blick auf das „Ganze" den „Charakter des Gegenstandes" und das offenbare Geheimnis in seinen „tausend Schattierungen". Immer empfindet man dabei, daß man „dem Unaussprechlichen" nur „näher ... treten", es aber nie erreichen kann, daß jeder Blick „entschieden gebietet, vor dem geheimnißvollen Urgrunde aller Dinge uns anbetend niederzuwerfen".[68]

Und stets ist das „Aufschließen der Umwelt" gleichbedeutend mit einem „Auftun der Augen", ist die Eröffnung des Geheimnisses abhängig vom bildenden und nachbildenden Organ des Betrachters: „Wie durch einen Zauberschlag" ist „für die Freunde ... das Paradies", das bislang nur begeistert gefeiert, „ausschließlich und lyrisch" anerkannt wurde (978), nach der unvermutet raschen Abreise der Damen „zur völligen Wüste gewandelt; und gewiß hätten sie selbst gelächelt, wäre ihnen in dem Augenblick klar geworden, wie ungerecht-undankbar sie sich auf einmal gegen eine so schöne, so merkwürdige Umgebung verhielten. Kein selbstsüchtiger Hypochondrist würde so ... scheelsüchtig ... gerügt und gescholten haben" (980).[69] „Das ist Italien, das ich verließ. ... Das ist Italien nicht mehr, das ich mit Schmerzen verließ."[70]

3. Bedingtes Erkennen

Das Gesetz, die Individualität und die Bedingung der Wechselseitigkeit

„Es ist etwas unbekanntes Gesetzliches im Objekt, welches dem unbekannten Gesetzlichen im Subjekt entspricht." „Was man Idee nennt", ist „das was immer zur Erscheinung kommt und daher als Gesetz aller Erscheinungen uns entgegentritt". „Das Zufällig-Wirkliche, an dem wir weder ein Gesetz der Natur noch der Freiheit für den Augenblick entdecken, nennen wir das Gemeine."

Was der bloßen Wirklichkeit dem Scheine nach abgeht und was die ideelle Wirklichkeit stiftet, ist das Gesetz.[71] Erst Erkenntnis des Gesetzes ist Erkenntnis der Natur als Manifestation. Jedem, der danach trachtet, „im Offenbaren das Verborgene" und „im Verborgenen das Offenbare wiederzuerkennen"[72], ist darum das Bemühen aufgegeben, „das Gesetz auch da zu sehen wo es sich uns verbirgt"[73] und „in der Erscheinung entziehen möchte"[74].

Wie aber kommt der Mensch zum Gesetz? Goethe sagt: nur indem er schon davon ausgeht, indem er das „unbekannte Gesetzliche" in sich selbst fruchtbar macht und nach außen wendet, um sich damit den Weg zum „unbekannten Gesetzlichen im Objekt" zu eröffnen; indem er das Gesetz „hervor bringt".[75] Denn da die Natur trotz ihrer Ureinheit mit dem Ich von diesem immer auch durch einen Abstand getrennt bleibt und nicht wie bei Novalis von selber osmotisch in die offene Seele strömen kann, ist „die Reproducktion der Welt um mich, durch die innre Welt . . . anfang und Ende" nicht nur „alles schreibens"[76], sondern auch aller Erkenntnis, ist das Walten-„Lassen" der „inneren und äußeren Natur" nicht nur passives Gewährenlassen, sondern für Goethe — ähnlich wie heutigentags für Heidegger — durchaus auch ein Akt: „Ehe Man Andern etwas darstelle, müsse man den Gegenstand erst in sich selbst neu producirt haben".[77] „Die Anschauenden verhalten sich schon produktiv".[78] „Nur solchen Menschen, die nichts hervorzubringen wissen, denen ist nichts da".[79]

Produktion ist die einzig mögliche Form der Rezeption. Und Gesetzgebung ist darum die einzig mögliche Form der Gesetzerkenntnis.

Wenn Goethe den „gesetzgebenden" Künstler dem „gesetzlosen" — und nicht etwa dem gesetzempfangenden — entgegenstellt[80], dann bringt er eben damit zum Ausdruck, daß Gesetzgebung und Gesetzerkenntnis für ihn auf der höchsten Ebene identisch sind, daß nur der Mensch, der gesetzgebend „auftritt", auch imstande ist, „der Natur ihr Verfahren abzulauschen".[81] Sein „ganzes inneres Wirken" bezeichnet Goethe darum in „Kunst und Altertum" „als eine lebendige Heuristik, welche eine unbekannte geahnte Regel anerkennend, solche in der Außenwelt zu finden und in die Außenwelt einzuführen" trachte.[82] „Die Natur natürlich anzuschauen, sich ihr zu ergeben, ihre Gesetze zu erkennen und ihr solche naturmenschlich wieder vorzuschreiben"[83], bleibt ihm allezeit das größte Geheimnis und die größte Kunst des Erkennens.

Gerade dem „Genie", das doch mehr als alle anderen „Gesetz und Regel gibt"[84], erkennt er darum in den „Wanderjahren" auch den größten „Respekt" vor Gesetz und Regel zu: „Was uns aber zu strengen Forderungen, zu entschiedenen Gesetzen am meisten berechtigt, ist: daß gerade das Genie, das angeborne Talent sie am ersten begreift, ihnen den willigsten Gehorsam leistet" (991). Und dieser Gehorsam, entwickelt er an anderer Stelle, tue doch der „eingebornen Individualität", „der eigentlichen Grundbestimmung, demjenigen was man Charackter nennt", nicht „im mindesten Eintrag". Im Gegenteil: er „erhebe" sie „vielmehr . . . erst recht"[85], und „je grösser die Individualität" sei, desto „glücklicher" sei „die Nachahmung der Natur"[86]. Eben das Bestreben, sich selbst, nach seiner „Weise, soviel als möglich auszubilden", dient Goethe dazu, „an dem Unendlichen, in das wir gesetzt sind, immer reiner und froher Antheil" zu nehmen.[87]

Auch in der Kommunikation mit der Natur ist somit die Individualität, die eine eigentliche Mitteilung unmöglich macht, zugleich die Bedingung der bedingten. Auch hier geht es darum, „dasjenige, was ein anderer ausgesprochen" — was die Natur uns zugesagt —, „aus sich selbst" zu entwickeln. Auch hier kann „wahre Mitteilung" nur „wechselseitig" sein.

Nicht die kalte Spiegelung der Objekte, wie Jean Paul es mißverstand[88], nicht die Eliminierung des Subjekts, sondern diese Wechselseitigkeit ist es, die Goethes Denken „gegenständlich" macht.[89]

Der Stufen- und Kreisweg des Erkennens

Die Gesetzgebung erschließt die Wirklichkeit als Manifestation, erhebt den Gegenstand aus seiner „herkömmlichen Gleichgültigkeit" auf die ihm zukommende „bedeutende Höhe"[90] und macht ihn, da Gesetze immer etwas Allgemeines sind, dabei zugleich zum „Fall". „Das wohlgesehene Besondere", schreibt Goethe, könne „immer für ein Allgemeines gelten".[91] Beim „Weg", der vom lebendig gefaßten Besonderen ausgehe, werde das Allgemeine „mitgewonnen".[92]

Das Bild des Weges deutet an, daß diese Gewinnung nicht unvermittelt, weder durch blindes Haften an der Realität noch durch ihr geschwindes Überspringen, sondern allein durch ein schrittweises Fortschreiten, erfolgen kann.

Dem Mann von fünfzig Jahren fallen einige Lieblingskupferstiche auf, die man aus anderen Zimmern zu ihm herüber gehängt hat; „und da er einmal aufmerksam geworden" ist, sieht „er sich bis auf jeden einzelnen kleinen Umstand versorgt und geschmeichelt" (899). Dem Farbenlehrer fallen am Einzelphänomen farbige Schatten auf, „die er denn, da er sie einmal bemerkt hat, überall gewahr wird".[93]

Das aufmerksame Erfassen des Einzelnen, seine Erhebung aus herkömmlicher Gleichgültigkeit, weist von selbst ins Feld des Verwandten und Analogen. Indem das Besondere „vollkommen sich selbst darstellt, deutet es auf das Übrige".[94] Einsicht führt zur Umsicht.

Indessen, auch das Umgekehrte gilt: Umsicht führt zur Einsicht. Denn das Analoge deutet auch zurück, es wirft nach dem Gesetz der Spiegelung seinerseits ein erhellendes Licht in das Besondere hinein, von dem man ausging, und hilft, dessen Eigenart genauer und schärfer zu bestimmen. Das „Gesetz der Spiegelung" und das „Gesetz der Analogien" sind für Goethe aufs engste verwandt.[95]

So charakterisieren sich ihm zwei Münzköpfe durch bloße Gegenüberstellung: Die „Medaille auf Ariost ... zeigt eine sehr schöne, freye und glückliche Bildung. Wie zart, ja man möchte sagen, wie schwach er aber ist, sieht man nicht eher, als bis man ihm einen Tyrannen" (Domitian) „gegenüberlegt. ... die beiden Gesichter besahen sich einander wirklich wie über eine Kluft von mehreren Jahrhunderten."[96] So projektiert er den Zyklus der dreizehn alt- und neutestamentlichen Figuren in größter „Mannigfaltigkeit der Gestalten und doch immer gewissermaßen paarweise, sich aufeinander beziehend ...: Adam auf Noah, Moses auf Matthäus, Jesaias auf Paulus“ etc., und in der ausdrücklichen Absicht, durch „solche Kontraste ... auf eine zarte, kaum den Augen bemerkbare Weise die Idee“ darzustellen.[97] Und so aufeinander beziehend, vergleichend und gegenüberstellend verfährt Goethe überhaupt.

Ob er den Menschen an seine Mitmenschen verweist, damit er „an ihnen, wie an so viel Spiegeln,“ über sich selbst und sein „Inneres deutlicher“ werde[98], ob er Granitarten, Farbbrechungen, Entenmuscheln oder fossile Stiere vergleicht, überall ist er überzeugt, daß wir uns einen „deutlichen Begriff“ des Gegenstandes nur machen können, wenn wir ihn „in Beziehung auf sich selbst *und* in Verhältnis mit andern betrachten“[99]. „Ich ließ die Fakta isoliert stehen, aber das Analoge sucht' ich auf“, beschreibt er selbst seine Methode[100]; „daß eins auf das andere“ hindeute, wird ihm „immer augenfälliger“[101].

Eben dies Aufmerken auf die Bezüge, das reflektierende Hin- und Widersehen, das dem Einzelnen Profil verleiht, öffnet aber zugleich den „Weg“ ins Allgemeine.

„Wenn man die verschiedensten isolirt scheinenden Phänomene in methodischer Folge darzustellen bemüht ist“[102], deuten sie nicht nur „eins auf das andere“, sondern auch auf „das Weitere“[103], auf ein höheres[104], allgemeines Prinzip hin, welches sie „vor den Augen des Forschers“ zu einer „Art Organisation“ zusammenschließt[105]. „Das, was wir in der Erfahrung gewahr werden“, heißt es in einer der grundsätzlichen Betrachtungen der Farbenlehre[106], „sind meistens nur Fälle, welche sich mit einiger Aufmerksamkeit unter allgemeine empirische Rubriken bringen lassen. Diese subordinieren sich abermals unter wissenschaftliche Rubriken, welche weiter hinaufdeuten“. Und „von nun an fügt sich alles nach und nach unter höhere Regeln und Gesetze“. Indem uns „fortschreitende Naturbetrachtung und Naturerkenntnis ... etwas Verborgenes entdecken“ und zugleich immer „auf etwas noch Verborgeneres aufmerksam machen“[107], führen sie zuletzt zu einem „Hochpunkt“ der Übersicht[108], von dem aus man „rückwärts die Erfahrung in allen ihren Stufen überschauen und vorwärts ins Reich der Theorie, wo nicht eintreten, doch einblicken“ kann[109], wo man „das Eine, wo alles herstammt, schauen und verehren“, wenn auch nicht begreifen lernt[110].

Auf diesem Hochpunkt wird dem Menschen klar, daß „eine innere und ursprüngliche Gemeinschaft *aller* Organisation zum Grunde“ liegt[111], daß die „nach allen Seiten . . . unendliche“ Natur mit all ihren Gegensätzen „doch immer . . . Eins“[112]. „Alle Menschen machen die Menschheit aus“ und „alle Kräfte zusammengenommen die Welt“ (641). Wie sich die Menschen vom Individuum über die Gemeinschaft und „Gemeinschaft der Heiligen“ zur Menschheit integrieren, so die Naturerscheinungen von der species über die genera und familias zur Welt[113].

Dieser Stufenweg ist es, den Montan als Weg des „Lesenlernens“ beschrieb. „Das Nachbuchstabieren“ der „Buchstaben der Natur“, „ein genaues und tiefes Studium der Gegenstände“, „der Eigenschaften der Dinge“ und „der Art, wie sie bestehen“, sowie das Vermögen, „die verschiedenen charakteristischen Formen nebeneinander zu stellen“, und die Übersicht über „die Reihe der Gestalten“, aus denen man sich „Wörter bildet“ — das sind überall die unerläßlichen Vorbedingungen und Vorstufen zum höchsten Grad menschlicher Bemühungen: zur Entwicklung „einer allgemeinen Sprache“, zur Entzifferung des „eigentlichen Sinns“.[114] „Die einfache Nachahmung“, resümiert schon der eben aus Italien zurückgekehrte Goethe im Hinblick auf den Bildungsgang des Künstlers, „arbeitet . . . im Vorhofe des Stils. Je treuer, sorgfältiger, reiner sie zu Werke gehet . . ., je mehr sie sich dabei zu denken gewöhnt, das heißt, je mehr sie das Ähnliche zu vergleichen, das Unähnliche voneinander abzusondern und einzelne Gegenstände unter allgemeine Begriffe zu ordnen lernet, desto würdiger wird sie sich machen, die Schwelle des Heiligtums selbst zu betreten.“[115]

Der Gang Wilhelms durch die „Heiligtümer“ der Pädagogischen Provinz, der seinem Gang durch die Gemächer des Oheims so ähnlich sieht, kann als vollkommenes Gleichnis dieses Erkenntnisweges verstanden werden. Die reichlich ausgezierte Vorhalle, die Bilder-Folge der anschließenden Galerie, die Entlegenes als „Gleichbedeutendes" und „Gleiches Deutendes" zusammenbringt, so daß „manche neue Ansichten" daraus entspringen, die weniger mannigfaltigen Gegenstände des „Innern", die aber „desto einladender" sind, „den tiefen stillen Sinn zu erforschen", und das eine, abgesondert stehende Allerheiligste (886 ff.) — sie entsprechen aufs genaueste den Stufen, die der Naturbetrachter vom Mannigfaltigen zum Einfachen zurückzulegen hat. Und die Gradation des Eröffnens, mit der man den Eingelassenen nur dem jeweiligen Stand seiner Prämissen entsprechend weiterführt oder abweist, läßt darauf schließen, daß auch die Natur das Maß ihrer Offenheit von den individuellen Voraussetzungen des Forschenden abhängig macht, daß auch sie dem Betrachter selber anheimstellt, sich zum Betreten der „Schwelle des Heiligtums" würdig zu machen. Die *„Natur* . . . ist immer wahr, . . . hat immer Recht, und die Fehler und Irrthümer sind immer des Menschen. Den Unzulänglichen verschmäht sie, und nur dem Zulänglichen, Wahren und Reinen ergiebt sie sich und offenbart ihm ihre Geheimnisse."[116]

Und doch mündet dieser Stufengang auch für den Würdigsten und Zulänglichsten nicht im Allerheiligsten selbst, sondern „wieder in der ersteren Halle des Eingangs" (891 f.), in jener Vor- und Nachhalle, die das offenbare Geheimnis birgt, indem sie es als Nächstes vor Augen stellt[117]. „Ich hoffte, . . . Ihr würdet mich ans Ende führen, und" Ihr „bringt mich wieder zum Anfang", protestiert Wilhelm. Der Strebende wird gewahr, daß er wohl „in dem ganzen labyrinthischen Kreise des Begreiflichen glücklich umher geleitet", aber doch immer nur „bis an die Gränze des Unbegreiflichen geführt" werden kann[118], daß es in der Welt „kein Erstes und Letztes gibt"[119], daß jedes Hinaufdeuten auch ein Zurückführen ist.

Die gesetzliche Gliederung der Welt bedingt den Stufengang, die Anfangs- und Endlosigkeit der Welt den Kreisweg des Erkennens.

Wie Faust veranlaßt wird, „wieder nach der Erde“ hin zu „blicken“[120], wie sich der Granitforscher gedrängt fühlt, nach „schweifender Betrachtung . . . die Felsen selbst“ sich anzuschauen[121], so muß man überhaupt vom Allgemeinsten zum Besonderen zurückkehren. „Aus dem Ganzen“ wird man „in's Einzelne und aus dem Einzelnen in's Ganze getrieben, man mag wollen oder nicht.“[122] Das „Gewahrwerden großer productiver Naturmaximen“, schreibt Goethe in einem der letzten Briefe an Wilhelm von Humboldt, „nöthigt“ uns durchaus, „unsre Untersuchungen bis in's Allereinzelnste fortzusetzen; wie ja die letzten Verzweigungen der Arterien mit ihren verschwisterten Venen ganz am Ende der Fingerspitzen zusammentreffen.“[123]

Es sind darum nicht Widersprüche, sondern notwendige Korrelationen, wenn Goethe einerseits immer wieder betont, daß er nach seiner „Art, die Gegenstände der Natur anzusehen und zu behandeln, von dem Ganzen“[124], der „Einheit“, dem „Allgemeinen“[125] auszugehen habe, und andererseits ebenso oft deutlich macht, daß ihn nur „das Individuelle in seiner schärfsten Bestimmung“ interessiere[126], daß er, seiner „Natur nach“, die Erscheinungen „gewaltsam . . . isolieren“ (1050 BdW) und das „Besondere suchen“[127] müsse.

Denn nur im Besonderen ist ihm das Allgemeine überhaupt „realisiert“ und „lebendig“.[128] Daß „die höchste und einzige Operation der Natur und Kunst die Gestaltung sey, und in der Gestalt die Specification, damit jedes ein besonderes bedeutendes werde, sey und bleibe“ (s. o. 111), war seine Grundüberzeugung. Nichts sei „der Natur gemäßer“, heißt es in den Notizen zur Spiraltendenz, „als daß sie das, was sie im Ganzen intentionirt, durch das Einzelnste in Wirksamkeit setzt“.[129] — Und nichts ist ja auch *uns* gemäßer: Das „als eine Art von Abstraktum“ angesehene Eine und Ganze[130] müßte, da wir „auf Ausdehnung und Bewegung angewiesen“ sind, „vor unserm äußern und innern Sinn“ verschwinden (1239 MA) und gänzlich unerkennbar bleiben. Nur konkret, in „begrenzten, bedingten“ besonderen „Bildern“, in den „rebus singularibus“, wie Goethe dem so wesensfremden Jugendgenossen Jacobi schreibt[131], kann es zur Erscheinung kommen. Besonderheit ist die Erscheinungsform der Allgemeinheit, Vielheit die Erscheinungsweise der Einheit. „Was ist das Allgemeine? Der einzelne Fall. Was ist das Besondere? Millionen Fälle.“ (1049 BdW)

Weil „das ewig Eine . . . *sich*“ nur „vielfach offenbart“[132], kann *uns* die Natur den „Einen Gott“ auch nur „im Vielgebilde“ offenbaren (997).

Diese letzte Vertiefung der Einsicht ins Einzelne ist aber allein aus der Übersicht über das Ganze zu gewinnen. Denn erst wenn man einmal auf der „empirischen Höhe“[133], an der „Gränze des Unbegreiflichen“ gestanden und von da „rückwärts die Erfahrung in allen ihren Stufen“ überschaut hat, wenn man diese Stufen „wie . . . vorhin“ hinauf- „bis zu dem gemeinsamsten Falle der täglichen Erfahrung“ wieder hinuntergestiegen ist[134], ist die „millionenfache Hydra der Empirie“[135] überwältigt und das „verworrne Gedräng von Gegenständen“[136] organisiert. Erst wenn man die unbekannte, immer schon geahnte Regel im Ganzen „aufgefunden“ hat, ist man recht befugt, sie auch in die mannigfaltige Außenwelt „einzuführen“ und sie auch dem einzelnen Besonderen „naturmenschlich wieder vorzuschreiben“. — So wie wir ja auch in der Kunst, „wenn wir erst das allgemeinste ideellste Streben gewahr wurden . . ., nicht etwa nebenan, sondern mit dem Höhern verkörpert, auch das Besonderste, Natürlichste, Gemeinste aufgefaßt und überliefert sehen“.[137]

Nachdem die Erkenntnis der „Gesetzlichkeit . . ., der zu gehorchen tausende von Einzelnheiten genöthigt sind“[138], die Verwirrung durch „die tausendfältige Mischung“[139] gehoben hat, ist auch der Blick dafür geöffnet, „daß ein Fall oft tausende wert ist, und sie alle in sich schließt“[140], daß auch „in dem einzelnen Falle das Gesetz“ wirksam ist[141].

4. Erkannte Manifestation

Das Symbol als das Bedeutende

„Die Symbolik verwandelt die Erscheinung in Idee, die Idee in ein Bild, und so, daß die Idee im Bild immer unendlich wirksam bleibt und, selbst in allen Sprachen ausgesprochen, doch unaussprechlich bliebe.“[142] „Das ist die wahre Symbolik, wo das Besondere das Allgemeine repräsentiert, nicht als Traum und Schatten, sondern als lebendig augenblickliche Offenbarung des Unerforschlichen.“[143]

Die erkannte Manifestation, das durch „erweiterte Übersicht“ und „tiefere Betrachtung“[144], durch Gesetzgebung und Gesetzentnahme erschlossene „höhere“ und „ideell“ Reale, trägt bei Goethe den Namen „Symbol“. Die Maximen: „Alles, was wir gewahr werden und wovon wir reden können, sind nur Manifestationen“, „alles Vergängliche ist nur ein Gleichnis“, und: „Alles, was geschieht, ist Symbol“[145], „alle unsere Erkenntnis ist symbolisch“[146], bezeichnen ein und denselben Zusammenhang. „Natura infinita est, / sed qui symbola animadverterit / omnia intelliget / licet non omnino.“[147]

Darum bekennt Goethe, daß er sich nach seiner „Art zu forschen zu wissen und zu genießen . . . nur an Symbole halten“ dürfe.[148] Und in der Tat: Menschen, Tiere, Pflanzen und Mineralien, Plastiken, Bilder und Dichtungen, Theater, Messen und Kongresse, bestimmte Tage, Wochen oder Badaufenthalte, alltägliche oder katastrophale Ereignisse — es gibt kaum etwas, was Goethe nicht „symbolisch“, als Gleichnis sich immer „wiederholender“ Verhältnisse, hätte verstehen können.[149]

Daß es ebenso kaum etwas gibt, was er nicht gelegentlich „bedeutend“ genannt hätte, ist kein Zufall. Denn als Einzelfall ist das Symbol individuell, „charakteristisch“ und „sich selbst gemäß“[150]; als „Repräsentant von vielen andern“[151] ist es vielsagend, vielbezüglich und hinweisend; als offenbares Geheimnis ist es verhalten „sprechend“ und „ahnen lassend“; als Manifestation ist es wichtig und eminent: Und mit all diesen Aspekten ist es stets auch „bedeutend". Das „Symbolische" und das „Bedeutende" gehören für Goethe, und besonders für den späten Goethe, zusammen.[152] Beides läßt — wie der Begriff des „Heiligen" in seiner Jugend — „keine unaktiven Stellen" frei[153]: Da sich das Göttliche in allem Wirklichen manifestiert, „wiederholt sich alles Bedeutende im großen Weltgange", und „der Achtsame bemerkt es überall".[154]

So hindert uns gerade die Bedeutungsfülle des Symbols daran, ein für allemal bei ihm zu verharren. So treibt uns gerade sein Bezugsreichtum wieder in die vorgezeichnete Bahn des Erkennens, von der Einsicht zur Umsicht und zur Übersicht. Der Zirkel ist nicht zu unterbrechen. Je deutlicher das Einzelne als Manifestation erkannt wird, desto vielbezüglicher und „hindeutender" wird es auch, desto entschiedener regt es „ähnliches und fremdes" in unserem Geiste auf[155].

Gerade „auf der bedeutenden Höhe", auf die man den Gegenstand aus seiner „herkömmlichen Gleichgültigkeit" erhebt, wird er auch zum „Spiegel" (811).

Das Bedeutende als „Weltspiegel" und die Weltfigur der Analogie

Es ist aufschlußreich, daß Goethe im Zusammenhang mit dem Symbol einmal vom „Weltspiegel" spricht.[156] Kein Gleichnis könnte die Vielbezüglichkeit der bedeutenden Erscheinungen vollständiger zur Anschauung bringen.

Als Weltspiegel, die — jeder an seiner Stelle — das Urlicht reflektieren, die sich gegenseitig dies reflektierte Licht zuwerfen und die doch alle zusammen in den Einen Brennpunkt zurückwirken, zeigen alle Erscheinungen verschiedene Bilder: *„Die Art zu seyn* der Dinge ist auf eine unglaubliche und geheimnißvolle Weise bestimmt und umschrieben"[157]; sie stehen „bedeutend von einander" ab.[158] Diese Verschiedenheit ist aber allein durch die Differenz ihrer Standorte bedingt: „Das Besondere ist das Allgemeine unter verschiedenen Bedingungen erscheinend"[159]; „wie denn für die ganze Naturwissenschaft dasjenige als verschieden in die Wirklichkeit tritt, was der Möglichkeit nach eins und dasselbe gewesen wäre."[160]

Darum unterstehen auch die absonderlichsten Fälle „im allerhöchsten Sinne" noch der „Regel"[161], darum können auch die gegensätzlichsten einander nie widersprechen, verdrängen oder gar ausschließen: Im „Universum ist nichts oben noch unten", gibt es „kein Erstes und Letztes"; „alles fordert gleiche Rechte an einen gemeinsamen Mittelpunkt, der sein geheimes Dasein eben durch das harmonische Verhältnis aller Teile zu ihm manifestiert." Alle Manifestationen sind nur verschiedene Aspekte desselben, und alle sind deshalb miteinander „verwandt"[162] — auch „die allerentferntesten"[163]:

Denn gerade, wenn sie „sich im offenbaren Gegensatz auseinander sondern und sich entschieden gegen einander über stellen", sind sie disponiert, „sich in einem höhern Sinne wieder zu vereinigen"[164] und „eine Totalität" hervorzubringen.[165] Und gerade ihr Abstand stiftet die Bezüge, die „das unbekannte Zentrum" der Natur[166] „in die Mitte fassen"[167], macht ihre Bedeutungsstrahlen — wie im Paradox der Menschensprache — zu geometrischen Örtern des Unendlichen.

Nur durch seine Individualität partizipiert jeder Mensch an der Menschheit und jeder Gegenstand an der Welt. „Gleich sei keiner dem andern, doch gleich sei jeder dem Höchsten! / Wie das zu machen? Es sei jeder vollendet in sich!"[168]

So ist denn „alles ... gleich" *und* „ungleich" (1234 MA), alles „gesondert und verknüpft" — alles allem „analog": das Bedingte — auch der Mensch — dem Unbedingten, das Bedingte — auch die Menschen — untereinander, und darum auch die Menschen als Erkennende ihrem Erkenntnisgegenstand. „Jedes Existierende ist ein Analogon alles Existierenden". Die Analogie ist, so verstanden, der Grundbezug der Welt.

Sie ist es, die „das Zusammenstimmende ... vereinigt", die uns durch „umsichtige Einbildungskraft" zur Übersicht über das Ganze führt und schließlich auch das Einzelne „symbolisch", als

„Repräsentanten", zu verstehen erlaubt: „omnia . . . licet non omnino", „nicht alles . . . aber doch das Analoge" (1265 MA).

Sie ist es aber auch, die uns, da „sie eigentlich nichts Letztes will", die „letzte" Identifizierung, die „eigentliche" Mitteilung, überall verwehrt. „Der analoge Fall stellt sich einem andern entgegen, ohne sich mit ihm zu verbinden". Jede „Erklärungsweise" der Erscheinungen, auch „die analogste"[169], kann eben doch immer nur analog, annähernd[170] und gleichnisweise[171], sein.

Denn mehr als Widerschein und Abglanz ist dem Menschen nirgendwo vergönnt. Nur auf der Oberfläche der Erscheinungen, als Spiegel-Bild, ist die Tiefe des Unendlichen für ihn eingefangen, ist „die Lehre"[172] überliefert. Den Spiegel „umzuwenden, um zu sehen, was auf der anderen Seite ist"[173], wäre ein kindliches und aussichtsloses Unternehmen.

Die Menschheit als Erkenntnisorgan

Alles ist allem analog, alles ist im großen Weltzusammenhang bedeutend. Und doch kann dem Menschen immer nur Einzelnes bedeutend werden, kann er immer nur „eine Manifestation des Urwesens oder wenige" erkennen; „und das ist schon genug."[174] Denn als Einzelner ist er von außen wie von innen aufs Einzelne angewiesen. Von außen durch die Natur, die das Ganze „nur durch das Einzelnste in Wirksamkeit setzt", die nur in der Besonderheit erscheint; von innen durch seine eigene Bedingtheit und Individualität.

„Wir kommen ja, als Individuen, niemals ganz von einer Seite los". „Jeder Mensch muß nach seiner Weise denken"[175]; und „wer das Vortreffliche leisten will, das nach allen Seiten unendlich ist, soll es nicht, wie Gott und die Natur wohl thun dürfen, auf mancherlei Wegen versuchen."[176]

So wie der Einzelne im zwischenmenschlichen Bereich jeden Anspruch auf unbedingte Allgemeinheit aufgeben muß, wenn er überhaupt „zu etwas kommen will", so muß er auch bei Betrachtung der Natur dem Wunsch der Allseitigkeit entsagen. Und so wie dort ebendiese Entsagung zur Einordnung in den „Verband" aller Menschen verhilft, so weist sie auch hier den Einzelmenschen an seine Mitmenschen:

„Der einzelne ist sich nicht hinreichend", verkündet Lenardo in seiner programmatischen Rede, er „kann zu einer vollkommenen Klarheit . . . nicht gelangen. . . . Alle brauchbaren Menschen sollen" sich „in Bezug untereinander . . . in einem Weltbunde begriffen ansehen" (1154 f.). „In einem Individuo alles zu genießen"[177], ist überall unmöglich. Nur „sämmtliche Menschen leben das Menschliche", und „nur sämmtliche Menschen erkennen die Natur".[178] „Die himmlischen und irdischen Dinge sind ein so weites Reich, daß die Organe aller Wesen zusammen es nur erfassen mögen."[179]

Denn gerade das, was die Schwierigkeit des Verstehens in der zwischenmenschlichen Mitteilung ausmacht: die Differenz der Prämissen und Blickrichtungen, die Individualität der Gegenstandsbestimmung und die Verschiedenheit der „Sprachen": das ermöglicht hier seine Totalität. „Indem alles Urtheil aus den Prämissen entspringt, und, genau besehen, jedermann von besonderen Prämissen ausgeht, so wird im Abschluß jederzeit eine gewisse Differenz bleiben, die . . . erst recht von der Unendlichkeit des Gegenstandes zeugt".[180] Indem sich jeder Einzelne mit dem ihm „Beschiedenen" bescheidet[181] und das ihm Zugesagte nachzufühlen sucht, ordnet er sich schon wie die Künstler in der Pädagogischen Provinz in den Gesamtkreis der möglichen Aspekte ein. Und wenn sich auch jeder Bedingte an seiner bedingten „Stelle" nur an einen der Weltspiegel „oder wenige" halten kann, so wirken sie doch alle zusammen wieder in das „unbekannte Zentrum" der Natur und fassen es als „Problem"[182] zwischen den „Meinungen" und „Denkweisen" in die Mitte. — Darum ist die ganze Natur nur „der ganzen Menschheit zugeteilt"[183], und darum ist umgekehrt die ganze Menschheit das allein angemessene Erkenntnisorgan für die ganze Natur.

Individualität *und* Gemeinschaft der Menschen erhalten so ihre letzte Legitimation aus dem Brennpunkt der Einen, überirdischen, göttlichen Wahrheit und aus ihrer Erscheinungsweise in der Natur: Die Besonderheit fordert die Einseitigkeit der Einzelmenschen, die Vielfalt die Integration zur Gesamtmenschheit.

In diesem Zusammenhang hat schon Georg Simmel das Erkennen „ein kosmisches Ereignis“ genannt und von „Spiegeln“ gesprochen.[184]

5. *Bedeuten als Mitteilungsart der Natur*

Die Fragen nach den Möglichkeiten der Erkenntnis des Unendlichen und der Erkenntnis überhaupt, die anläßlich Wilhelms Erlebnis auf der Sternwarte zu stellen waren, lassen sich nun ineins beantworten.

Wenn der Mensch seine eigene Individualität ausbildet und sich so, bewußt oder unbewußt, in den Betrachterkreis der ganzen Menschheit einfügt, wenn er den Abstand zu aller Umwelt anerkennt und über diesen Abstand hinweg dennoch das Analoge zu ergreifen sucht, wenn er dieses einzelne, bedingte Analoge im Stufen- und Kreisweg gesetzgebender Gesetzerkenntnis „symbolisch“, als Repräsentanten von vielen anderen, verstehen lernt — dann erkennt er auch die Idealität der Wirklichkeit und damit die Manifestation des Göttlichen in dieser Welt, dann nimmt er im Vergänglichen das Unvergängliche, im Endlichen auch das Unendliche wahr. Das heißt, er versteht dann auch in der Aufnahme der Naturmitteilung „paradoxerweise“ nicht mehr nur das Ausgesagte, sondern gerade das Unausgesagte kraft dieses Ausgesagten.

Denn das ist deutlich geworden: Die Sprache der Natur kann wie die der Menschen „niemals unmittelbar“ und „identisch“, sondern immer nur „annähernd“, „andeutend“ und „im Widerscheine“ ausdrücken, was sie eigentlich „intentioniert“. Und sie muß sich dabei wie die der Menschen in bestimmte, abgelöste und eingeschränkte Formen spezifizieren, „um etwas zu sagen“ und „zu bedeuten“[185]. Form und Annäherung sind auch ihre Hauptcharakteristika, und Form und Annäherung sind auch bei ihr im Wechselbezug simultaner Gegensätze, im Paradox des offenbaren Geheimnisses vereint. Spiegel und Gegenspiegel, Schein und Widerschein deuten „auf die Stelle hin“. Jeder Punkt auf der Weltkugel liegt in einem Großkreis, der ihn mit seinem Antipoden verbindet und dessen Zentrum das Zentrum der Welt ist. — Diese Analogien sind es, die Goethe überhaupt dazu vermochten, den Begriff der „Sprache“ so selbstverständlich und entschieden auf die Erscheinungsweise der Natur zu übertragen.

Daß die Natur mit dieser paradoxen „Sprachhaltung“ zugleich aufs genaueste und reinste jener Mitteilungsart entspricht, die in abgekürzter Redeweise „das Bedeuten“ genannt wurde, möchte sich nach alledem von selbst verstehen. „Also wiederholt sich alles Bedeutende im großen Weltgange“, und „der Achtsame bemerkt es überall“. „Die Natur“ ist „überall bedeutend“, „sprechend“, und „dem Aufmerksamen ist sie nirgends tot noch stumm“[186].

Potentiell ist die Natur immer und überall zur Antwort bereit. Allein am Menschen liegt es, sie für sich zum Sprechen zu bringen; allein der Reflex aus dem Aufnehmenden gibt ihrer Mitteilung den erschlossenen oder verschlossenen Charakter. Und nur „wenn in dem Theilnehmenden dessen eigenes Grundprincip aufgeregt wird, nach individueller Art und Weise“, kann sich „eine Annäherung an“ das Mitgeteilte „ergeben“.

Auch die Natur macht einem jeden nur das zugänglich, was ihm zuträglich ist: die Buchstaben, die Worte oder eine Ahnung des eigentlichen Sinnes. Und auch sie fordert dabei die Selbsttätigkeit und ist im höchsten Maße maieutisch: „Nur solchen Menschen, die nichts hervorzubringen“ — aus sich selber zu entwickeln — „wissen, denen ist nichts da“.

Darum gibt es denn auch bei der Deutung des Buches der Natur so viele Deutungsweisen, wie es Deutende gibt. Seine unausschöpflichen und „unaussprechlichen“ Symbole erschließen immer neue Dimensionen, je nach der Einsichtsstufe des Lesenden. Die „Weltspiegel“ reflektieren immer anders, je nach dem Betrachterstandpunkt. Die „hohe Lehre“ muß sich auch hier hundert- und tausendfältig „modifizieren“.

Das gelassene, selbstverständliche und allumfassende Bedeuten der „großen, leise sprechenden Natur“ ist das unerreichbare Urmodell allen Bedeutens. Auch der bedeutenden Dichtung.

IV. BEDEUTEN ALS MITTEILUNGWEISE DES WERKS

> Alles ist einfacher, als man denken kann, zugleich verschränkter, als zu begreifen ist.[1]

1. Die Problematik der Mitteilung und die Struktur der Dichtung

Wilhelms Brief an Natalie als Abbild des Romans

Im 11. Kapitel des 2. Buches der „Wanderjahre“ (1011—1028) steht ein Brief, der für die Entschlüsselung ihrer ungewöhnlichen Bauweise von großem Nutzen sein kann. Er wiederholt nämlich nicht nur in seinem kleineren Rahmen mit seltener Genauigkeit die Struktur des Ganzen: die Verschiedenheit der Erzählebenen und Erzähltempi, die kontrastreiche Verschränkung trockener Referate, dichter Erlebnisschilderungen, gelassener Betrachtungen und knapper Maximen —, er reflektiert auch in fortlaufenden redaktionellen Zwischenbemerkungen auf diese Struktur und bringt so ihren Sinn und Zusammenhang in mancher Hinsicht prägnanter als das Gesamtwerk zur Erscheinung, welches denn doch, „ungeachtet seiner Einheit“, nur „schwer auf einmal zu übersehen ist“[2].

Bereits der Eingang des Briefes ist bedeutend: „Schon Tage geh ich umher und kann die Feder anzusetzen mich nicht entschließen; es ist so mancherlei zu sagen . . .“. Er zeigt den Schreiber in jenem merkwürdigen Zwiespalt zwischen Mitteilungsbedürfnis und Mitteilungshemmung, der auch beim späten Goethe selbst und auch in seiner Herausgeberrolle in den„Wanderjahren“ so oft und so charakteristisch hervortritt: „Gar oft komme ich in Versuchung, dir von meinen Zuständen ... einige Notiz zu geben, dann aber steh ich wieder an." „Merkwürdige Resultate ... möcht' ich wohl oft aufzeichnen, dann laß ich's wieder gut sein" (s. o. 87). — „Hier aber wagen wir nicht weiter zu gehen ... Doch sagen wir so viel ..." (s. o. 81). „Enthalten aber können wir uns doch nicht, ferner einiges zu erwähnen" (s. o. 63).

Es hat sich gezeigt, daß diesem Zwiespalt die fundamentale Aporie von Mitmenschlichkeit und Einzelmenschlichkeit, von Naturnotwendigkeit und „eigentlicher" Unmöglichkeit der Mitteilung zugrundeliegt, aus der alle Schwierigkeiten bedingten Mitteilens erwachsen. Und es ist deutlich geworden, daß dem Bewußtsein dieser Schwierigkeiten eine ganz bestimmte, ebenfalls sehr bewußte Art des Mitteilens entspricht, die dosiert und abmißt, voraussetzt und zurückhält und sich immer auch die Reaktion des Aufnehmenden vergegenwärtigt.

So ist es auch hier. Wilhelm gibt sich Rechenschaft von der Problematik seines Unternehmens: „Das ist nun das Traurige der Entfernung von Freunden, daß wir die Mittelglieder, die Hülfsglieder unserer Gedanken, die sich in der Gegenwart so flüchtig wie Blitze wechselseitig entwickeln und durchweben, nicht in augenblicklicher Verknüpfung und Verbindung vorführen und vortragen können. Hier also zunächst eine der frühsten Jugendgeschichten." (1013) — Daß sich das, was augenblicklich und im ganzen in ihm da ist, nicht auch ebenso augenblicklich und im ganzen überliefern läßt, daß es eines „Zunächst" und Alsdann bedarf, das die innere Totalität auflöst und das Zusammengehörige sondert, wird ihm gerade angesichts der notwendigen Schriftlichkeit seiner Mitteilung klar. „Im Leben greift so vieles übereinander, was in der Geschichte sich nur hintereinander darstellen läßt und da wills nicht immer recht passen."[3]

Und immer wieder kommt er in Selbstkommentaren, die ihn zugleich mit dem Leser ins Verhältnis setzen, auf diese Grundproblematik zurück: „... mündlich fügte sich wohl eins ans andere ...; laß mich daher, den Entfernten, nur mit dem Allgemeinsten beginnen, es leitet mich doch zuletzt aufs Wunderliche, was ich mitzuteilen habe." „Indem ich dich nun veranlasse, diese artige Geschichte wieder zu lesen, muß ich bekennen, daß sie nur im weitesten Sinne hierher gehört, jedoch mir den Weg bahnt, dasjenige auszudrücken, was ich vorzutragen habe. Indessen muß ich noch einiges Entferntere durchgehen.“ (1011 f.) „Wenn ich nun aber nach dieser umständlichen Erzählung zu bekennen habe, daß ich noch immer nicht ans Ziel meiner Absicht gelangt sei und daß ich nur durch einen Umweg dahin zu gelangen hoffen darf, was soll ich da sagen! wie kann ich mich entschuldigen!“ (1024)

Eben weil die „directe Communication so manches Hindernis erfährt“, sieht sich Wilhelm auf den „indirecten Weg“[4] verwiesen. „Wie die verschiedensten Einwirkungen den Menschen umringend zu einem Entschluß treiben, den er auf keine andere Weise, weder aus innerm Trieb noch äußerm Anlaß, hätte ergreifen können“, konkret: wie Wilhelm dazu kam, Wundarzt zu werden, das vermag er „mit *einem* Worte“ nicht auszusprechen (1025). Und der Versuch, es auf andere Weise dennoch mitzuteilen, nimmt sich auf den ersten Blick recht merkwürdig aus.

Er beginnt mit der scheinbar gänzlich abliegenden Geschichte eines Jünglings, den der zufällige Fund eines Ruderpflocks auf die Bahn zum angesehenen Handelsmann und Seefahrer treibt. Darauf folgt unvermittelt eine einigermaßen trockene Reflexion über nachahmende Talententwicklung, wie sie ebenso auch in einer der Spruchsammlungen des Romans hätte stehen können: „Die Fähigkeiten, die in dem Menschen liegen, lassen sich einteilen in allgemeine und besondere ... Die Nachahmungsgabe des Menschen ist allgemein ... Natürlich ist es daher immer, daß er leisten will, was er leisten sieht; das Natürlichste jedoch ..., daß der Sohn des Vaters Beschäftigung ergriffe. ... Im Durchschnitt sind daher die Menschen am glücklichsten, die ein angebornes, ein Familientalent im häuslichen Kreise auszubilden Gelegenheit finden. Wir haben solche Malerstammbäume gesehen ...“ (1012 f.). — Über einen möglichen Bezug auf den Schreiber dieses Briefes erfährt der Leser vorerst kein Wort.

Denn nach kurzer Zwischenbetrachtung setzt Wilhelm nun von einer ganz „andern Seite“ zum drittenmal neu an, indem er eine der „frühsten Jugendgeschichten“ erzählt. Oder genauer: indem er diese Geschichte zusammenstellt. Denn auch innerhalb der Erzählung selbst finden sich wieder die verschiedensten Elemente nebeneinander:

Das von Frühlicht und Abenddämmerung eingefaßte Tagstück, welches in zart-kräftigen Farben das erste Aufblühen der Außenwelt in den Vorgefühlen von Freundschaft und Liebe zur Darstellung bringt. Die schauerliche, dramatisch bewegte Nachtszenerie, die Leichenzug und Aufbahrung der beim Krebsfang ertrunkenen Knaben, Wilhelms „entsetzlichen Zustand“ und seine kindlichen Wiederbelebungsversuche vor Augen führt. Das emsige Referat über das fernere Schicksal der um so hohen Preis erworbenen Krebse[5] und den merkwürdigen Charakter der Tante, der sie schließlich zugestellt werden. Die Gegenüberstellung des egoistischen, geldgeizigen, in Lokalintrigen eingesponnenen Wesens dieser Frau mit den großzügigen, ausgreifenden, philanthropischen Gesinnungen des Vaters, der sich „im Gefolg“ seiner „Gemütsart“ auch die Beförderung der Wiederbelebungskunst angelegen sein ließ. Und schließlich Wilhelms Bekenntnis, daß er sich damals in seinem „jugendlichen Eifer . . . im stillen“ vorgenommen, „alles zu lernen, was in solchen Fällen nötig wäre, besonders das Aderlassen und was dergleichen Dinge mehr waren“ (1024).

Hier hat Wilhelm nach gut dreizehn Seiten zum erstenmal angedeutet, worauf diese ganze Mitteilung hinaussoll. Wer aber erwartet, daß er nun endlich geradewegs auf sein Ziel zugehen werde, sieht sich noch einmal getäuscht. Denn noch einmal fällt sich Wilhelm mit einer grundsätzlichen Betrachtung selber ins Wort, ehe er mit der neuerlichen Berufung des Ruderpflocks den Bogen zum Anfang zurückschlägt und ehe er Montan ins Spiel bringt. Und erst nachdem er die „gewaltigen Gründe“ vorgebracht hat, die dieser „im Namen der großen Gesellschaft“ für den Wundarztberuf ins Feld geführt, nachdem er von Montans Aufforderung an ihn berichtet hat, sich ernsthaft diesem „göttlichsten aller Geschäfte“ zu widmen (1028), ist auf einmal evident, was er eigentlich sagen will.

Jetzt erst, da der lange Brief so gut wie zuende ist, schließen sich die „höchst verschiedenen Capitel“[6] zum Gesamtbild zusammen: Tag und Nacht, Freundschaft und Liebe, der Knabe und das Mädchen, das erste Aufblühen der Außenwelt und der plötzliche Tod, die eigensüchtige Tante und der gemeinnützige Vater, das leidenschaftliche Erlebnis des Individuums und die Argumente der großen Gesellschaft. Und jetzt erst wird auch der Sinn der Eingangsanekdote und der anschließenden Reflexion klar. Man sieht, daß der Ruderpflock das Chirurgenbesteck symbolisiert, dessen stete stumme Aufforderung zur Selbsttätigkeit Wilhelm mit zu seinem Beruf bestimmte, daß die stufenweise Erweiterung der Mittel jenes Jünglings und der Erwerb immer „größerer Fertigkeit und Geschicklichkeit“ bei ihrem Gebrauch als Gleichnis für Wilhelms eigenen Ausbildungsgang verstanden werden müssen. Und man erkennt, daß die Betrachtung über die menschlichen Nachahmungsfähigkeiten gerade umgekehrt ein Gegenbild zum Wege Wilhelms entwarf, der sich mit seiner Berufswahl endgültig und bewußt des Vorteils der Familientradition, der Möglichkeit der Rückwendung zum väterlichen Handelsstand (35) begeben, dessen „Nachahmungsgabe“ sich immer unter anderen Momenten als denen des „Durchschnitts“ entwickelt hat.

Freilich, ausgesprochen ist dies alles nicht! Alles erscheint nur „einleitend“ und mittelbar. Wie im voraussetzenden Gesprächseingang ist das Resultat in der Gesamtheit der voraus gesetzten Prämissen beschlossen. Es auch noch nackt und unverstellt herauszusagen, erspart sich der Autor: „Was soll ich nun weiter fortfahren auszusprechen, was sich von selbst versteht! . . . Genug! bei dem großen Unternehmen, dem ihr entgegengeht, werd ich als ein nützliches, als ein nötiges Glied der Gesellschaft erscheinen“ (1027 f.).

Was Goethe mit einiger Umständlichkeit über die „Wanderjahre“ als Ganzes bemerkte: daß in ihnen „soviel Hinweisung als Darstellung“ zu „finden“ sei[7], „daß die einzelnen Darstellungen, welche durch das Ganze mehr zusammengehalten als in dasselbe verschmolzen sind, jedesmal ein besonderes Interesse erregen und zu den mannichfaltigsten Gedanken Anlaß geben, die denn doch zuletzt an einem Ziele anzulangen die Hoffnung haben"[8] —, das gilt genauso auch für diesen Brief.

Die Durchkreuzung entgegengesetzter Tendenzen, die an seinem Anfang laut wurde, bestimmt ihn bis zum Ende. Und gerade die daraus resultierende Mitteilungsart, das Voraussetzen und Hintanhalten, Abbrechen und Neuansetzen, Andeuten und Zurücknehmen, erlaubte Wilhelm, seine Gesinnungen viel-seitig, umfassend und aus den Gründen zu motivieren, an seinen innersten Intentionen teilnehmen zu lassen und mit zarten, höchst individuellen Seelenerlebnissen hervorzugehen, die ihm unvermittelt und außer Zusammenhang wohl kaum von den Lippen gekommen wären. Goethe selbst hat wiederholt bekannt, daß er „in der Masse vermischter Aufsätze gleichsam außer der Zeit", im „Geschlinge" „verschiedener, sich von einander absondernder Einzelheiten", in welchem „eins das andere" „erläutert", „fordert", „trägt" und „entschuldigt", stets habe „aufrichtiger ... seyn" können als in der isolierten Einzelmitteilung, „die am laufenden Tage ... ins Publikum" kommt.[9] „Einzelnen Gebrauch von den Sprüchen aus Makariens Archiv", schrieb er an seinen Verleger, „wünsche nicht vor Heraustritt des Werkes. Am Schluß desselben und im Zusammenhang des Ganzen finden sie erst ihre Deutung, einzeln möchte manches anstößig seyn."[10]

Die Mitteilungsart aber, die in solcher Weise alles als Darstellung und Hinweisung zugleich gibt, die alles einzelne so stellt, daß es einander erläutert, fordert, trägt und entschuldigt, ist nichts anderes als das von Goethe so nachdrücklich berufene „Spiegel"-Verfahren.

Das Spiegelverfahren

„Wenn es dem Humoristen erlaubt ist", fragt Wilhelm (1024 f), „das Hundertste ins Tausendste durcheinander zu werfen, wenn er kecklich seinem Leser überläßt, das, was allenfalls daraus zu nehmen sei, in halber Bedeutung endlich aufzufinden, sollte es dem Verständigen, dem Vernünftigen nicht zustehen, auf eine seltsam scheinende Weise rings umher nach vielen Punkten hinzuwirken, damit man sie in *einem* Brennpunkte zuletzt abgespiegelt und zusammengefaßt erkenne . . .?"

An dieser Stelle wird Wilhelm noch einmal wie im Urmeister zum Sprachrohr für Goethes eigene Konfessionen. Denn in der vorsichtigen, entschuldigenden und doch auch ein wenig herausfordernden Frageform, der Goethe seine bedeutenden Eröffnungen mit Vorliebe anvertraute, wird der Leser hier nicht nur auf das Bauprinzip dieses Briefes, sondern zugleich auf die Struktur dieses Romans überhaupt aufmerksam gemacht. Auch im Roman enthüllt sich all das, was im ersten Durchgang als Unterbrechung, Stockung und unmotivierter Wechsel der Darstellungsebenen „seltsam scheinen" muß, beim Überblick über das Ganze als bewußte Kontrastierung verschiedener Einzelelemente, die sich um einen gemeinsamen „Brennpunkt" gruppieren. Auch hier ist alles gegen- und ineinander gearbeitet. Gipfel und Klüfte, Gebirge und Ebenen, Land und See, Gehen und Bleiben, Alte und Neue Welt, Jugend und Alter, Besonnenheit und Leidenschaft, Mystik und Aufklärung, Faßliches und Unfaßliches, Sphärisches und Terrestrisches, Faktisches und Utopisches . . . . Jedes Bild hat Nachbar- und Gegenbilder. Jeder Spiegel ist Variationsspiegel und Konträrspiegel ineins und immer auch in eine verborgene Mitte gerichtet, deren Sinn niemals „mit einem Worte" auszusprechen, deren Ort aber vielleicht doch zu bezeichnen ist:

Zu Beginn begegnet der Mensch an einer „bedeutenden Stelle" zwischen oben und unten, hüben und drüben, zuvor und hernach; bei Montan bestimmen ihn die Polaritäten von Größe und Kleinheit, Verzweiflung und Vergötterung; auf dem Sternenturm bei Makarie steht er in der Mitte des Alls und in der Mitte des Alls seiner selbst; in der Pädagogischen Provinz umgeben ihn die Heiligtümer, in denen er das Über-, Unter- und Nebenuns verehrt. An entscheidenden Stellen des Romans erscheint der Mensch in einer räumlich dargestellten Mittelposition, an der er gerade durchs Unendliche aufs Hier und Jetzt verwiesen (s. o. 18, 134), an der ihm nicht nur die Entsagung als Anerkennung der Bedingtheit, sondern auch die Ehrfurcht als Verehrung des Bedingenden geboten wird. Und diese Mittel-Stelle ist es, die als geheime Sinnmitte auch der „Wanderjahre" als Ganzes verstanden werden kann.[11] Die eindringende Naturforschung des Mineralogen, der sich von der Erde unter uns in „stummem unergründlichen Gespräch" belehren läßt, das nächtliche Geschäft des Astronomen, der das Firmament über uns betrachtet, und die stille Arbeit des Anatomen, der das Wunder des menschlichen Leibes mit Sorgfalt und schöpferischer Neigung untersucht, sind diesem Zentrum in gleicher Weise zuzuordnen wie die magische Einfühlungsgabe, die die terrestrische Person mit allem Unterirdischen verbindet, das ehrwürdige Geheimnis der Makarie, die zuletzt im Himmlischen verschwinden wird, und die endliche Meisterschaft der Titelfigur in ihrem Wundarztberuf, der dem Menschen neben uns tätige Hilfe zu bringen erlaubt. Auch die besonnene, zukunftsweisende Tätigkeit der Auswanderer und Binnensiedler, das der Vergangenheit zugekehrte Aufbewahren der Sammler und das selbstgenugsame, rein gegenwärtige Leben der Landleute und Handwerker lassen sich darauf beziehen. Und ebenso schließlich die produktive Entsagung der maßgeblichen Mitglieder des Bundes und die Verstrickungen des menschlichen Herzens, die bis in die tiefste Verzweiflung führen können, die aber gerade dadurch den Menschen auf sich selbst verweisen und die entsagende Wendung in ein neues Leben vorbereiten.

Die ganze reiche Welt der „Wanderjahre" könnte in der vielfältig bedingten Mittelposition des Menschen ihren Bezugspunkt haben: Die Bezüge, die den Menschen bedingen, erhellen die verwirrende Fülle des Romans und geben ihr den kosmischen Sinn; die Romanwelt umgekehrt läßt jene Bezüge erst eigentlich konkret erscheinen und gibt ihnen die lebendige Bedeutung. Der Dichter deutet in der verschiedensten Richtung von der „Stelle" auf die Welt und von den verschiedensten Seiten aus der Welt auf die „Stelle" hin — ohne daß damit der unermeßliche Spielraum der Relationen verengt oder gar eine „systematische Construction" angebahnt würde.

Der berühmte Kästchen-Schlüssel, in dessen Linienmitte der „innerste Kreis“ der „Ehrfurcht vor sich selbst“ als „Schnittpunkt aller Dimensionen“ steht[12], wäre somit wirklich, wie Emrich hellsichtig vermutete, der Schlüssel auch zum „‚offenbaren Geheimnis‘ der Poesie“[13]. Und der Anfang dieses Werks wäre wirklich auch der rechte „Eingang“ zu ihm. — „Die Sonne stand noch hoch und erleuchtete die Gipfel der Fichten in den Felsengründen zu seinen Füßen.“ — Das Allerinnerste im Alleräußerlichsten, in der Abbildung des Schlüssels, zu verbergen, das Allerletzte schon im Anfang voraus zu setzen, würde Goethes Mitteilungsprinzipien aufs genaueste entsprechen.

Wilhelms Brief und der Gesamtroman stimmen also nicht nur in ihrem heterogenen Erscheinungsbild, sondern auch in dem zugrundeliegenden Organisationsprinzip der Spiegelung überein, das Goethe selbst so unmißverständlich aus den problematischen Verhältnissen zwischenmenschlicher Mitteilung abgeleitet hat: „Da sich gar manches unserer Erfahrungen nicht rund aussprechen und direct mittheilen läßt, so habe ich seit langem das Mittel gewählt, durch einander gegenüber gestellte und sich gleichsam ineinander abspiegelnde Gebilde den geheimeren Sinn dem Aufmerkenden zu offenbaren.“ Das Problem der Verständigung gehört nicht allein zu den Themen, sondern auch schon zu den Voraussetzungen und strukturbestimmenden Kräften dieses Romans. Und die „Spiegelung“ erwächst bei Goethe wie Wilhelm aus dem Versuch, diesem Problem gerecht zu werden. Sie trägt dazu bei, den Widerstreit von Mitteilungsdrang und Mitteilungshemmung zu überwinden, und löst zugleich die andere von Wilhelm angedeutete Doppelschwierigkeit: daß man das Augenblickliche nur nacheinander und das Ganze nur gesondert übermitteln kann, daß Mitteilung ohne Sukzessivität und Einseitigkeit überhaupt unmöglich ist.

Denn Spiegel, die in einen Brennpunkt wirken, sind in einem Kreise aufgestellt, in welchem kein Einzelnes Anfang oder Ende und jedes Einzelne doch Anfang und Ende zugleich ist, in dem die Reihenfolge so sekundär ist wie die Folge von Ursache und

Wirkung. „Bei dem Mannigfaltigen, was mir noch zu sagen übrig bleibt", schreibt Wilhelm, „habe ich die Wahl, was ich zuerst vornehmen will; aber auch dies ist gleichgültig" (1025). Und Goethe selbst: „Was ferner die Ordnung der Kapitel überhaupt betrifft, so mag man bedenken, daß selbst verwandte Naturphänomene in keiner eigentlichen Folge oder stetigen Reihe sich aneinander schließen, sondern daß sie durch Tätigkeiten hervorgebracht werden, welche verschränkt wirken, so daß es gewissermaßen gleichgültig ist, was für eine Erscheinung man zuerst und was für eine man zuletzt betrachtet".[14] Es komme „bey einer solchen Composition bloß darauf an, daß die einzelnen Massen bedeutend und klar seyen."[15]

Darauf allerdings kommt es an! Wenn man dem geheimen Sinn von immer wieder „andern Seiten näher zu kommen" sucht, dann müssen die Einzelaspekte als Ein-seitigkeiten deutlich markiert sein.

So wird die verstärkte Spezifizierung und Kontrastierung verständlich, die Goethe den „Wanderjahren" — durch Einfügen bestimmter Artikel und bestimmender Adjektive[16] im Kleinen, durch Auseinanderrücken verbundener Partien und Vollendung der äußersten Gegensätze, Montan und Makarie, im Großen — noch während der Überarbeitung angedeihen ließ. So kommen die zahlreichen Zwischenstriche[17], die vielen Mauern und Gräben, Klüfte und Bergketten zustande, die die Abteilungen und Provinzen nach außen begrenzen. So erklären sich aber auch die zu „supplierenden" Übergänge[18], die beispiellose Nachlässigkeit der Verknüpfungen und das allgemeine Zurücktreten der Handlungs- und Figurenentwicklung, das Goethe während der hastigen Schlußredaktion eine so fatale Charakterverkehrung wie bei Hilarie unterlaufen ließ[19].

Ein Werk solcher Struktur, das keine folgernden Anschlüsse und gleitenden Übergänge vertrüge, in dem das Epische in einem ursprünglichen Sinne wieder episodisch wird[20], ist nach Gundolfs aufschließender Charakteristik der Bilderreihe eines „Maskenzuges" vergleichbar.[21] Doch es ist ein Maskenzug, der sich im

Kreise dreht, daher mit einer „Art von Unendlichkeit“[22] begabt und doch geschlossen, immer „fortzusetzen“ und doch „gleichsam außer der Zeit“ in sich vollendet. — Der in deutlich getrennte Abteilungen gegliederte Bilderrundgang der Pädagogischen Provinz, der das Ehrwürdigste umschweigt, indem er sich in der Eingangs- und Ausgangshalle des offenbaren Geheimnisses zusammenschließt, erscheint so nicht nur als Gleichnis für den Weg der Naturerkenntnis, sondern auch für die Struktur dieses Buches.

So wie jene Fresken immer nur getrennt und nacheinander aufzunehmen sind und doch immer schon „symphronistisch“ übereinander und gleichzeitig nebeneinander stehen, so sind auch die Bilder der Dichtung, die man nur sukzessiv lesen kann, immer schon auf einmal da und im Grunde räumlich zu denken. „Der Ablauf in der Zeit wird zum dichterischen Schein.“ „Das Nacheinander bedeutet nicht die notwendige Zeitfolge, sondern die räumliche Gesamtansicht“, „die räumliche Ausbreitung des Zugehörigen.“[23]

Und so wie jene Galerie nicht nur zum Vorüberwandern, sondern auch zum Verweilen und Auf- und Abgehen einlädt, so wird der Leser von dieser Dichtung nicht nur zum linearen Durchgang, sondern zum Hin- und Widersehen, Vor- und Rückbeziehen aufgefordert, damit er „den tiefen, stillen Sinn“ erforsche (890). Denn nichts ist hier ein für allemal abgetan, nichts ist nur Durchgangsstufe, die bei Erreichung eines End-Ziels bedeutungslos würde. Vielmehr *erhält* jedes Einzelne seine volle Bedeutung überhaupt erst aus dem Gesamtkreis, aus dem Gegen- und Gleichsinnigen, aus dem Benachbarten und Entfernten. Was an Wilhelms Eingangsanekdote und seiner anschließenden Reflexion besonders deutlich wurde, das gilt genauso auch für die „Betrachtungen im Sinne der Wanderer“ oder für „Makariens Archiv“, für „Lenardos Tagebuch“ oder die Lebensgeschichte St. Josephs, für den „Mann von funfzig Jahren“ oder für Odoard. Alles ist zugehörig.

Vorwärtsdrängende Zielstrebigkeit, die Lessings oder Schillers Texten angemessen ist, vermag Goethesche Texte niemals recht aufzuschließen, und in der Kreisfigur seiner Alterswerke liefe sie sich vollends tot. Wer aber behutsam akkumulierend verfährt, wer auf die Winkelstellungen und Wechselverhältnisse merkt und das Bemerkte im Sinne behält, um es an anderer Stelle wieder zu erproben, dem wird „denn doch“, wie Wilhelm der Natalie verheißt, „zuletzt auf einmal hervorspringen..., was mit *einem* Worte ausgesprochen... höchst seltsam“ erschienen (1025), ja, was mit einem Worte auszusprechen, überhaupt unmöglich gewesen wäre. Dem wird denn doch „augenblicklich“ und im ganzen da sein, was sich nur in zeitlicher Folge und räumlicher Sonderung übermitteln läßt.

Gerade indem die Spiegelstruktur die Sukzessivität in den Dienst des Simultanen stellt, stellt sie auch die Sonderung in den Dienst der Einheit. Gerade die Gleichzeitigkeit aller Einseitigkeiten erlaubt die Wiederherstellung der Totalität durch den Leser.

Nur ein Mitteilungsverfahren dieser Art, das dem Dichter die größte Freiheit und eine nahezu unumschränkte Verfügungsgewalt über seine Gegenstände beläßt, sofern er sie nur „um einen Hauptpunct versammelt“[24], konnte es Goethe gestatten, sich in seinen späten Jahren einerseits als Herausgeber[25] und „Epitomator sein selbst“[26] zu verstehen, der Figuren, Erfahrungen, Reflexionen aus einem unerschöpflichen Fundus „aufgehäufter Manuscripte“[27] hierhin oder dorthin ans Licht rückt, und andererseits doch die „implizite“ Ganzheit[28] dieser kollektiven Hervorbringungen zu betonen. „Dem Gedanken, daß es eine Sammlung sey, ein Zusammenstellen aus einem reichen Vorrath von Einzelnheiten bin ich nicht abgeneigt“, bemerkt er in einer Art Selbstinterpretation über Händels „Messias“ und mit Bezug auch auf die Homerischen Epen; „denn es ist im Grunde ganz einerlei, ob sich die Einheit am Anfang oder am Ende bildet, der Geist ist es immer der sie hervorbringt.“[29]

Die Kunst des Mittelbaren und die Herausgeberrolle

Die Spiegelstruktur wird durch die vorgebliche Herausgabe verschiedener in sich abgeschlossener Einzelheiten außerordentlich begünstigt. Spiegelung und Redaktorfiktion erwachsen aus den gleichen Voraussetzungen und haben die gleiche Funktion. Wie sie zusammenwirken, zeigt die Art, in der der Roman das Geheimnis seiner ehrwürdigsten Gestalt zur Darstellung bringt.

Makarie erscheint über weite Strecken nur in Äußerungen anderer, in der Wirkung auf andere und im Widerschein der Begebenheiten.

Gespräche werden referiert (778, 800, 837 ff., 834 ff., 850, 959 ff., 1181, 1212 ff.), Briefe werden vorgelegt (786 ff., 961 f.); „das Verhältnis sämtlicher vorübergehender Personen zu Makarie" wird geschildert (1219). Man erfährt, was Wilhelm „in ihrer Umgebung" denkt und fühlt[30], wie sich Hilario, Flavio, Juliette, der Oheim und Philine bei ihr verhalten und wie Lenardo, das nußbraune Mädchen und Friedrich, Hersilie, Lothario und Therese, Natalie und der Abbé zu ihr stehen. Man sieht, wie sich unter ihrer wohltätigen Einwirkung „ein sittlich-schönes, teilnehmendes und teilgebendes Wesen" aus der sonst so „in ihrer Eigenart abgeschlossenen . . . Person" der Schönen Witwe hervortut (960 f.), wie Lydie in einer unsäglich zarten Pantomime von langjährigem seelischen Druck befreit und emporgehoben wird (1212) und wie beide „Sünderinnen" gerade in ihrer neugeschenkten inneren Freiheit zu einem „wahrhaft liebenswürdigen", heiteren und offenen Vertrauen erwachsen, das sie mit dem Major und mit Montan verbindet.

Aus einer Vielzahl von Reflexen entsteht das Bild einer Figur von unvergleichlichem Rang. Daß sie ein „höheres Wesen", eine geheiligte Person ist, empfinden alle, die zu ihr in Beziehung treten, so verschieden auch ihre Standpunkte, ihre Anlagen und die Stufen ihrer Einsicht sein mögen. Alle Äußerungen Makaries in Wort und Gebärde scheinen auf eine geheimnisvolle überirdische Quelle zu verweisen. Dieses überirdische Geheimnis selbst aber offenbart sich in den Gesprächen, Briefen und Berichten bloß mittelbar. — Auch da, wo Makarie in eigener Person auftritt, gibt diese „schweigsamste aller Frauen" (960) allein ihre den Menschen zugekehrte Seite an den Tag.

Unverstellt — und in der sichtbaren „Erscheinung" nur noch geheimnisvoller — enthüllt es sich zuerst in einem Medium, das den Dichter von rational kausaler Motivierung entpflichtet, in dem die Realität immer schon aufgehoben und verwandelt ist: im Traum. Und im Traum wiederum nicht durch das Wort, sondern durch das reine, sprachlose Geschehen. Wilhelm „sieht", nachdem er „sanft" und „tief eingeschlafen" ist, wie sich Makarie in priesterlich goldenem Glanze unter dem aufgezogenen grünen Vorhang hervorbewegt, wie sie von Wolken flügelartig durch das eröffnete Deckengewölbe emporgehoben und als wunderbares Gestirn mit dem ganzen Sternenhimmel vereinigt wird (844). Indem der Träumende die beiden Haupteindrücke des vergangenen Tages, die erste Begegnung mit der „wunderwürdigen Dame" (836) und den seiner „Einbildungskraft . . . unverhältnismäßig" herangerückten Stern (842), in unbewußter Notwendigkeit miteinander verbindet, erfaßt er zugleich intuitiv das eigentliche Wesen Makaries.

Erst nach diesem unvermuteten „geistigen Eingreifen" in die „tiefsten Geheimnisse" ermächtigt der Dichter Angela (schon der Name deutet auf die vermittelnde „Botin"[31]), dem Besucher und mit ihm dem Leser weitere Aufschlüsse zu erteilen. Vorsichtig und „zuvörderst gleichnisweise" sucht sie diese „schwer begreiflichen Dinge" zu beschreiben. Sie vertraut Wilhelm an, daß Makarie, „wie es scheinen will", „nicht sowohl das ganze Sonnensystem in sich trage, sondern daß sie sich . . . geistig als ein integrierender Teil darin bewege". Sie schildert, wie der Astronom, der lange skeptisch gewesen, seine Berechnungen „auf eine unglaubliche Weise" bestätigt fand, als er endlich nach dieser Voraussetzung verfuhr. Und sie schließt „mit der dringenden Bitte, gegen niemanden hievon irgendein Wort zu erwähnen". — „Denn", fragt sie, „sollte nicht jeder Verständige und Vernünftige, bei dem reinsten Wohlwollen, dergleichen Äußerungen für Phantasien, für übelverstandene Erinnerungen eines früher eingelernten Wissens halten und erklären?" (848 f.)

Ähnlich wie Platon die Darstellung seiner Jenseitsbilder hat auch Goethe diesen kühnsten Entwurf seiner späten Dichtung immer wieder durch derartige Sätze unterbrochen und so eine Art vorsorglicher Abwehrstellung gegen den kritischen Verstand eingenommen.[32] „Hier aber wagen wir nicht weiter zu gehen; denn das Unglaubliche verliert seinen Wert, wenn man es weiter im einzelnen beschauen will" (1223). „Makarie befindet sich . . . in einem Verhältnis, welches man auszusprechen kaum wagen darf" (1221). „Hierauf schlossen beide Freunde einen Bund und nahmen sich vor, ihre Erfahrungen allenfalls auch nicht zu verheimlichen, weil derjenige, der sie als einem Roman wohl ziemende Märchen belächeln könnte, sie doch immer als ein Gleichnis des Wünschenswertesten betrachten dürfte" (1216). „Indem wir nun diese ätherische Dichtung, Verzeihung hoffend, hiemit beschließen, wenden wir uns wieder zu jenem terrestrischen Märchen, wovon wir oben eine vorübergehende Andeutung gegeben" (1224).

Selbst diese vorsichtige und abgeschirmte Art der Darstellung war aber Goethe offensichtlich noch zu direkt. Gerade da, wo er an späterer Stelle Angelas Angaben präzisiert, nimmt er sie auch wieder zur Hälfte zurück, wo er die Bahn Makaries mit dantesker Genauigkeit am Mars, an den „damals noch unentdeckten kleineren Planeten", am Jupiter und seinen Monden vorbei bis gegen den Saturn verfolgt (1223 f.), beruft er sich auf „ein Blatt aus" seinen „Archiven" und beklagt, daß „dieser Aufsatz . . . leider . . . erst lange Zeit, nachdem der Inhalt mitgeteilt worden, aus dem Gedächtnis geschrieben und nicht, wie es in einem so merkwürdigen Fall wünschenswert wäre, für ganz authentisch anzusehen" sei. Nur „um Nachdenken zu erregen und Aufmerksamkeit zu empfehlen", habe er sich entschlossen, das Blatt „mitzuteilen" (1220 f.).

In der Maske des Herausgebers macht der Autor Vorbehalte geltend und warnt vor buchstäblicher Auslegung. Indem er die eigene Erfindung leise in Zweifel zieht, schützt er das Geheimnis seiner „Heiligen" vor aller Zudringlichkeit. Und in der gleichen Absicht kehrt er die Redaktorfiktion im Zusammenhang mit Makarie immer wieder hervor.

Schon bei der Wiedergabe des Gesprächs zwischen Makarie, Wilhelm und dem Astronomen verweist er — zum erstenmal in den „Wanderjahren" überhaupt — auf die „Papiere", die ihm „vorliegen", und gibt der Hoffnung Ausdruck, daß seine „Gönner" das Zurückhalten einiger Manuskripte „geneigt aufnehmen ... werden". „Unsere Freunde haben einen Roman zur Hand genommen, und wenn dieser hie und da schon mehr als billig didaktisch geworden, so finden wir doch geraten, die Geduld unserer Wohlwollenden nicht noch weiter auf die Probe zu stellen" (839). Vor der Darlegung der Bezüge aller Romanfiguren zu Makarie gegen Ende des Buches betont er, daß „die Pflicht des Mitteilens, Darstellens, Ausführens und Zusammenziehens" für ihn „immer schwieriger" werde, daß er jedoch „gesonnen" sei, „dasjenige, was" er „damals gewußt und erfahren, ferner auch das, was später zu" seiner „Kenntnis kam, zusammenzufassen und in diesem Sinne das übernommene ernste Geschäft eines treuen Referenten getrost abzuschließen" (1206). Über die „Gespräche, die Montan und der Astronom in Gegenwart Makariens führten", findet er „weniger niedergeschrieben, indem Angela", der es zur „Pflicht" gemacht sei dergleichen „aufzubewahren" (845 f.), „seit einiger Zeit beim Zuhören minder aufmerksam und beim Aufzeichnen nachlässiger geworden war". Der Herausgeber vermutet, daß ihr wohl auch „manches zu allgemein und für ein Frauenzimmer nicht faßlich genug" vorgekommen sein möchte. Er schaltet „daher nur einige der in jene Tage gehörigen Äußerungen", die ihm „nicht einmal von ihrer Hand geschrieben ... zugekommen" seien, „vorübergehend ein" (1213 f.). Auch der Inhalt des Briefwechsels zwischen Makarie und der Baronin wird nur „summarisch angedeutet" (961), und auch aus der Unterredung Makaries mit Wilhelm „wählt" der Referent nur „aus" (850). Von den Unterhaltungen der beiden Wissenschaftler kann er dagegen, gestützt auf „nachherige Mitteilungen des Astronomen", „wo nicht genugsames, doch das Hauptsächliche" mitteilen (1215).

So wird das Licht Makaries wiederum vielfältig gebrochen und durch die Individualität genannter und ungenannter Gewährsmänner verschieden reflektiert. Die Berufung auf immer wieder andere Quellen gestattet dem Dichter, aus immer wieder anderen Richtungen fragmentarische Aufschlüsse zu erteilen, und enthebt ihn zugleich der Notwendigkeit, sie näher zu erläutern und zu begründen. Als „treuer Referent", der das ihm Zugekommene nur weitervermittelt, ist er an seine Manuskripte gebunden und in die darin angedeuteten Geheimnisse, der Fiktion nach, nicht tiefer eingeweiht als andere Betrachter. Die durchgehende Indirektheit des irdischen Erscheinens Makaries vor ihren Mitfiguren wiederholt sich in der Mittelbarkeit der Referentenrolle gegenüber dem Leser.

Diese Entsprechung aber kennzeichnet die Funktion des Herausgebers in den „Wanderjahren" überhaupt. Im Gegensatz zu Heinses „Ardinghello", wo gerade der doppelte Rahmen direkte Teilnahme und sinnliche Nähe bewirkt, und im deutlichen Unterschied auch zum „Werther", wo die Herausgeberfiktion trotz des damit gesetzten kritischen Maßes die unvermittelte Ichaussprache erlaubt, ist hier alles Unmittelbare und Bekenntnishafte sorgsam vermieden. Kein Aspekt ist durch die volle Autorität des Dichters eindeutig beglaubigt. Die redaktionellen Zwischenbemerkungen beleuchten das Rätsel von außen[33] und lassen den Künstler selbst — wie auf dem von Goethe gerühmten „Kloster"-Gemälde Ruisdaels — „als Repräsentanten von allen, welche das Bild künftig beschauen werden, ... im Vordergrund" erscheinen[34]; sie nötigen aber nicht in seiner Betrachtungsart hinein und schreiben keine bestimmte Sichtweise vor.[35] Alles bleibt in der Schwebe zwischen Wahrheit und Märchen, Dichtung und Mythos, Zeugnis und Gleichnis. Alle Perspektiven sind nur Hinweise: „Andeutungen", die „auf's leiseste geschehen, um uns an die ewige Congruenz zu erinnern."[36] Gerade dadurch, daß der Autor aus dem Bilde heraustritt, stellt er sich „zwischen sich selbst und seine eigene Erscheinung".

In eben dem Maße jedoch, in dem er dem Betrachter seinen Gegenstand „aus den Augen rückt", rückt er selbst an den Betrachter heran. Indem sich der Dichter als Leser von Briefen, Gesprächsnotizen und Aufsätzen ausgibt, macht er den Leser, den er in die eigene Werkstatt sehen läßt, mit dem er sich über die „Schicklichkeit“ oder „Unschicklichkeit“ mancher Einschübe verständigt, in gewisser Weise zum Dichter. Er fordert ihn zur Mitarbeit auf. Er weist ihn an, aus den vielfältigen Deutungsmöglichkeiten die ihm gemäße zu wählen, die verschiedenen Perspektiven nach seiner eigenen Weise zusammenzudenken und das Werk aus sich selbst heraus zu Ende zu dichten. „Und so geben wir daher einige Kapitel, deren Ausführung wohl wünschenswerth gewesen, nur in vorüber eilender Gestalt, damit der Leser nicht nur fühle, daß hier etwas ermangelt, sondern daß er von dem Mangelnden näher unterrichtet sey und sich dasjenige selbst ausbilde was, theils der Natur des Gegenstandes nach, theils den eintretenden Umständen gemäß, nicht vollkommen ausgebildet oder mit allen Belegen gekräftiget ihm entgegen treten kann.“[37] „Der Nachdenkende wird, diese abgesonderten Einzelheiten betrachtend, gar wohl gewahr werden wo sie allenfalls hingehören, auch wird er in der Folge hiezu Gelegenheit finden, indem gemeint ist das Ausgesprochene sowohl vor- als rückwärts zu deuten, die Mannigfaltigkeit der Ansicht zu vermehren und die Reinheit der Aussicht zu verbreiten.“[38]

Die Berufung auf „Gönner“, „Freunde“ und „Wohlwollende“ und die wiederholte Versicherung, daß vieles nur ediert werde, „um Nachdenken zu erregen und Aufmerksamkeit zu empfehlen“, sind in diesem Fall mehr als bloß rhetorische Wendungen aus dem überlieferten Formelbestand des epischen Schriftstellers. Dieser Roman ist wirklich auf den „geneigten“ und produktiven Leser in ganz besonderem Maße angewiesen. Wer nicht imstande ist, „sowohl vor als rückwärts zu deuten“, wer die einzelnen Bilder nicht als Reflexe zu erkennen und den Spiegelungen nachzugehen vermag, wird dem „geheimeren Sinn“ der „Wanderjahre“ nie gerecht werden können.

So leisten Redaktorfiktion und Spiegelung in den „Wanderjahren“ ein Doppeltes: Sie erlauben dem Autor, seinen Gegenstand von den verschiedensten Blickwinkeln her zu bestimmen und dabei doch als Geheimnis zu bewahren. Und sie gestatten ihm, selbst Abstand zu nehmen und damit auch den Leser zur Selbsttätigkeit freizusetzen. — Mit beiden Wirkungsweisen aber geben sie sich als Mittel offenbarenden Verbergens, voraussetzenden Zurückhaltens und maieutischen „Erinnerns“ — mit einem Wort: als Mittel des „Bedeutens“, zu erkennen.

Nicht nur diese oder jene Figur der „Wanderjahre“, auch die „Wanderjahre“ als Ganzes sprechen „bedeutend“. Auch Goethe selbst war durch die gleichzeitige Steigerung sowohl der kommunikativen als auch der zurückhaltenden Tendenzen in seinem Alter genötigt, sich eine Mitteilungsart zu schaffen, die ihm das Sprechen in einer verdeckten und abgesicherten Form noch über alle Hemmungen hinweg erlaubte. Und die Herausgeberrolle ist nicht, wie man gemeint hat[39], der notdürftige Behelf eines altgewordenen Poeten, der seiner Materialien nur noch unzulänglich Herr zu werden vermag, sondern ein besonnen gehandhabtes Instrument dieser Mitteilungsart: Maskenform in einer hochentwickelten Kunst des Indirekten mit „bedeutender“ Funktion.

Der Einsatz dieses erzählerischen Mittels unterscheidet die indirekte Mitteilungsart Goethes in bemerkenswerter Weise von der Kunst verbergenden Enthüllens bei Heinrich von Kleist.

Kleist hat die Schwierigkeiten der Verständigung, die Not des Verkanntwerdens, die Unmitteilbarkeit und Einsamkeit der Seele in seinem Leben wie kaum ein anderer durchlitten. Er bezeichnete sich als „unaussprechlichen“[40], „unbegreiflich unseligen“[41] Menschen. Er wußte, daß er „nicht unter die Menschen“ paßte[42], sah einen „Abgrund“ zwischen sich und den anderen — und gerade den nächsten Angehörigen — „eingesunken“[43] und war überzeugt, daß jeder „von Natur keinen andern Vertrauten“ habe „als sich selbst“, daß es „kein Mittel“ gebe, „sich ... *ganz* verständlich zu machen“.[44] Und er hat doch unsäglich nach Verständnis, nach „Ergießung“[45] und nach „blindem“, unwandelbaren Vertrauen gehungert. „Von *einer* Seele wenigstens möchte ich gern zuweilen verstanden werden, wenn auch alle andern mich verkennen.“[46] „Vertraue ... mir“[47], „halte dich, wenn die Unmöglichkeit, mich zu begreifen, dich beunruhigt, mit blinder Zuversicht an Deinem Vertrauen zu meiner Redlichkeit"[48], „so daß auch bei dem widersprechendsten Anschein Dein Glaube an dieselbe nicht wanke".[49] „Gern möchte ich Dir alles mitteilen, wenn es möglich wäre. Aber es ist nicht möglich."[50]

Für diese Einsamkeit gab es keine Rettung. Denn zu Kleist sprach auch die Natur nicht mehr. Ihm verrätselte sich — spätestens seit der Grunderschütterung seines forcierten aufklärerischen Verständigungsenthusiasmus, die er mit dem Namen Kant zu bezeichnen suchte — mit dem Ich auch die Welt. Das Leben wurde ihm zum „Widerspruch", ein „rätselhaftes Ding ..., flach und tief, öde und reich, würdig und verächtlich, vieldeutig und unergründlich"[51], die Schöpfung zum Gewebe von „Jammer und Elend", aus dem sich „der Geist nicht einmal in Gedanken ... befreien kann"[52], und die kosmische Analogie zur Metapher zerreißenden Schmerzes und qualvoller Sehnsucht nach Ruhe: „Denn nichts als Schmerzen gewährt mir dieses ewig bewegte Herz, das wie ein Planet unaufhörlich in seiner Bahn zur Rechten und zur Linken wankt, und von ganzer Seele sehne ich mich, wonach die ganze Schöpfung und alle immer langsamer und langsamer rollenden Weltkörper streben, nach *Ruhe!*"[53] Kein Zeichen deutet mehr auf einen bergenden Zusammenhang. Die einzigartige, weitgespannte und spannungsreiche Harmonie Goethes (s. o. 96) ist zerbrochen; die Entwicklung, die in der mittel- und westeuropäischen Dichtungsgeschichte vom Verlust des Ich- und Weltbesitzes zur Aufhebung dichterischer Kommunikation und schließlich zum Zerfall der Sprache führen sollte, setzt hier, zu Goethes Lebzeiten, bereits ein.

Goethe hatte der „Natur ihr Verfahren ablauschen" und die Verbundenheit mit der belebten Schöpfung zum Zeichen der Verbundenheit mit Menschen nehmen können: „Da mir Worte immer fehlen Ihnen zu sagen wie lieb ich Sie habe, schick ich Ihnen die schönen Worte und Hieroglyphen der Natur, mit denen sie uns andeutet, wie lieb sie uns hat." Kleist mußte mit seiner Rätselfrage: „Was ist das für eine Welt?"[54] notwendig allein bleiben: „ich kann mich nur *durch mich selbst* wieder heben. ... Wenn ich" aber „ewig in diesem rätselhaften Zustand bleiben müßte ...

dann wäre ich ewig unglücklich, und selbst Deine Liebe könnte mich dann nicht mit Bewußtsein beglücken."[55] Das „Gemüt, das sich nie an dem, was ist, sondern nur an dem, was nicht ist, erfreuen kann"[56], fühlte sich nirgends mehr aufgehoben und fand nirgends mehr ein antwortendes Gegenüber.

Die einzige adäquate Äußerungsform, die ihm blieb, war die Dichtung. Allein in seinen Dichtungen, die selbst wieder in erstaunlicher Ausschließlichkeit das verrätselte Dasein, das Geheimnis des unbegreiflich „unaussprechlichen" Ich, das Problem des Verstehens und Mißverstehens und des blinden, nur der „Goldwaage der Empfindung" gehorchenden Vertrauens zu ihrem Gegenstand haben, hat Kleist, was ihn bewegte, wirklich zur Sprache bringen können.[57]

Und hier erweist er sich als ein Meister des indirekten und verdeckten Mitteilens, der seinesgleichen sucht. Hier bewährt er „die ganze Finesse", die nach seinen Worten, „den Dichter ausmacht": „auch das sagen" zu können, „was er *nicht* sagt".[58] Die maskierte Rede, die verräterische Doppelsprache, die mehr zeigt, als der Sprecher will, ja mehr, als er selbst von sich weiß, hat Kleist ebenso in der Gewalt wie die stumme Sprache der Pausen. Noch die leisesten Regungen des Unbewußten weiß er durch den Kontrast zwischen verstellendem Wort und entlarvendem Mimus[59] ans Licht zu bringen, noch das Unwägbare durch die Gebärde des Verses oder durch geringe Verschiebungen der Konstellation zu erhellen. Er erfindet das stumme Drama mitten im geredeten Drama[60] und läßt auch in den Novellen Entscheidendes in der Wortlosigkeit der Pantomime zum Vorschein kommen. Die Zeichenhaftigkeit von Dingen, Situationen und Vorgängen erspart ihm alle Seelenzergliederung durch die Sprache und jedes zudringliche Raisonnement. Überall, auch in der unerhörtesten Begebenheit, ehrt er das Rätsel an seinen Figuren.

So reich und differenziert indessen sein Instrumentarium des Mittelbaren ist: auf das distanzierende Mittel der Rahmung durch einen redigierenden Herausgeber, dem Goethe so viel abgewinnt, hat Kleist verzichtet![61] Denn der Rahmen, der das Bild einfaßt, ist immer Grenze und Brücke zugleich; der Herausgeber, der sich, auf der Mitte zwischen seinen Figuren und seinen Lesern stehend, beiden verpflichtet fühlt, ist Hüter und Vermittler in einer Person. Und Vermittlung konnte es bei Kleist nicht geben. Die Briefe an die Braut, die er „nach Maßgabe“ ihrer „Begreifungskraft“ abgefaßt zu haben glaubte[62], bezeugen, daß er gänzlich unvermögend war, sich auf die Individualität eines andern einzustellen und sie so zu nehmen, wie sie ist. So wie er selbst Zeit seines Lebens verzweifelt einsam blieb und alle Spannungen bis zur tödlichen Konsequenz in sich selbst durchkämpfen mußte, so führt von seinen Dichtungen kein vermittelnder Weg über den Autor zum Publikum, so hat er sich nie durch eine private Zwischenbemerkung oder eine Wendung ad spectatores mit den Aufnehmenden verständigt und Rätsel und Enträtselung von Figuren und Fakten allein im unerbittlichen Prozeß des Geschehens zum Austrag gebracht. Während Goethe Materialien ins Publikum gibt, nimmt Kleist in eisiger Betroffenheit Vorgänge zu Protokoll.

Das Geheimnis der magischen Verbundenheit Makaries mit dem All wird von Goethe scheu umkreist, von den verschiedensten Seiten her tastend berührt und am Ende als „ätherische Dichtung“, „Verzeihung hoffend“, in sich selbst zurückgenommen.

Das Geheimnis der magischen Verbundenheit Käthchens mit dem Grafen dagegen wird — „in einer Kleistischen Novelle im Drama“[63] — Schicht für Schicht herausgefragt, stufenweise „entdeckt“ und gerade im Schluß triumphierend und unwiderleglich „gegen den widersprechendsten Anschein“ in seiner Wahrheit ausgewiesen. Das Ritterschauspiel ist in diesem Sinn „Enthüllungsstück“ wie der nach dem Ödipus gearbeitete „Zerbrochene Krug“ und wie, genau besehen, auch jede Kleistische Novelle. In fast allen hat die unwahrscheinliche Wahrheit mit der wahrscheinlichen Unwahrheit den „Zweikampf“ zu bestehen. Und in allen ist am Ende der Sachverhalt klargestellt, das Urteil gesprochen und — oft genug in der entsetzlichsten Weise — vollstreckt. Ob der Leser den Spruch akzeptiert oder verwirft, gilt dabei gleichviel. Am Ausgang des Prozesses ist er in keiner Weise beteiligt.

Bei Goethe ist das anders. Der Makarienmythos bleibt Fragment aus Fragmenten wie in anderem Sinn die „Wanderjahre“ überhaupt. Von den vielen Aspekten, unter denen der Herausgeber die Gestalt Makaries erscheinen läßt, erfassen einige ihr Wesen tiefer als andere; doch keiner enthält die Wahrheit ausschließlich, und keiner ist eindeutig als Trugperspektive auszumachen.[64] Von ihrem jeweiligen Blickpunkt aus gesehen, sind alle in gleicher Weise gültig. Einordnung und Bewertung hat Goethe ausdrücklich dem mitdichtenden Leser aufgegeben. Seine Sache ist es, aus der Stellung der Fragmente im Ganzen den „Schluß“ zu ziehen und sie aus der Vielzahl der Bezüge und Andeutungen zu vollenden.

Goethes Bedeuten vereinigt so — nach Hofmannsthals Worten — die „Einsamkeit“ mit der „Geselligkeit“[65]; es hat durch den ständigen Kontakt mit dem Leser trotz aller Zurückhaltung auch etwas eminent „Soziales“. Heinrich von Kleist aber ist mit der großartigen Konsequenz seiner Darstellung, die jedes Beiseitesprechen verbietet, vielleicht der „unsozialste“ Erzähler des deutschen Schrifttums überhaupt.

2. *Entsprechung zur Mitteilungsart der Natur*

Das Spiegelverfahren und die Symbolik

Es ist bekannt, daß Goethe Kunst und Natur, die er als Poet, Theaterleiter und Liebhaber der Bildenden Künste zeitlebens deutlich geschieden und „kräftig nebeneinander“ gestellt[66], stets auch zusammengesehen hat; daß er die analoge Gesetzlichkeit, nach der die „allgemeine Natur“ in der Kunst „unter der besonderen Form der menschlichen Natur produktiv ... handelt“[67], nicht nur für sich zu entdecken, sondern auch in der eigenen Dichtung zu realisieren vermochte. Die Korrespondenz von Weltbild und Werkgestalt ist bei ihm auf allen Stufen glücklicher nachzuweisen als bei den meisten anderen Dichtern. In keiner Lebensepoche aber war diese Analogie so umfassend und so transparent wie im

Hochalter. Die Struktur der Dichtung entspricht nun in jedem Hauptzug dem Bild, das er sich von der Welt gemacht hat.

Auch die Dichtung faßt in jener paradoxen Weise, die dem Menschenverstand nie einwill, das zentrale „Problem" in die Mitte, bestimmt das Unbestimmte durch Doppelbestimmung und beiderseitige Annäherung, „deutet" mit Schein und Widerschein, Satz und Gegensatz „auf die Stelle hin".

Auch die Dichtung kann dabei das, was sie im ganzen intentioniert, nur durch das Einzelnste in Wirksamkeit setzen und bedarf der Einseitigkeit, der „Specification, damit jedes ein besonderes bedeutendes werde, sey und bleibe". Nur durch seine Individualität partizipiert jeder Mensch an der Menschheit, jeder Gegenstand an der Welt und jeder Einzelspiegel am Werk. — „Gestaltung" galt Goethe als „höchste und einzige Operation" nicht nur der Natur, sondern auch der Kunst. Auch hier ist Besonderheit die Erscheinungsform der Allgemeinheit und Vielheit die Erscheinungsweise der Einheit.

Und auch in der Dichtung ist darum selbst „das Allerentfernteste" noch miteinander „verwandt" und „im allerhöchsten Sinne" analog. Auch die „isoliert scheinenden Phänomene" und die „Ausnahmen" sind in den einen großen „lebendigen Kreis eingeschlossen", in dem nichts oben oder unten, Erstes oder Letztes ist, in dem alles „anstatt sich zu widersprechen, sich aufklärt und die zartesten Bezüge dem menschlichen Geiste darlegt."[68]

Wer dabei nicht ermüdet, der kann das Kaleidoskop immer noch eine Wendung weiter drehen, und er wird bei jeder Drehung neue und sinnvolle Konfigurationen entdecken. Ob man Felix mit Wilhelm, Wilhelm mit St. Joseph, St. Joseph mit Elisabeth, Elisabeth mit Montan, Montan mit der Gesteinsfühlerin, die Gesteinsfühlerin mit Makarie und Makarie mit dem Astronomen zusammensieht, oder den Astronomen mit Montan, Montan mit dem Oheim, den Oheim mit den Pädagogen und die Pädagogen mit Makarie, oder Makarie mit Montan, Montan mit Wilhelm, Wilhelm mit Hersilie und Hersilie mit Felix, oder Felix mit Flavio und Flavio mit dem Hauptmann, oder den Hauptmann mit Odoard, oder Odoard mit St. Joseph . . .: Bezüge gibt es überall, und Bezüge sind das Leben dieses Buches. Bei jeder neuen Betrachtung und für jeden neuen Betrachter eröffnet es auch neue Aspekte.

Insofern haben schon frühe Rezensenten und hat auch jüngst Emil Staiger zurecht betont, daß sich die unerhört vielfältigen Relationen im einzelnen zum Teil „absichtslos“[69], wie „durch einen Zufall“[70] und „von selbst“[71] herstellen, daß der Autor sich unmöglich ihrer sämtlich habe bewußt sein können. Wer „sich auf Miene, Wink und leise Hindeutung versteht“, bemerkte Goethe selber zu Faust II, „wird sogar mehr finden als ich geben konnte.“[72]

Wenn einmal das Prinzip gegeben ist, dann setzt sich in der Tat alles von selbst in Beziehung. Die Teile im Kaleidoskop mögen fallen, wie sie wollen, sie fallen immer symmetrisch. Das heißt aber auch: sie erscheinen immer aus einer gemeinsamen Mitte organisiert, an die sie alle — dem „wahren republikanischen Sinn der Natur“ entsprechend[73] — gleiche Rechte beanspruchen dürfen. Der Interpret, dem ein unglückseliger Geist eingab, in Hinblick auf die „Wanderjahre“ von „novellistischem Beiwerk“ zu sprechen[74], mag wohl das Unzutreffendste gesagt haben, was sich über diesen Gegenstand überhaupt sagen ließ.

Denn hier verlieren selbst die Begriffe „Haupt-“ und „Nebenhandlung“ ihren Sinn.[75] Hier sind alle Aspekte schon durch ihr bloßes Miteinanderdasein mehrfach beleuchtet und mehrfach als „Fall“ bestimmt. Und das nach dem Gesetz der „vorwaltenden Farbe“[76] Spezifizierte ist nach dem Gesetz der „geforderten Farbe“ immer auch relativiert. Montan ist bei aller Souveränität doch auch ein wenig „Schuhu“ und nicht selten ein „Grobian“. Der Oheim, dessen offenbare Wunderlichkeiten durch die Opposition der Hersilie nur noch mehr hervortreten, wird auch mit den Lobesworten „trefflich“, „würdig“, „außerordentlich“, „wert“ und „edel“ bedacht.[77] Das Unternehmen in der Neuen Welt, von dem die Leiter des Auswandererbundes mit so hohem Ernste sprechen, wird von der Gegenseite als Versuch glossiert, „drüben überm Meere“, „in Sümpfen, wo man von Moskitos zu Tode gepeinigt wird“, „um Jahrhunderte verspätet den Orpheus und Lykurg zu spielen“ (798). Überall erhebt sich der Dichter mit jener „hohen wohlwollenden Ironie"[78], die er selbst an Sterne so gerühmt hat und die Bollnow als „Ironie der Ehrfurcht" verstehen durfte[79], über die Gegensätze und über das sogenannte „Positive", um ihm „die Eigenschaft des Problems" zu erhalten[80].

„Jede Lösung eines Problems sey ein *neues* Problem", vertraute Goethe im Gespräch über die „Wanderjahre" dem Kanzler von Müller an. „Es sey ja alles nur symbolisch zu nehmen, und stecke überall noch etwas anderes dahinter."[81]

Denn gerade die prinzipielle Gleichberechtigung, aufgrund derer sich die Fälle wechselseitig relativieren, macht sie alle auch in analoger Weise zum Gleichnis jenes „eigentlichen Sinns", den auch die Dichtung immer nur „annähernd" und „im Widerschein" zur Sprache bringen kann. Gerade die vielbezügliche Bedingtheit, die allem Dargestellten die Problematik und die letzte Unaussprechlichkeit des Individuellen gibt, erhebt alles auch in den Rang des Symbolischen: Situationen und Schauplätze, Gebärden und Gegenstände, Namen und Farben, Wichtiges — und scheinbar Belangloses. „So gäbe das Bild, in welchem sich Goethe seine drei Weltreligionen versinnlicht hat, eine artige Titelvignette zu einem Kinderalmanach"; und doch ist schon die ganze Lehre der Pädagogischen Provinz in diesem „leichten, fast komischen Anlauf" beschlossen.[82] So gehören der Anstieg zur Höhe, bei dem der Wanderer die „mehr denn einmal" verlorene Sonne wiedergewinnt, die Fernsicht und der Blick in die schauerlichen Klüfte am Fuß des alles überragenden Gipfels zum Kolorit der Gebirgswanderung und sprechen doch zugleich eine viel weiter reichende Bedeutung aus.[83] Immer wieder bringen hintergründige Bilder Sinn und Möglichkeit, Glück und Gefahr von Konstellationen, Plänen und Vorgängen umfassender und vielschichtiger zum Vorschein, als es die direkte Benennung vermöchte.

Der Mann von funfzig Jahren und seine Nichte stehen vor dem Familienstammbaum, an dessen unterem Ende sich Hilarie und Flavio auf gleicher Stufe „gerade genug ins Gesicht" sehen; doch das Mädchen blickt zum Oheim „in die Höhe", und dieser fällt ihr, den Abstand der Generationen mißachtend, zu Füßen (910).

— In einem nur „trüb" erleuchteten Kabinett macht Flavio der Schönen Witwe seinen ersten Antrag und empfängt „halblauten" und „wie verworrenen" Bescheid (917 f.). „Eine Ahnung wegen doppelter Ungleichheit des Alters" läßt „sich nicht abweisen" (925). — Als zweiter Orest bricht der Jüngling, „verworrnen Hauptes, ... zerfetzten Kleides, ... greulich beschmutzt", in die klare, behagliche Ordnung der Familie ein (937), als zweiter Amor schläft er der Genesung entgegen: „Das Zimmer war dunkel, nur eine Kerze dämmerte hinter dem grünen Schirm ...; ... Hilarie, sehnsuchtsvoll, ergriff das Licht und beleuchtete den Schlafenden. So lag er abgewendet, aber ein höchst zierliches Ohr, eine volle Wange, jetzt bläßlich, schienen unter den schon wieder sich krausenden Locken auf das anmutigste hervor, eine ruhende Hand und ihre länglichen zartkräftigen Finger zogen den unsteten Blick an. Hilarie, leise atmend, glaubte selbst einen leisen Atem zu vernehmen, sie näherte die Kerze, wie Psyche in Gefahr, die heilsamste Ruhe zu stören." Das sorgsam abgetönte Interieur deutet Perspektiven an, die den beteiligten Figuren selbst noch verborgen sind, und nimmt durch den Bezug auf das antike Märchen den weiteren Verlauf des Geschehens vorweg. Wie Psyche verletzt sich das Mädchen — „zum erstenmal und für ewig" (939) — am „seligen Geschoß ... des mächtigen Gottes".[84] Der Sohn erscheint nicht nur „völlig in des Vaters Kleidern" (942), er verdrängt ihn auch unvermerkt von seiner Stelle im Herzen Hilariens. — Die nächtliche Eislaufszene enthüllt, was längst feststeht: Während das „junge Paar", auf der glatten, zerbrechlichen Eisdecke des Augenblicks „immer weiter und weiter verlockt" (946), „unmittelbar dem himmlischen Gestirn selbst entgegen" zu gleiten scheint, verfolgt der Vater das Zerrbild seines eigenen Schattens (949). Als Hilarie dem Licht des Bewußtseins nicht länger ausweichen kann und der veränderten Lage inne wird, muß sie „das Gleichgewicht" verlieren und zu Boden stürzen.

Selbst „den anscheinenden Geringfügigkeiten des Wilhelm Meister", hat sich Eckermann notiert, „liegt immer etwas Höheres zum Grunde, und es kommt bloß darauf an, daß man Augen, Weltkenntniß und Übersicht genug besitze, um im Kleinen das

Größere wahrzunehmen."[85] Auch hier ist es die Spiegel-Oberfläche, die die ganze Tiefe des Spiegel-Bildes einfängt, das „bloß Wirkliche", das die „ideelle Wirklichkeit" offenbart und geheimhält. „Auf ihrem höchsten Gipfel scheint die Poesie ganz äußerlich" (1014 BdW). „Das ist eben die wahre Idealität, die sich realer Mittel so zu bedienen weiß", „daß das Poetische durchaus auf dem Wirklichen ruht, und dieses doch nichts für sich selbst gilt, sondern erst dadurch etwas wird daß es als Folie durch den poetischen Körper durchscheint".[86] — Für Novalis, so hat der Vergleich mit dem „Ofterdingen" gezeigt, ist das Wunder wirklich; für Goethe ist das Wirkliche wunderbar.

Die ideelle Wirklichkeit der Natur begründet auch den Wirklichkeitsreichtum von Goethes Spätwerk. Und das Verständnis der wunderbaren Wirklichkeit als Manifestation gab Goethes Sprache den gehobenen und feierlichen Ton, den er zum Ausdruck brachte, so oft er aus den „Wanderjahren" vorlas.[87]

Was der junge Werther in reiner Dumpfheit nur ersehnte: daß die Kunst geradeso der Spiegel der Seele würde, wie die „Seele ist der Spiegel des unendlichen Gottes"[88], das hat der späte Goethe in einer letzten, höchst charakteristischen Transformation und mit großer Helle des Bewußtseins wirklich zu leisten vermocht. So wie für ihn der Mensch an seiner Mittel-Stelle in sich selbst die Struktur des Universums abbildete, so reflektiert das Werk, das „sich" um eben diese Stelle als seiner eigenen Mitte „versammelt", die Struktur des Goetheschen Kosmos. — Die Folgerungen, die Goethe aus den Schwierigkeiten zwischenmenschlicher Mitteilung zu ziehen genötigt war, führten zugleich zur Wiederholung der Mitteilungsart der Natur.

Denn das Problem der Verständigung mit anderen Menschen und das Problem rechter Aufnahme der Natursprache hingen für Goethe zusammen: Im Umgang mit den Menschen wurde er inne, daß sich manche unserer Erfahrungen nie rund und direkt zur Sprache bringen lassen; im Umgang mit der Natur ging ihm auf, daß sie ihr Geheimnis nie unmittelbar, sondern immer nur andeutend und widerspiegelnd offenbart. Und je mehr seine Einsicht in den Chiffrencharakter des Weltalphabets wuchs, je deutlicher er sah, daß man es nie „fertig ... lesen“ lernen könne, desto verschlüsselter und vielbezüglicher wurde auch sein eigenes Werk. Der Drang, sich mitzuteilen, und die Scheu, seine geheimsten Gedanken zu offenbaren, durchdringen sich in der Struktur der Dichtung mit der Lehre aus dem Buch der Natur.

„Zuletzt“ war es ihm, nach seinem eigenen Zeugnis, „alles eine Art von Sprache, wodurch wir uns erst mit der Natur, und auf gleiche Weise mit Freunden unterhalten möchten“.

Die Bezüge zum Leser und das offenbare Geheimnis der Dichtung

„Ich eile um so mehr“ mit dem Roman, „weil es ein Mittel ist mich mit meinen auswärtigen Freunden wieder einmal vollständig zu unterhalten. ... Ich habe viel hineingelegt, manches hinein versteckt. Möge auch Ihnen dieß offenbare Geheimniß zur Freude gereichen.“[89] „Sie werden darin manches finden, welches sie überzeugt, daß ich in Scherz und Ernst diese Jahre her mich immer heimlich mit Verständigen unterhalten habe.“[90] „Denn wenn ich gegen meine abwesenden Freunde so lange stumm bin, so ist mein Wunsch durch das was ich im Stillen arbeite, mich endlich auf einmal wieder mit Ihnen in Verhältniß zu setzen.“[91] „Man befriedigt bey dichterischen Arbeiten sich selbst am meisten und hat noch dadurch den besten Zusammenhang mit andern.“[92]

In dem Bewußtsein, daß Dichtung stets des „geneigten Lesers“ bedürfe[93], hat Goethe sein Dichten von früh an als „Unterhaltung“ mit „entfernten Freunden und Geistesverwandten“[94] begriffen und sich durch das Werk — so wie es später Kierkegaard und Nietzsche in ungleich reflektierterer und radikalerer Weise tun sollten — „an die einzelnen“[95] gewendet. „Meine Sachen ... sind nicht für die Masse geschrieben“, gab er Eckermann in einer besonders vertraulichen Unterredung zu bedenken, „sondern nur für einzelne Menschen, die etwas Ähnliches wollen und suchen, und die in ähnlichen Richtungen begriffen sind.“[96] „Was würde aus einem Autor werden wenn er nicht an die einzelnen, hier und da zerstreuten, Menschen von Sinn glaubte.“[97]

Denn nur der analog Denkende vermag „nach individueller Art und Weise“ jene „Kluft“ zu überbrücken, die Goethe zwischen „Autoren und Publikum“[98] ebenso wie zwischen Mensch und Natur und Mensch und Mensch überhaupt befestigt sah. Und nur der Einzelne, „dessen eigenes Grundprincip aufgeregt wird“, kann mit seiner „Einbildungskraft“ der des Dichters „entgegen arbeiten“[99] und das, was sich in die Sprache „abgelöst“ hat, „auf's neue“ in seinem Innern reproduzieren[100]: „Der Dichter“ muß „voraussetzen daß man constructiv mit ihm verfahre“[101]; „der Leser“ muß sich „productiv“ verhalten, „wenn er an irgend einer Production theil nehmen will“[102].

Daß der Dichter diese Grundsätze gerade als „Herausgeber“ der „Wanderjahre“ besonders kräftig hervorheben mußte, leuchtet ein. Dieses Buch steht dem Leser statisch und „undramatisch“[103] wie kaum ein anderes „gegenüber“. Das Zurücktreten des Helden verhindert die Versammlung der Interessen auf einen konkreten Bezugspunkt. Die Auflösung des linearen Baus läßt Spannung im geläufigen Sinn nicht aufkommen. Das Fehlen einer mitreißenden Handlung, der man sich passiv anheimgeben dürfte, damit sie einen kraft ihres eigenen Gefälles von selber ans Ziel trage, erschwert die Lektüre. Die einzigartige Form dieses Romans ist auf den ersten Blick undurchsichtig. — Hier ist die „Kluft“ von vornherein größer, als man es von Dichtungen, auch von Dichtungen Goethes, gewohnt ist. Hier werden an die Aufmerksamkeit, Einbildungskraft und Beharrlichkeit des Lesers von vornherein außerordentliche Forderungen gestellt: Da der Roman die bedeutende Mitteilungsart der Natur wiederholt, wiederholt er auch ihre Forderung nach Reproduktivität.

Allein der produktive Leser hat „Augen ..., im Kleinen das Größere wahrzunehmen“, die symbolische Bedeutung unter der Maske „herkömmlicher Gleichgültigkeit“ hervorzuziehen und damit auch „das Abgebrochene“ zu „commentiren“, „das Desultorische“ zu „verbinden“[104] und „das Zusammengedruckte als ein

Zusammengehöriges" anzuerkennen[105]. Denn auch in der Dichtung kann nur das „wohlgesehene" Besondere für ein Allgemeines gelten, welches von seinem Ort aus „auf das übrige" deutet. Was es mit der „terrestrischen Person" auf sich hat, ist nur aus dem Kontrapunkt Makarie ganz zu ermessen; was die Straßen im Bezirk des aufgeklärten Oheims bedeuten, wird erst aus der zerklüfteten Welt des einsiedlerischen Montan klar; und die „zweibeinige Rechenmaschine" der Auswanderer kann überhaupt nur von der lebendigen „Kanzlei" Friedrich her einige Gestalt gewinnen (1091). Gerade da, wo Goethe sich erlaubt, den Samt nurmehr symbolisch zu malen und wie bei einem Operntext lediglich den „Carton", anstatt des „fertigen Bildes" zu liefern[106], muß „der echte Leser"[107] sich bewähren, indem er die Umrisse nach den vom Dichter gesetzten Nachbar- und Gegenbildern „aus eigener... Fruchtbarkeit"[108] ergänzt und ausfüllt. Und gerade an diesen „lakonisch behandelten Stellen"[109] wird deutlich, daß auch der Leser der „Wanderjahre" der umsichtigen Einbildungskraft bedarf, die „den Geist auf viele bezügliche Puncte" versetzt, daß er „die Theile nicht an sich betrachten und erklären, sondern in Beziehung auf das Ganze sich verdeutlichen" muß[110].

Goethes Hinweis, daß „das Büchlein" — die „Wanderjahre" — „mehr als jedes andere die Theilnahme an hervortretenden Einzelnheiten" fordere[111], und seine anläßlich der „Helena" geäußerte Überzeugung, „daß wer das Ganze leicht ergreift und faßt, mit liebevoller Geduld sich auch nach und nach das Einzelne zueignen werde"[112], deuten von verschiedenen Richtungen auf dasselbe: Wie „das Gewahrwerden großer productiver Naturmaximen" nötigt uns die Erkenntnis der Baugesetze dieses Buches durchaus, „unsre Untersuchungen bis in's Allereinzelnste fortzusetzen". Seine Anfangs- und Endlosigkeit treibt den Leser wie die Anfangs- und Endlosigkeit der Welt in jenen Kreisweg, der von der Einsicht zur Übersicht und von der Übersicht zur Einsicht zurück führt. Der hermeneutische Zirkel, in dem sich alles Erkennen bewegen muß, erhält hier aus der Kreisstruktur seines

Gegenstandes eine ganz spezifische Legitimation. — „Aus dem Ganzen" wird man „ins Einzelne und aus dem Einzelnen ins Ganze getrieben, man mag wollen oder nicht".

Und doch muß jeder Betrachter das Einzelne wie das Ganze notwendig in anderer Weise aufnehmen als jeder andere. Und auch die hier vorgelegte Deutung darf sich nur als „Supplement aller übrigen" verstehen. Denn die „Wanderjahre" lassen vielfältige Deutungen nicht allein zu, sie begünstigen und verlangen sie ausdrücklich: „Gefühl und Nachdenken in den verschiedensten Geistern aufzuregen", war Goethes erklärte Absicht[113]; „daß jeder sich zueigne was ihm gemäß ist", sein ausgesprochener Wunsch[114]. Da das Werk wie die Natur „viele Seiten" habe, „sollte es auch jederzeit vielseitig angesehen werden".[115] „Möge das Gesendete immer gerade recht an Ort und Stelle wirken, immer zu rechter Zeit, auf die wahrhaft Empfänglichen. Dieß ist eigentlich der einzige Segen, den der Schriftsteller seinen vieldeutigen Arbeiten mitgeben darf, wenn er sie versendet."[116]

So ist denn nichts in diesem Buch so kanonisch fixiert, daß man es in blindem Vertrauen als Goethes endgültiges Vermächtnis nachsprechen dürfte. Die Reihenfolge der drei Ehrfurchten wird mit leichter Hand und wie absichtslos vertauscht.[117] Die Nachrichten über Makariens Verhältnis zum Sonnensystem werden als ein „aus dem Gedächtnis" geschriebener „Aufsatz" (1220 f.), als „Märchen" (1216), als „ätherische Dichtung" (1224) und als „Gleichnis" (1216) vorgelegt. Der Leser hat die Wahl. Selbst da, wo der Autor hervorzutreten scheint, hält er sich zurück; wo er unter dem Schutz einer Bauweise, in der alles einzelne einander relativiert, eigene Ahnungen und persönliche Bekenntnisse preisgibt, zieht er sogleich wieder „einen Schleier über diese Geheimnisse". Kein Ergebnis wird aufgedrängt oder suggeriert. Alles ist nur Miene, Wink und leise Hindeutung; Einleitung in einen eigentlichen Sinn, den der Aufmerkende aus sich selbst entwickeln muß; „Voraussetzung", die das Resultat in sich beschließt, ohne es „rund und direkt" zur Sprache zu bringen. Überall kommt der Leser gerade so weit, wie seine eigenen individuellen Prämissen und „Erinnerungen" reichen. Die Struktur des Romans, der in seiner Kreisform Offenheit und Geschlossenheit vereint, ist der Spiegel einer offen-verschlossenen Mitteilungshaltung, die — maieutisch und bedeutend wie die Natur — das Maß ihrer Offenheit von dem reproduktiven Vermögen des Aufnehmenden abhängig macht.

Wie jenes „Prachtbüchlein" des Felix, von dessen Text wir entgegen „aller Tradition ... kein Wort erfahren", sind die „Wanderjahre" als Ganzes „entdeckte und zugleich verschlossene, geheime Offenbarung".[118] Sie liegen „im Druck offen da"[119], „damit ein sinniger Leser sich in den Bildern bespiegeln und die mannigfaltigsten Resultate bey wachsender Erfahrung selbst herausfinden möge"[120]. Und sie werden doch — trotz ihrer sechshundert Seiten und trotz tausendfältiger Modifikation ihrer „Lehre" — allezeit einen problematischen Rest hinter sich behalten und im Letzten verschwiegen bleiben. Auch dieses Bedeutungsalphabet ist immer noch „enger, als man denkt".

Die Vermutung, daß Goethe die zwischenmenschliche Mitteilung nurmehr wie eine Sonderform der kosmischen behandelt und die Werkmitteilung als Sonderform der zwischenmenschlichen Mitteilung angesehen habe, erweist sich von allen Seiten als gegründet. Immer war es dieselbe „eingeborne Methodik", die Goethe „gegen Natur, Kunst und Leben wendete" und „immer zu größerer Sicherheit und Gewandtheit" ausbildete.[121] Überall verfuhr er analog, und überall kam ihm darum das Analoge entgegen.

Indem er sich vom menschlichen Herzen zur Natur wendete, um ihr „ihr Verfahren abzulauschen", löste er die Schwierigkeiten, die ihm in der Kommunikation mit den Menschen entstanden waren. Indem er die Folgerungen aus den problematischen Verhältnissen zwischenmenschlicher Mitteilung zog, wiederholte er die Mitteilungsart der Natur. Und aus der wechselseitigen Durchdringung der Bereiche erwuchs die Form, die es ihm erlaubte, dasjenige „unter Paradoxie und Fabel ... versteckt" vorzutragen, „dessen frühere oder spätere Ausführung" ihm „längst am stillen

Herzen lag".[122] Werde ich doch „selbst fast des Glaubens", schrieb er schon nach Abschluß der ersten Fassung des Romans an Riemer, „daß es der Dichtkunst vielleicht allein gelingen könne, solche Geheimnisse gewissermaßen auszudrücken, die in Prosa gewöhnlich absurd erscheinen, weil sie sich nur in Widersprüchen ausdrücken lassen, welche dem Menschenverstand nicht einwollen."[123] Insofern sind die „Wanderjahre" ein „testamentarisches und codicillarisches" Buch[124]: für Goethe eine letzte Möglichkeit der Selbstaussprache, für die Nachwelt ein einzigartiges Dokument, das „die Resultate dessen, was" ihm „in Wissenschaft und Kunst geworden"[125], in der ihnen allein gemäßen Weise aufbewahrt.

NACHWEISE UND ANMERKUNGEN

Zitiert werden

DIE WERKE UND SCHRIFTEN Goethes nach: Goethe. Gesamtausgabe der Werke und Schriften in 22 Bden. (u. einem Zusatzband). Stuttgart, Cotta o. J. (1950 ff.), mit Angabe von Band- u. Seitenzahl, die Maximen und Reflexionen (MR) mit den Nummern von Max Hecker;

„Wilhelm Meisters Lehrjahre" und „Wilhelm Meisters Wanderjahre" nach Bd. 7 dieser Ausgabe mit der Seitenzahl — bei den Aphorismen mit dem Zusatz: BdW = „Betrachtungen im Sinne der Wanderer" oder MA = „Aus Makariens Archiv" — direkt im Text; die Lesarten, Paralipomena und Schemata zu den „Wanderjahren" nach Bd. 25/2 der I. Abt. der Weimarer Ausgabe (WA I 25/2); die Hauptschriften zur Morphologie, die in der Cotta-Ausg. noch nicht erschienen sind, nach der II. Abt. der Weimarer Ausg. (WA II);

DIE BRIEFE nach der IV. Abt. der Weimarer Ausg. (WA IV) immer mit Band- u. Seitenzahl, in der Regel auch mit Angabe von Empfänger und Datum;

DIE GESPRÄCHE nach den im Literaturverzeichnis angeführten Ausgaben von Eckermann, Riemer, von Müller und der Sammelausgabe von Flodoard v. Biedermann stets mit Angabe von Gesprächsteilnehmer und Datum.

EINLEITUNG

[1] 23. 11. 29 an Rochlitz — 46, 166; dazu 28. 7. 29 an Rochlitz — 46, 27.

[2] 18. 2. 30 zu v. Müller — 183.

[3] Frühe Stimmen zu den „Wanderjahren“ bei: Eberhard Sarter, Zur Technik von Wilhelm Meisters Wanderjahren. Phil. Diss. Berlin 1914 = Schriften der Literarhist. Gesellschaft Bonn NF 7. S. IX ff. Und bei: Gustav Dichler, „Wilhelm Meisters Wanderjahre“ im Urteil deutscher Zeitgenossen. — In: Archiv f. d. Studium der neueren Sprachen Jg. 87, Bd. 162 (1932) S. 23—29.
Ein gedrängter Abriß der Forschungsgeschichte mit weiteren Verweisen unter gebührender Herausstellung der Leistung von Erich Trunz bei: Hans Joachim Schrimpf, Das Weltbild des späten Goethe. Überlieferung und Bewahrung in Goethes Alterswerk. — Stuttgart 1956 (vorher Phil. Diss Münster 1951) S. 8 ff.

[4] 23. 7. 21 an S. Boisserée — 35, 32; 7. 9. 21 an Zauper — 35, 74.

[5] 31. 3. 22 an Zelter — 35, 304 — über ein Bild Tizians.

[6] Vgl. Hans Reiß, Goethes Romane, Bern München 1963, S. 207 und 274 f. Dort der wichtige Hinweis auf Hermann Brochs Aufsatz „Das Weltbild des Romans“ (Broch, Essays I, Zürich 1955, S. 237), in dem er die „Wanderjahre“ zum „Grundstein der neuen Dichtung, des neuen Romans“ erklärt. — Zum gleichen Zusammenhang: Volker Klotz (Hg.): Zur Poetik des Romans = Wege der Forschung XXXV. Darmstadt: Wissenschaftl. Buchgesellschaft 1965, S. IX.

[7] 27. 9. 27 — 43, 83.

[8] XV 128.

[9] 25. 1. 18 — 29, 24 f.

[10] VI 669.

[11] 14. 6. 09 zu Falk — Biedermann II, 40.

I. MITTEILUNG ALS THEMA

[1] 24. 9. 17 an C. L. F. Schultz — 28, 261 ff.

[2] So daß man hier sogar Hexameter glaubte hören zu dürfen: Emil Krüger, Die Novellen in „Wilhelm Meisters Wanderjahren". — Phil. Diss. Kiel 1926. S. 118.

[3] Novalis Schriften. Hg. v. L. Tieck u. E. v. Bülow. Dritter Theil. Berlin (1846) S. 122.
Hier sind Endfassung und Entwurf zitiert nach: Novalis. Schriften. Hg. v. P. Kluckhohn (†) u. R. Samuel. 2., nach den Hss. ergänzte, erw. u. verb. Aufl. in 4 Bden. — 1. Bd.: Das dichterische Werk. Hg. v. P. Kluckhohn (†) u. R. Samuel unter Mitarbeit v. H. Ritter u. G. Schultz. — Darmstadt (1960) S. 391 u. 349 f.

[4] Ebd. 319 f.

[5] Ebd. 317 („Astralis").

[6] Ebd. 320.

[7] „Graus" hat zwei Wurzeln: „gruz" — Korn, Trümmer, Steingeröll; und „grus" — Schauererregendes, Grauenvolles, Schreckliches. Sie fallen Nhd. in der Schreibung zusammen und gehen meist auch im Sinn ineinander. — Grimms Deutsches Wörterbuch. Bd. IV 1/5. Leipzig. (1958) Sp. 2178 ff., 2227 ff.; F. Kluge u. A. Götze, Etymologisches Wörterbuch der deutschen Sprache, Berlin, 15. Aufl. (1951) S. 278; Paul Fischer, Goethes Wortschatz, Leipzig (1929) S. 306.
„Bedeutend" befindet sich gerade in der späten Goethezeit — und nicht ohne Goethes entscheidende Einwirkung — im Übergang von „hinweisend", „bezeichnend", „ausdrucksstark" zum allgemeinen Wertwort für Ranghohes, Bemerkenswertes, Wichtiges. — Grimm. Bd.I. Leipzig (1854) Sp. 1227 f.; Kluge-Götze S. 132; Fischer S. 83 ff. Dazu S. 109—111 dieser Arbeit.

[8] Zur Farbenlehre. Vorwort. — XXI 14.

[9] 9. 9. 31 an F. Mendelssohn Bartholdy — 49, 67. — Dazu: Friedrich Ohly: Goethes Ehrfurchten — ein ordo caritatis. — In: Euphorion 55 (1961) S. 436: „Die Landschaften sind bald symbolisch wie der erste Satz des Romans, werden bald zu Mythen der Natur und der Geschichte wie das Riesenschloß."

[10] Entwurf einer Farbenlehre. Des ersten Bandes erster, didaktischer Teil. § 181. — XXI 82.

[11] VI 703.

[12] Novalis a.a.O. 325.

[13] Im Stofflichen geht sie allerdings noch um einiges weiter. Beidemal begegnet an steilem Gebirgsweg eine wundersame Erscheinung, der die Bezeichnung „Gesicht" gegeben wird (Novalis a.a.O. 349; Goethe VII 713). Beidemal folgen die Einkehr bei freundlichen Menschen in wohnlich hergestellter Behausung innerhalb alter Ruinen und die Erzählung des Hausherrn aus seiner Lebensgeschichte. Bemerkenswert auch einige Einzelberührungen: „Er hatte nun das Gebürg erreicht . . ." (Novalis 320). „Nun ist endlich die Höhe erreicht, die Höhe des Gebirgs . . ." (Goethe 716). „Es dünkte ihm als träumte er jetzt oder habe er geträumt" (Novalis 320). „Es war mir, als wenn ich träumte, und dann gleich wieder, als ob ich aus einem Traum erwachte" (Goethe 730). Die Mutter heißt Maria und ist Maria.
Trotz dieser Ähnlichkeiten und weiterer Anklänge wird man direkte und bewußte Übernahme Goethes nicht vermuten dürfen. Zu offenkundig sind die Elemente dieses Romaneingangs schon bei ihm selbst vorgebildet. So ist für das Material auf Eindrücke aus der Schweiz (Eugen Wolff: Wilhelm Meisters Wanderjahre. Ein Novellenkranz. Hg. v. E. Wolff. Frankfurt am Main 1916 S. 25 ff.) und durch die Klosterruine Paulinzella (Gertrud Haupt: Goethes Novellen St. Joseph II., Die pilgernde Thörin, Wer ist der Verräter? — Phil. Diss. Greifswald 1913. S. 23 f.) hingewiesen worden; entscheidend für die Führung des Ablaufs ist aber ohne Frage das Urmotiv des einkehrenden Wanderers (Eine Zusammenstellung bei Hans Joachim Schrimpf: Das Weltbild des späten Goethe. Stuttgart 1956. S. 121 ff.) und das der Gebirgswanderung überhaupt. Wie nah etwa „Die Geheimnisse" den „Wanderjahren" stehen, bezeugt hier schon zu Beginn ein so bedeutsames Bild wie das des verspäteten Sonnenunterganges (Geheimnisse V. 25—32. II 387; Wanderj. 715). Daß hier absichtsvolle Wiederaufnahme vorliegt, ist wahrscheinlich.
Es legt sich sogar nahe — wenn das nun auch gar zu behende erscheinen mag —, Anregungen von den „Geheimnissen" ihrerseits auf Novalis anzunehmen (Klosterbruderschaft, Rosenwunder, überhaupt die Tendenz: vgl. Goethe am 3. 8. 1815 zu S. Boisserée, Biedermann II 314, u. Tiecks Bericht über die Fortsetzung des „Ofterdingen", a.a.O. 359—369), so daß sich ein merkwürdiger und zarter Wechselbezug andeutete: Novalis konzipiert seinen „Ofterdingen" ganz bewußt in stetem Hinblick auf „Wilhelm Meisters Lehrjahre", empfängt Anregungen für den zweiten Teil auch aus den „Geheimnissen", äußerlich einem der „romantischsten" der Goetheschen Werke, und entwirft so einen Anfang, der seinem äußeren Ursprung nach goethenah sein mußte.

Dieser Herkunft halber und gerade wegen Goethes eigener Offenheit für die Grundelemente dieser Motivwelt vermochte sich nun jene Eingangsfigur des Novalis Goethen so als Erinnerungsbild einzuprägen, daß Entsprechungen in der Anlage wie im einzelnen unausbleiblich waren. Der romantische Charakter der ganzen Josephsgeschichte ist ja von Anfang an erkannt worden und hat von Anfang an nazarenerhaftes Mißverständnis nur zu nahe gelegt. — Verwandtschaft und Abstand beider Eingänge hat schon Max Kommerell in seinen späten Vorlesungen gewürdigt. (Freundlicher Hinweis von Herrn Professor Baumann.).

[14] WA I 25/2, S. 13.

[15] Faust 6272.

[16] 3290 ff. — V 949.

[17] Briefe aus der Schweiz. Zweite Abt. Münster, den 3. Okt. — X 9 f.

[18] (Philosophische Studie) XVIII 68.

[19] Vgl. MR 417.

[20] Briefe aus der Schweiz. Zweite Abt. Chamonix, den 4. Nov.; Leukerbad, den 9. Nov. — X 26, 41.

[21] André Gilg, „Wilhelm Meisters Wanderjahre" und ihre Symbole. Zürich 1954. S. 24.

[22] (Über den Granit) — XX 322—324.

[23] Wie ist dieses Gestein prädestiniert, die Zeit zu messen! — Wertvolle Hinweise bei Gilg a.a.O. S. 21 f. u. 31.

[24] Zu dieser Art Goethescher Landschaftsanschauung aufschließend: Gerhard Neumann, Konfiguration, Studien zu Goethes „Torquato Tasso". — München: Fink 1965. (= Zur Erkenntnis der Dichtung 1.) (vorher Phil. Diss. Freiburg 1963.) S. 28 f.

[25] Daß dies alles nicht nur topographisch zu nehmen ist, liegt auf der Hand. Die Gipfel-Höhe ist bei Goethe immer mit der Möglichkeit des Schwindels, des Schauderns und Erstaunens verbunden: „Das sterbliche Geschlecht ist viel zu schwach, / In ungewohnter Höhe nicht zu schwindeln." (Iphigenie auf Tauris 317 f. — V 775.) „Das Höchste, wozu der Mensch gelangen kann, ist das Erstaunen." (18. 2. 29 zu Eckermann — 244.)

Der Fernblick passiert — wie ähnlich eine Bilderfolge im 4. Akt von Faust II — genau die Lagen, die Goethe auch gesprächsweise und in ausdrücklichem Bezug auf die „verschiedenen Lebensstufen" beruft: „Man sieht freylich die Welt anders in der Ebene, anders auf den Höhen des Vorgebirgs, und anders auf den Gletschern des Urgebirgs". (17. 2. 31 zu Eckermann — 360.) Und die „schauerlichen Tiefen" eröffnen die Gegenmöglichkeiten zum herrlichen „Hochpunkt" (Zur Morphologie. Der Verfasser theilt die Geschichte seiner botanischen Studien mit. — WA II 6, 114), deuten auf stete Gefährdung, Absturz und Einbruch. (Vgl. die Fernrohrszene der 1. Fas-

sung der „Wj." WA I 25/2, S. 131.) Die Konzeptionsstimmung seiner „Mitschuldigen" schilderte Goethe in ähnlichen Wendungen: „... hatte ich zeitig in die seltsamen Irrgänge geblickt, mit welchem die bürgerliche Sozietät unterminiert ist" (Dichtung und Wahrheit. 7. Buch. — VIII 338). Lavater versicherte er anläßlich des großen Scharlatans Cagliostro: „Glaube mir, unsere moralische und politische Welt ist mit unterirdischen Gängen und Kellern und Cloaken miniret, wie eine große Stadt zu seyn pflegt, an deren Zusammenhang, und ihrer Bewohnenden Verhältnisse wohl niemand denkt und sinnt." (22. 6. 81—5, 146 ff.)
So spannt diese Landschaft das erscheinende Achsenkreuz des Daseins noch ungleich weiter als der Beginn und hebt es gleichsam als Ganzes auf diesen „steilen, hohen nackten", alles überragenden Felsen.
[26] 3. 6. 30 an Zelter — 47, 86.
[27] MR 333.
[28] XX 323 f.
[29] Dichtung und Wahrheit. 17. Buch. — VIII 820.
[30] Faust 455.
[31] Faust 485.
[32] XX 325.
[33] XX 326.
[34] XX 321 f.
[35] 5. 10. 30 an Zelter — 47, 275.
[36] Versuch einer Witterungslehre — XX 911.
[37] MR 1240. Dazu am 20. 2. 31 zu Eckermann (364) über die Farbenlehre: „Überhaupt lernet niemand etwas durch bloßes Anhören, und wer sich in gewissen Dingen nicht selbst thätig bemüht, weiß die Sachen nur oberflächlich und halb." Oder am 11. 1. 32 an S. Boisserée (49, 198) über das Regenbogenphänomen: „Hier ist mit Worten nichts ausgerichtet, nichts mit Linien und Buchstaben; unmittelbare Anschauung ist Noth und eigenes Thun und Denken. Schaffen Sie sich also augenblicklich ... eine hohle Glaskugel an ...".
[38] XX 325.
[39] Vgl. VII 1243 (MA): „Wie Sokrates den sittlichen Menschen zu sich berief, damit dieser ganz einfach einigermaßen über sich selbst aufgeklärt würde, so traten Plato und Aristoteles gleichfalls als befugte Individuen vor die Natur." Und „Dichtung und Wahrheit", 15. Buch (VIII 742 f.), über die Gestalt jenes Schusters, die Goethe in seinem Plan zum „Ewigen Juden" vorgesehen hatte: „Weil er nun, bei offener Werkstatt, sich gern mit den Vorübergehenden unterhielt, sie neckte und auf sokratische Weise, jeden nach seiner Art anregte, so verweilten die Nachbarn ... gern bei ihm."
Zur Maieutik des Sokrates vgl.: Platon, Theaitetos — Stephanus-Ausg. 149/150 (= Platon. Sämtliche Werke. Nach der Übers. v. Friedrich

Schleiermacher hg. v. Walter F. Otto, Ernesto Grassi u. Gert Plamböck. Bd. 4. Hamburg 1958. S. 113—115).
Von nicht zu überschätzender Bedeutung für die Wirkung dieser Seite des Sokratesbildes in der Geistesgeschichte der Neuzeit sind Hamann und Kierkegaard: Johann Georg Hamann, Sokratische Denkwürdigkeiten, Amsterdam (vielm. Königsberg) 1759 (= Sturm und Drang. Kritische Schriften. Nach dem Plan v. Erich Loewenthal hg. v. Lambert Schneider und Waltraut Schleunig. Heidelberg 1949. S. 62—84). Sören Kierkegaard, Über den Begriff der Ironie mit ständiger Rücksicht auf Sokrates, Kopenhagen 1841 (übers. v. Emanuel Hirsch unter Mitarbeit v. Rose Hirsch, Düsseldorf u. Köln 1961); auch: Philosophische Brocken ... von Johannes Climacus, hg. v. S. Kierkegaard, 1844 (übers. v. E. Hirsch, 1925, S. 8 f.,58 f.); Über meine Wirksamkeit als Schriftsteller, 1851 (übers. v. E. Hirsch, 1951, S. 6 ff.); u. ö.
Für Goethes Verhältnis zu Hamann, seine Absicht, ihn herauszugeben und die spätere Förderung der von Friedrich Roth besorgten Ausgabe vgl. „Dichtung und Wahrheit", 12. Buch (VIII 599 ff.) und die Verweise von Erich Trunz im 10. Bd. der Hamburger Goethe-Ausgabe S. 563 ff.; für Kierkegaards Verhältnis zu Hamann die bewundernde Würdigung in: Abschließende unwissenschaftliche Nachschrift zu den Philosophischen Brocken ... v. Johannes Climacus, hg. v. S. Kierkegaard, 1846 (übers. v. Hans Martin Junghans, 1957, S. 242 f.), die Motti zu: Furcht und Zittern ... v. Johannes de Silentio, 1843 (übers. v. E. Hirsch, 1950, S. 2), und zu: Der Begriff Angst ... v. Vigilius Haufniensis, 1844 (übers. v. E. Hirsch, 1952, S. 3), und die Zitate in den Philosophischen Brocken (a.a.O. 49 f.) und im Begriff Angst a.a.O. 168). Weitere Verweise bei: Walther Rehm, Kierkegaard und der Verführer, München 1949, S. 350, 425, 432, 478, 583.
Ähnlich wie Elisabeth und Montan treten auch Joseph und Wilhelm, welche sich die ablehnenden Antworten zuziehen, in parallelen Bezug. Sie wollen notwendige Stufen überspringen; sie laufen Gefahr, dabei des Eigentlichen verlustig zu gehen; und ihnen fehlt vor allem noch die innere Bereitschaft zur Entsagung, die sowohl das vorzeitige „Verlangen" des ungeduldig Liebenden (732) als auch den augenblicklichen Impuls nach flach „geschwinder" Orientierung aufzufangen wüßte.
Der erste Zwang zur Resignation ist allen dreien, Joseph, Wilhelm und Montan, gemeinsam und gemeinsam auch ihr Gegenstand: der geliebte Mensch. Doch danach scheiden sich die Wege. Joseph bleiben die eigentlichen Prüfungen erspart. Das Ende des Trauerjahres ist für ihn schon bald Verheißung; er kann es als wirklich „gute Zeit" in freudiger Demut auf sich nehmen (734). Seine Entsagung ist wenig mehr als ein Moratorium. Für Montan dagegen bedeutet sie einen echten Bruch. Entschlossen wirft er sich in ein „neues Leben" und erringt gerade

in der Beschränkung die Fachmeisterschaft über ein neues Ganze. Wilhelm aber ist für diese Stufe der Entsagung — was Wilhelm von Montan trennt, sind eben Stufen der Entsagung! — noch nicht reif befunden. Der noch „in jeder Ecke" grünende „Wanderstab" (749) hat erst seine Wanderjahre abzuleisten.

[40] Ende Juli 1916. — Hugo von Hofmannsthal. Gesammelte Werke in Einzelausgaben. Hg. v. Herbert Steiner. Aufzeichnungen. S. 179.

[41] 25. 9. 27 an S. Boisserée — 43, 77 ff.

[42] Versuch einer Witterungslehre — XX 913.

[43] 28. 4. 97 an J. H. Meyer — 12, 107 ff.

[44] 6. 6. 30 — 191.

[45] VII 576.

[46] 10. 7. 16 an S. Boisserée — 27, 79 f.

[47] Kopthisches Lied — I 96 f.

[48] Gerade dies hätte Wilhelm in den „Lehrjahren" schon gewünscht (VII 636): Jarno: „. . . diesmal hab ich Auftrag". Wilhelm: „Ich wünschte . . ., Sie sprächen aus eigner Bewegung". — Dazu: Karl Schlechta, Goethes Wilhelm Meister, Frankfurt am Main 1953, S. 42.

[49] 27. 3. 24 — 110.

[50] Diogenes Laertius, Leben und Meinungen berühmter Philosophen. Übers. u. erl. v. Otto Apelt. Leipzig 1921. Bd. 1. S. 276.

[51] Die Vögel — III 800, 803.

[52] Noten und Abhandlungen zu besserem Verständnis des west-östlichen Divans. Künftiger Divan. — II 270.

[53] 9. 6. 31 an Zelter — 48, 222 ff.

[54] Heinrich Düntzer in: Goethe's Werke. Nach den vorzüglichsten Quellen revidirte Ausgabe. Berlin (G. Hempel) o. J. (1868—1879). Bd. 8. S. 368 f.

[55] 6. 3. 28 zum Kanzler v. Müller (173): „Ihr müßt verzeyhen, wenn ich grob bin, ich schreibe jetzt eben in den Wanderjahren an der Rolle des Jarno, da spiele ich eine Weile auch im Leben den Grobian fort."

[56] Dazu etwa: MR 1167; Materialien zur Geschichte der Farbenlehre. Des zweiten Bandes erster, historischer Teil. Einleitung. — XXI 475; West-östlicher Divan. Buch der Sprüche (II 77): „Wer auf die Welt kommt, baut ein neues Haus, / Er geht und läßt es einem zweiten. / Der wird sich's anders zubereiten, / Und niemand baut es aus." Ganz analog am 22. 7. 31 an S. Boisserée (49, 14 ff.) mit dem Schluß: „Die Selbsthätigkeit es des Menschen Seligkeit, die man nicht präoccupieren kann."

[57] VII 641.

[58] Farbenlehre. Hist. Teil. Zwischenzeit. Autorität. — XXI 588.

[59] 12. 2. 29 zu Eckermann — 240.

[60] Einwirkung der neuern Philosophie — VIII 1367.

[61] MR 1238.
[62] Anfang 1807 zu Riemer — Biedermann I 472.
[63] MR 1203.
[64] Morgenröte. — Nietzsches Werke. Leipzig 1905. Bd. I/4. S. 3 f. „Trophonios" bei Goethe MR 339.
[65] Dichtung und Wahrheit. 10. Buch. — VIII 523.
[66] 20. 3. 76 an Lavater — 3, 42 f.
[67] MR 5.
[68] Principes de Philosophie Zoologique. Discutés en Mars 1830 au sein de l'academie royale des sciences par Mr. Geoffrey de Saint-Hilaire. Paris 1830. — WA II.
[69] 6. 6. 25 (?) an Zelter — WA IV 39, 214 ff.
[70] WA IV 19, 235 ff.
[71] Italien. Reise. Erster Teil. — IX 360.
[72] Italien. Reise. Zweiter Teil. — IX 588.
[73] WA IV 4, 47.
[74] WA IV 12, 266.
[75] WA IV 49, 47.
[76] WA IV 39, 122.
[77] WA IV 34, 163.
[78] WA IV 40, 170.
[79] WA IV 12, 380.
[80] Farbenlehre. Didakt. Teil. §§ 571/72, 587/88, 592/93 — XXI 182, 185, 186.
[81] WA IV 39, 369.
[82] Goethes Werke. Festausgabe ... hg. v. R. Petsch. Bd. 12 (Wilhelm Meisters Wanderjahre) hg. v. J. Wahle, komment. v. O. Walzel. Leipzig 1926. S. 508.
[83] Farbenlehre. Didakt. Teil. § 884 — XXI 255.
[84] MR 1199.
[85] MR 1201.
[86] Dazu: Ernst Robert Curtius, Europäische Literatur und lateinisches Mittelalter. Bern 1948. S. 321—327. — Wilhelm Flitner, Goethe im Spätwerk. Hamburg 1947. S. 30, 39. — Wolfdietrich Rasch, Ganymed. Über das mystische Symbol in der Dichtung der Goethezeit. In: Wirkendes Wort 4 (Sonderheft) (1953/54) S. 42. — Friedrich Ohly, Goethes Ehrfurchten — ein ordo caritatis. In: Euphorion 55 (1961) S. 413.
[87] 24. 3. 79 — 4, 24.
[88] 3. 6. 08 — 20, 70 ff.
[89] 12. 2. 69 an Friederike Oeser — 1, 188 ff.
[90] Sendschreiben — I 395 f.
[91] 24. 8. 84 an Charlotte v. Stein — 6, 341 ff.

[92] Aus Goethes Brieftasche. Nach Falconet und über Falconet. — XVI 40.
[93] Italienische Reise. Zweiter Teil. Neapel 9. 3. 87 — IX 412.
[94] 15. 6. 86 an Charlotte v. Stein — 7, 229.
[95] Wilh. Meisters Wj. 1. Fassung. — WA I 25/2, S. 60.
[96] Farbenl. Hist. Teil. Newtons Persönlichkeit. — XXI 838.
[97] 11. 3. 16 an C. L. F. Schultz — 26, 289 ff.
[98] Farbenlehre. Vorwort. — XXI 13.
[99] Ebd. 15.
[100] Ebd. 14.
[101] v. Müller 29 f.
[102] WA I 25/2, S. 13.
[103] 24. 9. 17 an C. L. F. Schultz — 28, 261 ff.
[104] 3. 12. 23 — 37, 269. „Gesund Denken ist die größte Vollkommenheit, und die Weisheit besteht darin, die Wahrheit zu sagen und zu handeln nach der Natur, auf sie hinhörend", heißt es bei Heraklit. Frg. 112. — Die Fragmente der Vorsokratiker von Hermann Diels. Nach der von Walter Kranz hg. 8. Aufl. hg. von Gert Plamböck. Hamburg 1957. S. 30.
[105] 24. 2. 24 zu Eckermann — 70.
[106] 10. 5. 29 an Schubarth — 45, 267 f.
[107] 2. 2. 89 an Stolberg — 9, 78 f.
[108] Farbenl. Hist. Teil 17. Jh. Robert Boyle. — XXI 714.
[109] Ital. Reise. Venedig. — IX 99; 2. 4. 28 an Nees v. Esenbeck — 44, 46 ff.; Divan. Noten u. Abh. Verwahrung. — II 255; Farbenl. Didakt. Teil. § 242 — XXI 97 f.; ebd. § 218; MR 587; u. ö.
[110] 14. 1. 09 zu Falk — Biedermann II 40.,
[111] Dazu: Josef Pieper, Über das Schweigen Goethes. München 1951. S. 38 ff.
[112] 22. 5. 22 zu v. Müller — 55.
[113] 15. 3. 32 an Sternberg — 49, 271.

II. MITTEILUNG ZWISCHEN MENSCHEN

[1] Wanderj. Der Mann von funfzig Jahren. — VII 906.
[2] 8. 7. 18 an Schubarth — 29, 228 f.
[3] 28. 4. 97 an J. H. Meyer — 12, 107.
[4] Zur Morphologie. Schicksal der Druckschrift. — WA II 6, 137; 20. 6. 96 an J. H. Meyer — 11, 100.
[5] 13. 2. 75 an Auguste Gräfin zu Stolberg — 2, 234; dazu: Einleitung in die Propyläen — XVI 306 f.
[6] 28. 3. 17 an Uwarow — 28, 41.
[7] 3. 2. 87 an Herzog Carl August — 8, 169; dazu: 28. 8. 07 an Adam H. Müller — 19, 406.
[8] Etwa: WA IV 12, 282; 19, 454; 36, 103; 38, 207; 49, 206; 6. 3. 18 zu Julie von Egloffstein — v. Müller 22.
[9] Etwa: Kampagne in Frankreich 1792 — X 412.; It. Reise. 3. Teil. Zweiter röm. Aufenthalt. — IX 657; WA IV 5, 217; 13, 18; 29, 153; 43, 59.
[10] Etwa: Dichtg. u. Wahrh. 13. Buch. — VIII 686 f.; WA IV 1, 127; 1, 139; 2, 242; 13, 302; 25. 12. 25 zu Eckermann. — 134; 24. 9. 27 zu Eckermann. — 212.
[11] Etwa: WA IV 4, 118; 5, 3; 5, 6; 6, 209; 8, 162; 8, 178; 9, 261; 10, 196; 10, 209; 11, 118; 12, 168; 16, 365;21, 140; 22, 318; 23, 170; 23, 216; 23, 261; 23, 266; 24, 275; 25, 30; 28, 177; 29, 66; 33, 277; 34, 33; 34, 190; 27. 3. 25 zu Eckermann. — 452.
[12] MR 5.
[13] 26. 4. 68 an Behrisch — 1, 158.
[14] 7. 5. 81 an Lavater — 5, 121.
[15] 9. 3. 85 an Charlotte v. Stein — 7, 25.
[16] (14. 10.) 86 an Herder — 8, 32 f.
[17] 1. 11. 95 an Schiller — 10, 324.
[18] 28. 9. 11 an F. A. Wolf — 22, 173.
[19] 28. 12. 20 an d'Alton — 34, 58.
[20] 31. 4. 24 an Sternberg — 38, 126.
[21] 22. 10. 26 an S. Boisserée — 41, 210 dazu: WA IV 4, 318 f.; 41, 154.
[22] 18. 8. 09 an J. H. Meyer — 21, 36.

[23] 15. 9. 26 an S. Boisserée — 41, 154.
[24] 7. 10. 19 an v. Preen — 32, 57.
[25] 30. 1. 12 an Rochlitz — 22, 251.
[26] 6. 9. 22 an S. Boisserée — 36, 152.
[27] 5. 3. 21 an Reinhard — 34, 149.
[28] 12. 11. 22 an Beneke — 35, 105.
[29] 4. 8. 09 an Voigt — 21, 24.
[30] 17. 3. 17 an Knebel — 28, 24; dazu: 29. 5. 17 an Zelter — 28, 106.
[31] 2. 9. 20 an J. J. u. M. v. Willemer — 33, 192.
[32] Divan. Noten u. Abh. Einleitung. — II 191.
[33] 16. 7. 20 an S. Boisserée — 33, 117.
[34] 19. 7. 21 an Leonhard — 35, 19.
[35] 9. 7. 20 an Schubarth — 33, 102.
[36] 1. 7. 20 an Carus — 33, 90.
[37] 3. 2. 23 an Schlosser — 36, 304.
[38] 15. 3. 32 an C. B. Cotta — 49, 277.
[39] 3. 1. 32 an Soret — 49, 187.
[40] 9. 8. 23 an C. L. F. Schultz — 37, 179.
[41] Dazu: Georg Simmel, Goethe. Leipzig 5. Aufl. 1923. S. 148.
[42] Beiträge zu Lavaters Physiognomischen Fragmenten 1775—1776. Von der Physiognomik überhaupt. Zugabe. — XVIII 428 f.
[43] 13. 2. 30 an Varnhagen v. Ense — 46, 238.
[44] Mai 1827 an v. Buttel (Konzept) — 42, 356.
[45] 14. 11. 27 an Knebel — 43, 168.
[46] 25. 4. 14 an Schweigger — 24, 227.
[47] MR 1147 (vom Verf. gesperrt.).
[48] Max Wundt, Goethes Wilhelm Meister und die Entwicklung des modernen Lebensideals. Berlin u. Leipzig 1913. S. 44.
[49] Diese Auslegung entspricht der von Radbruch (Gustav Radbruch, Wilhelm Meisters sozialistische Sendung. In: Radbruch, Gestalten und Gedanken. Leipzig 1944. S. 100—103, 114—115. — Abgedruckt auch im 8. Bd. der Hamburger Ausgabe S. 625 f.) und Schrimpf (S. 258—262). Sie steht im Gegensatz zu der von Flitner (Wilhelm Flitner, Sinn und Tat in „Wilhelm Meisters Wanderjahren". In: Die Erziehung 13, 1938, S. 254) und weicht auch ab von der von Trunz (Hamburger Ausgabe Bd. 8, S. 622 ff.).
[50] 28. 2. 90 an Reichardt — 9, 180.
[51] VII 1039 BdW. u. 25. 1. 13 an Reinhard — 23, 267.
[52] German Romance — XV 1038 f. Ebenso 20. 7. 27 an Carlyle — 42, 269. Vgl. auch: Urworte. Orphisch. (XV 519): „Die auf der Erde verbreiteten Nationen sind ... als Individuen anzusehen." Ferner: Walter Scott. Leben Napoleons. — XV 1063 f.; Ferneres über Weltliteratur — XV 797.

[53] Dazu: Kampagne — 408; It. Reise. 3. T. Zweiter röm. Aufenthalt. — IX 686.
[54] 14. 10. 23 — 87.
[55] MR 1085.
[56] MR 925.
[57] Geistesepochen nach Hermanns neuesten Mitteilungen — XV 367.
[58] Farbenl. Hist. Teil. 16. Jh. Baco v. Verulam. — XXI 658 f.
[59] 23. 11. 29 an Rochlitz — 46, 166.
[60] Der ganze Brief: VII 786—788.
[61] WA I 25/2, 29.
[62] 15. 9. 04 an Eichstädt — 17, 197 — über Sophokles.
[63] WA I 25/2, 28.
[64] Herbst 1772. — Goethe in vertraulichen Briefen seiner Zeitgenossen. Hg. v. W. Bode. Berlin 1917—1923. Bd. I. S. 35.
[65] Biedermann IV 485.
[66] 17. 6. 97 an Fritz v. Stein — Biedermann I 257.
[67] 12. 2. 14 an Knebel — Bode II 414.
[68] Mitgeteilt im Goethe-Kalender 24 (1931) S. 201. Zit. v. Hans Pyritz, Goethes Verwandlungen. Hamburg 1950. (= Hamburger Universitätsreden 7) S. 25.
[69] 21. 8. 74 an Jacobi — 2, 186 f.
[70] Dazu: 12. 7. 86 an Jacobi — 7, 243.
[71] (7.—10. 3. 1775) an Auguste v. Stolberg — 2, 242.
[72] 14.—19. 9. 75 an Auguste v. Stolberg — 2, 289; dazu: 11. 2. 76 an dieselbe — 3, 27.
[73] 6. 3. 76 an Zimmermann — 30, 9.
[74] 5. 1. 77 an Merck — 3, 129.
[75] 8. 10. 79 an Lavater — 4, 73 f.
[76] 13. 5. 80 Tagebuch — XI 131.
[77] 21. 11. 82 an Knebel — 6, 97 f.
[78] 21. 6. 81 an Jenny v. Voigts — 5, 144.
[79] 26. 12. 84 an Herzog Carl August — 6, 416.
[80] 9. 7. 96 an Schiller — 11, 121.
[81] 17. 11. 87 an Herzog Carl August — 8, 292.
[82] 12. 7. 01 an Schiller — 15, 244.
[83] 20. 12. 86 an Charlotte v. Stein — 8, 101.
[84] 3. 1. 12 an Friederike Caroline Sophie Prinzessin v. Solms-Braunfels — 22, 232.
[85] 19. 3. 27 an Zelter — 42, 94.
[86] 22. 10. 21 an Brühl — 35, 155.
[87] 30. 10. 08 an Zelter — 20, 193.
[88] 13. 5. 18 an Voigt — 29, 171.
[89] 5. 2. 22 — 35, 261.
[90] 20. 9. 20 an Zelter — 33, 239.

[91] 5. 2. 22 an Zelter — 35, 261.
[92] 8. 3. 08 an Charlotte v. Stein — 20, 30.
[93] 16. 7. 20 an S. Boisserée — 33, 119.
[94] 14. 12. 30 an Zelter — 48, 42.
Die „Zitadelle“ seiner Seele, die schon der Achtundzwanzigjährige zu „befestigen“ (17. 5. 78 an Charlotte v. Stein — 3, 224), die der Achtundvierzigjährige durch eine höhere „Mauer“ zu schützen unternahm (27. 7. 99 an Schiller — 14, 137), wird nun mit aller Kunst weiter ausgebaut: Ich „schiebe meine Fortificationen immer weiter hinaus“ und ziehe die „Zugbrücken“ auf, schreibt er im achtzigsten Jahre (29. 1. 30 an Zelter — 46, 224); und im dreiundachtzigsten, im letzten Brief an Wilhelm v. Humboldt: „Ich habe nichts angelegentlicher zu thun als dasjenige was an mir ist und geblieben ist wo möglich zu steigern und meine Eigenthümlichkeiten zu cohobiren, wie Sie es, würdiger Freund, auf Ihrer Burg ja auch bewerkstelligen“ (17. 3. 32 — 49, 283.).
[95] 9. 12. 97 an Schiller — 12, 375.
[96] Dichtung und Wahrheit. 13. Buch. — VIII 693 f.
[97] 9. 6. 09 an Reinhard — 20, 358.
[98] 18. 2. 21 — 34, 130.
[99] 22. 7. 10 an Reinhard — 21, 361.
[100] 17. 4. 23 an Gräfin Auguste Louise Bernstorff (geb. Gräfin Stolberg) — 37, 19; 19. 3. 27 an Zelter — 49, 94.
[101] 5. 4. 30 zu v. Müller — 187. Dazu: 4. 4. 25 zu v. Müller (134): „Ich bin fast nicht mehr communicabel nach Außen.“ Und: 26. 1. 29 an Zelter (45, 138): „. . . wie ich mich immer besser zu verstehen glaube, schein ich andern undeutlich zu werden.“
[102] 27. 1. 24 zu Eckermann — 66.
[103] MR 503. Auch: 9. 11. 94 an Knebel — 25, 75 f.; 27. 1. 24 zu Eckermann — 66.
[104] 30. 10. 28 an Zelter — 45, 38.
[105] 25. 12. 22 zu v. Müller — 58.
[106] 29. 1. 30 an Zelter — 46, 224.
[107] 1. 6. 17 an Schlosser —28, 114.
[108] 3. 7. 17 an Jacobi — 28, 160 f.
[109] 11. 1. 30 zu v. Müller — 179.
[110] 17. 2. 19 an Nees v. Esenbeck — 31, 80.
[111] 12. 12. 12 an Zelter — 23, 200. Dazu: 15. 10. 25 zu Eckermann — 131.
[112] 26. 1. 25 zu v. Müller — 130.
[113] 27. 1. 32 an Zelter — 49, 222.
[114] 3. 10. 30 an Varnhagen v. Ense — 47, 272.
[115] 1. 6. 31 an Zelter — 48, 207.
[116] 28. 6. 30 zu v. Müller — 194.

[117] 13. 3. 31 — XIII 906 f.

[118] 9. 4. 31 — XIII 917.

[119] Mitgeteilt v. Albert Leitzmann in: Goethe (Viermonatsschrift der Goethe-Gesellschaft) 3 (1938) S. 301.

[120] Platon. Siebenter Brief. — Stephanus-Ausg. 341c—344e (= Platon. Sämtliche Werke. Bd. 1. Hamburg 1957. S. 317—320.).

[121] Dazu v. a.: Ernst Bertram, Goethes Geheimnislehre. In: Bertram, Deutsche Gestalten. Leipzig 1934. S. 81—112.

[122] Tag- und Jahreshefte 1803 — VIII 1075.

[123] Dazu v. a. Josef Pieper.

[124] Was wird nicht alles damit bedacht: das Erscheinungsbild der Josephsfamilie (722), das „Vorzimmer" des Oheims (779), die Ausflucht der pilgernden Törin (773), u. der Zustand des „Verräters" (882), das Zimmerwerk der „Einsiedelei" (820) und der Name „Susanne" (1196), Lenardos ganzes „Betragen" (783), seine „Abrede" mit Makarie (786), die Art seines „Außenbleibens" und Zurückkommens (788), seine „Reue" über das nicht eingehaltene Versprechen (857) und sein Verhältnis zum „nußbraunen Mädchen" (852), Hersilie (1008), ihr Brief (1077), ihre „Empfindungen" und „Gewissenszweifel" (1075), Nachodine und ihr Verlobter (1189), Montan (983) und der geheimnisvolle Antoni (815), der Barbier, der das Melusinenmärchen erzählt und „das Band" (1069) .... Von den „sonderbaren Verpflichtungen" der Entsagenden (747, 858) und den merkwürdigen Anstalten des aufgeklärten Grundherrn (753) bis zur sanften Verrücktheit der pilgernden Törin gibt es „Wunderlichkeiten" und „Sonderbarkeiten" an allen Ecken und Enden. „Was doch die wunderlichen Menschen wunderlich sind", heißt es ganz pauschal bei Makarie (788).
Aufschlußreich ist auch die häufige Verwendung des Wortes „wunderlich" in der Übersetzung der „Pilgernden Törin", selbst da, wo es den Sinn des französischen Wortes nur ungenau wiedergibt. — Vgl. Gertrud Haupt S. 44. 47.

[125] Lorenz Sterne — XV 1029. Ebenso: Irrtümer und Wahrheiten von Wilhelm Schultz — XV 743.
Zur Verbindung von „Wunderlichkeiten" und „Eigenheiten" vgl.: „Die Eigenheiten des" „wunderlichen Oheims" „haben wir zu ehren" (781). Der „wunderliche Vetter" „mit all seinen Eigenheiten verdient Zutrauen (792). Ich „erlaub ... mir die Eigenheit, mich nur um mein selbst willen zu verbrennen, deswegen ich denn den Leuten gar wunderlich vorkomme" (749).
Dazu: 19. 7. 12 an Christiane — 23, 45 — über Beethoven.

[126] 14. 11. 12 an Reinhard — 23, 149.

[127] WA I 25/2, 54.

[128] (Etwa 20. 9.) 80 an Lavater — 4, 300.

[129] Hermann Schmitz, Goethes Altersdenken in Begriff und Symbol. Phil. Diss. Bonn 1955. S. 376.

[130] 30. 3. 82 an Charlotte v. Stein — 5, 292. Dazu 12. 4. 82 an dieselbe — 5, 309: „... in der grillenhaften Zusammensetzung, die man Mensch nennt."

[131] It. Reise. 3. T. Zweiter röm. Aufenth. Philipp Neri, der humoristische Heilige. — IX 734.

[132] 9. (?) 4. 81 an Lavater — 5, 108. Dazu: Prometheus. V. 311 ff. — IV 774; Dichtg. u. Wahrh. 8. Buch. — VIII 416; MR 351; WA IV 3, 33.

[133] 16. 11. 15 an A. Schopenhauer — 26, 154.

[134] Lorenz Sterne — XV 1029.

[135] 30. 6. 80 an Charlotte v. Stein — 4, 246.

[136] 8. 6. 21 — 50.

[137] 31. 3. 84 an Jacobi — 6, 261.

[138] Von den oft nur scheinbaren Fehlschlüssen der Physiognomisten. Zugabe. — XVIII 434. Dazu 16. 7. 98 an W. v. Humboldt — 13, 216; 21. 7. 21 an C. F. Burdach — 35, 28.

[139] 3. 1. 07 an Knebel — 19, 259. Dazu WA IV 6, 38; 48, 156.

[140] 1. 5. 26 zu v. Müller — 144.

[141] 4. 11. 99 an Hirt — 14, 215.

[142] 22. 1. 11 an Reinhard — 22, 21.

[143] 19. 2. 31 Tagebuch — 899.

[144] 30. 9. 17 an Tauscher — 28, 265.

[145] 16. 10. 24 an Langermann — 38, 272. Dazu: 30. 1. 12 an Rochlitz — 22, 253; 15. 5. 22 zu v. Müller — 54.

[146] 23. 2. 26 an Joh. Müller — 40, 305.

[147] Erste Bekanntschaft mit Schiller — VIII 1400.

[148] 11. 3. 01 an Schiller — 15, 198.

[149] 24. 9. 97 an C. L. F. Schultz — 28, 261.

[150] 14. 4. 24 — 87.

[151] 12. 10. 07 an Leonhard — 19, 434.

[152] MR 273.

[153] Über den sogenannten Dilettantismus oder Die praktische Liebhaberei in den Künsten — XVI 426. Dazu: 21. 8. 74 an Jacobi — 2, 186 f.; 3. 4. 24 zu v. Müller — 112.

[154] MR 1224.

[155] Über den Bau und die Wirkungsart der Vulkane in verschiedenen Erdstrichen von Alexander v. Humboldt. Berlin 1823. — XX 453.

[156] Z. Bsp.: Kampagne (X 440): „Hemsterhuis" Philosophie ... konnt' ich mir nicht anders zu eigen machen, als wenn ich sie in meine Sprache übersetzte." 4. 2. 29 zu Eckermann (244): Schubart „sagt

sogar manches sehr Vorzügliche, wenn man es sich in seine Sprache übersetzt."

8.9.80 an Charlotte v. Stein — 4, 284; 24.9. 80 an dieselbe — 4, 301; 31.3. 20 an Zelter — 32, 216; 29.4. 30 an dens. — 47, 45; 29.4. 18 zu v. Müller — 29; 21. 12. 24 zu dems. — 129; Zur Morphologie. Schicksal der Handschrift. — WA II 6, 131.

157 Dichtg. u. Wahrheit. 4. Buch. — VIII 155 f. Dazu WA 24, 141.

158 26. 4. 74 an Lavater u. Pfenninger — 2, 155.

159 Farbenl. Hist. Teil 16. Jh. Julius Cäsar Scaliger. — XXI 630.

160 17. 8. 31 an Soret — 49, 39.

161 24. 9. 17 an C. L. F. Schultz — 28, 262.

162 It. Reise. 1. Teil. Venedig. — IX 274.

163 27. 1. 24 zu Eckermann — 65. Dazu MR 1016.

164 28. 12. 29 an die Vicomtesse Henri de Segur — 46, 371.

165 MR 7.

166 (April 75) — 2, 259.

167 Dazu: Die Leiden des jungen Werthers. 1. Buch. 12. April. — VI 183; MR 6.

168 30. 12. 95 an J. H. Meyer — 10, 359.

169 VIII 783.

170 (Dez.) 98 an S. A. W. Herder — 13, 367.

171 Bei Goethe findet sich häufig der Vergleich mit den Swedenborgischen Geistern, die durch fremde Augen sehen. Z. Bsp.: 1. 10. 81 an Charlotte v. Stein — 5, 198; 3. 10. 85 an Katharina Elisabeth Goethe — 7, 105; 28. 11. 06 an F. A. Wolf — 19, 235 f.

172 2. Buch. 27. Oktober. — VI 222. Vgl. Georg Büchner, Dantons Tod. I 1: Julie: „Du kennst mich, Danton." Danton: „Ja, was man so kennen heißt. ... Einander kennen? Wir müßten uns die Schädeldecken aufbrechen und die Gedanken einander aus den Hirnfasern zerren. —" (Georg Büchner. Werke und Briefe. Gesamtausgabe. Neue, durchgesehene Ausg. Hg. v. Fritz Bergemann. Wiesbaden 1958. S. 9.).

173 29. 1. 30 an Zelter — 46, 224.

174 WA I 25/2, 130 f.

175 24. 9. 21 an C. L. F. Schultz — 35, 100.

176 MR 150: „Die Wahrheit gehört dem Menschen, der Irrtum der Zeit an."

177 MR 1379: „Alle Verhältnisse der Dinge wahr. Irrtum allein in dem Menschen."

178 15. 9. 04 an Eichstädt — 17, 198; auch: 14. 1. 14 an August v. Goethe — 24, 100.

179 18. 9. 23 zu Eckermann — 37 f.; auch: 23. 4. 12 an C. G. Körner — 22, 348.

180 26. 7. 82 an Joh. v. Müller — 6, 15.

181 11. 10. 24; 17. 12. 28; 7. 3. 28 zu v. Müller — 121, 128, 173.

[182] Eckermann, Vorrede, S. 9.
[183] Riemer 21. 5. 32 an v. Müller — v. Müller S. XII.
[184] Eckermann, Vorrede, S. 8.
[185] Zum 24. 4. 1830 — 190.
[186] Hans Pyritz, Goethes Verwandlungen. Hamburger Universitätsreden 7 (1950) S. 15.
[187] Wieland, An Psychen. 132—140. In: Wieland, Gesammelte Schriften. Hg. v. d. Preuß. Akademie der Wissenschaften, Erste Abt. 12, 75. — Zit. b. Pyritz S. 16.
[188] 24. 4. 30 zu v. Müller — 189.
[189] 22. 6. 08 an Reinhard — 20, 96.
[190] Zahme Xenien V — I 694.
[191] 31. 10. 31 an Zelter — 49, 128: „Ich bin nicht zum tragischen Dichter geboren, da meine Natur conciliant ist; daher kann der reintragische Fall mich nicht interessiren, welcher eigentlich von Haus aus unversöhnlich seyn muß". — Dazu: 6. 6. 24 zu v. Müller (118): „Alles Tragische beruht auf einem unausgleichbaren Gegensatz". 25. 7. 30 zu v. Müller (194): „tragisch nenne ich eine Situation, aus der kein Ausgang, keine Composition gedenckbar ist." 9. 12. 97 an Schiller — 12, 374.
[192] (Polarität und Steigerung) — XVIII 104 f.
[193] 25. 4. 14 an Schweigger — 24, 277: „Seit unser vortrefflicher Kant mit dürren Worten sagt: es lasse sich keine Materie ohne Anziehen und Abstoßen denken, (das heißt doch wohl, nicht ohne Polarität,) bin ich sehr beruhigt, unter dieser Autorität meine Weltanschauung fortsetzen zu können, nach meinen frühesten Überzeugungen, an denen ich niemals irre geworden bin."
[194] Dichtung und Wahrheit. 12. Buch. — VIII 602.
[195] MR 9.
[196] (Spannung) — XVIII 100.
[197] Vgl. Gerhard Neumann 135 ff.
[198] Vorrede S. 9.
[199] Ohly 407.
[200] 9. 1. 27 an Zelter — 42, 7.
[201] Dazu: Gerhart Baumann, Maxime und Reflexion als Stilform bei Goethe. Karlsruhe o. J. (1949) S. 4, 15 und die dort angegebene Literatur.
[202] Hör- Schreib- und Druckfehler — XV 691.
[203] Einleitung in die Propyläen — XVI 311.
[204] 24. 4. 19 zu v. Müller — 35. Dazu 18. 5. 24 zu Eckermann — 439.
[205] 26. 10. 24 zu Eckermann — 77. Dazu Tag- und Jahreshefte. Bis 1780. — VIII 967.
[206] Tagebuch der italienischen Reise. Venedig. 10. 10. 86. (XI 277): „... es ist mir wirklich ... so nicht als ob ich die Sachen sähe, son-

dern als ob ich sie wiedersähe."

207 Dazu: 28. 6. 31 an Zelter — 48, 258; 28. 6. 02 an Schiller — 16, 96.

208 10. 3. 13 an Knebel — 23, 295 f.

209 12. Buch. — VIII 602.

210 25. 9. 20 an v. Conta — 33, 255. Dazu: MR 1136; 26. 26 an S. Boisserée — 41, 100; und ähnlich WA I 25/2, 13 (Montan zu Wilhelm).

211 Divan. Noten u. Abh. Künftiger Divan. — II 271.

212 Anfang Februar 1778. Tagebuch. — XI 87.

213 Selbstironische Wiederaufnahme bei Robert Musil vor dem „Nachlaß zu Lebzeiten": „Ich habe den Mut, den ich in die Zeitbeständigkeit dieser kleinen Satiren setze, schließlich aus einem Satz von Goethe geschöpft, der zu diesem Zweck sinngemäß verändert werden kann, ohne an Wahrheit einzubüßen; er lautet dann: ‚In dem Einen, was schlecht gethan wird, sieht man das Gleichnis von Allem, was schlecht gethan wird.'" (Robert Musil. Gesammelte Werke in Einzelausgaben. Hg. v. Adolf Frisé. Prosa, Dramen, späte Briefe. Hamburg 1957, 448 f.) Musil liebte solche Umpolungen ins Negative. Vgl. etwa den Untertitel zu: „Das hilflose Europa": „Ich bin nicht nur überzeugt, daß das, was ich sage, falsch ist, sondern auch das, was man dagegen sagen wird. Trotzdem muß man anfangen, davon zu reden; die Wahrheit liegt bei einem solchen Gegenstand nicht in der Mitte, sondern rundherum wie ein Sack, der mit jeder neuen Meinung, die man hineinstopft, seine Form ändert, aber immer fester wird." (Ebd. Tagebücher, Aphorismen, Essays und Reden. Hamburg 1955, S. 622.)
Dazu hätte sich Goethe, so sehr er das in der Mitte liegende „Problem" ehrte, auch in seinen mephistophelischen Stunden kaum verstanden. Distanz zum eigenen Urteil hieß bei ihm, daß die anderen „doch auch recht haben ... mögen" (Der Custode des Oheims. WA I 25/2, 33), daß jeder auf seine Weise etwas Wahres oder „eine Art von Wahrem" finde.

214 Aus Goethes Brieftasche. Nach Falconet u. über Falconet. — XVI 44.

215 Dazu etwa: 19. 8. 93 an Jacobi — 10, 104 f.; 12. 11. 96 an Schiller — 11, 260; 29. 5. 01 an Steffens — 15, 235; 6. 6. 30 zu Müller — 291.

216 Farbenl. Hist. Teil 17. Jh. Kepler. — XXI 666. Dazu: MR 397; WA IV 21, 113 f.; 29, 324; 33, 128 f.; 38, 31; 44, 146; 45, 293.

217 18. 6. 31 an Zelter — 48, 241.

218 VII 1173; 1057 BdW; Farbenl. Hist. Teil. Zwischenzeit. Lücke. — XXI 582; MR 177; WA IV, 153; 19, 380; 22, 245 f.; 31, 159; 35, 23; 37, 231; 45, 187; 30. 1. 23 zu Soret — Eckermann 426; 19. 12. 28 zu Eckermann. — 239; 19. 2. 29 zu Eckermann — 261; 6. 3. 28

zu v. Müller — 173.

[219] 12. 2. 29 zu Eckermann — 249.

[220] MR 313.

[221] MR VI.

[222] 17. 5. 29 zu v. Müller — 175.

[223] 5. 5. 98 an Schiller — 13, 137.

[224] It. Reise. Zweiter Teil. — IX 588.

[225] Dichtg. u. Wahrh. 9. Buch. — VIII 455 f. Dazu: WA IV 33, 67; 35, 6; 20. 4. 25 zu Eckermann — 122.

[226] VIII 455 f.

[227] 6. 1. 13 an Jacobi — 23, 221.

[228] 19. 11. 14 an S. Boisserée — 25, 82. Dazu: WA IV 19, 433 f.; 20, 120; 22, 22; 22, 322; 25, 283; 29, 130; 40, 255; 43, 26.

[229] 17. 4. 23 an Gräfin Auguste Louise Bernstorff, geb. Gräfin Stolberg — 37, 19. Dazu: WA IV 6, 65; 20, 25; 40, 249.

[230] 12. 5. 26 an Reinhard — 41, 30.

[231] 31. 1. 12 an Schlichtegroll — 22, 255.

[232] 16. 1. 15 an Luck — 25, 157 f. Dazu: WA IV 40, 281.

[233] 27. 8. 31 an August v. Goethe — 35, 59.

[234] Irrtümer und Wahrheiten von Wilhelm Schultz — XV 744.

[235] 21. 2. 21 an Knebel — 34, 136 f.

[236] 11. 4. 25 an Zelter — 39, 181.

[237] 16. 6. 26 an S. Boisserée — 41, 52 f.

[238] MR 1247.

[239] Etwa: VII 835: Der „Reitknecht . . . bedeutete, sie möchten nun zu Fuße sich dem großen Tore nähern". — Zur Morphologie. Die Lepaden. (WA II 8, 256): „. . . allein schnell werden wir bedeutet, hier sei von einer Mehrheit die Rede". — WA IV 4, 143: „. . . dass wir durch den schönen Glückssohn bedeutet wurden wo wir aufhören . . . sollten". 6, 134: „Ich habe den Auftrag gehabt sie zu bedeuten . . .". 7, 224: „. . . Sie dahin zu bedeuten . . .".

[240] F. Kluge u. A. Götze, Etymologisches Wörterbuch der deutschen Sprache. 15. Aufl. Berlin 1951. S. 132.

[241] J. u. W. Grimm, Deutsches Wörterbuch. Bd. 1. Leipzig 1854. Sp. 1227 f.

[242] WA IV 25, 266.

[243] WA IV 26, 328.

[244] Grimm a.a.O.

[245] WA IV 4, 196.

[246] WA IV 22, 38.

[247] WA IV 34, 228.

[248] WA IV 31, 30.

[249] WA IV 31, 177.

[250] WA IV 12, 315.

251 WA IV 23, 69.
252 WA IV 31, 258; 32, 46.
253 WA IV 22, 79.
254 WA IV 49, 168.
255 Montan (1003): „Nicht umsonst ... habe ich meinen frühern Namen mit dem bedeutendern Montan vertauscht".
WA IV 24, 102: „Nicht bedeutender noch ausdrucksamer hätte ein Symbol ... zu mir gelangen können". WA IV 16, 251; 43, 47.
256 WA IV 9, 136.
257 WA IV 23, 374.
258 WA IV 20, 141.
259 WA IV 46, 56.
260 Farbenl. Didakt. Teil. § 695. — XXI 212.
261 WA IV 32, 191 f.
262 WA IV 23, 317 f.
263 30. 10. 08 an Zelter — 20, 192.
264 Insofern steht das Bedeutende im Gegensatz zum Allgemeinen: MR 1380: „Wissen: das Bedeutende der Erfahrung, das immer ins Allgemeine hinweist." Aus Goethes Brieftasche. Nach Falconet u. über Falconet. (XVI 44): „Wer allgemein sein will, wird nichts, die Einschränkung ist dem Künstler so notwendig als jedem, der aus sich was Bedeutendes bilden will." WA IV 20, 359: „Es geht mir oft so, daß ich ... für ein bedeutendes Mitgetheilte nicht blos einen allgemeinen Dank erwiedern möchte."
265 Farbenlehre. Didakt. Teil. § 817. — XXI 242.
266 WA IV 8, 187; 10, 204.
267 A. B. Kayßler, Fragment aus Platons und Goethes Pädagogik. Breslau 1821. S. 32.
268 Farbenl. Hist. Teil. Betrachtungen über Farbenlehre u. Farbenbehandlung der Alten. — XXI 570.
269 14. 2. 32 an Schubarth — 49, 235.
270 Dazu: WA IV 5, 328; 19, 423.
271 9. 8. 23 an C. L. F. Schultz — 37, 179.
272 9. 11. 68 — 1, 178 f.
273 7. 11. 16 an Zelter — 27, 219.
274 Stephanus-Ausg. 150 c (= Platon. Sämtliche Werke. Hamburg 1958. Bd. 4. S. 115. Dort die Übersetzung: „hat er mir verwehrt." In Emanuel Hirschs Übersetzung von Kierkegaards „Philosophischen Brokken", a.a.O. S. 9, die Übersetzung: „versagt".)
275 Dazu Hermann Schmitz S. 950.
276 WA I 25/2, 60.
277 West-östlicher Divan. Hegire. — II 11.
278 12. 4. 18 — 29, 281
279 (Riemer): Briefe von u. an Goethe. Desgleichen Aphorismen u.

Brocardica. Leipzig 1846. S. 340.
gleichen Aphorismen u. Brocardica. Leipzig 1846. S. 340.

280 Howards Ehrengedächtnis — I 543 f.

281 In der Dichtung manifestiert sich die bestimmende Kraft des Benennens auch in der Namengebung. St. Joseph sieht sein ganzes Leben unter diesem Zeichen:
„. . . daß man mich in der Taufe Joseph nannte und dadurch gewissermaßen mein Leben bestimmte" (723); Jarno definiert sich selbst und seinen neuen Wirkungskreis durch die Umbenennung zu Montan; und sie beide wie alle andern Träger sprechender Namen — und welcher Name wäre zuletzt nicht sprechend! — bestimmt in letzter Instanz der Dichter zu den Personen, die sie sind, und als Figuren in einer bestimmten Konfiguration durch die Namen, die er ihnen zuerkennt.
— Dazu: Dichtung u. Wahrheit. 10. Buch. — VIII 478. Über sprechende Namen in den „Wanderjahren" u. a.: Wundt 162; Haupt 31; Emil Krüger, Die Novellen in „Wilhelm Meisters Wanderjahren", Phil. Diss. Kiel 1926, S. 67; Gilg 30; Ohly 412.

282 Physikalische Wirkungen — XVIII 103.

283 28. 10. 17 an J. H. Meyer (28, 291): „Die Masse von Worten nimmt zu, man sieht zuletzt von der Sache gar nichts mehr
19. 7. 95 an Schiller (10, 280): „Welch eine sonderbare Mischung von Selbstbetrug und Klarheit diese Frau" (Mad. Brun) „zu ihrer Existenz braucht ist kaum denckbar, und was sie und ihr Circkel sich für eine Terminologie gemacht haben um das zu *beseitigen* was ihnen nicht ansteht und das was sie besitzen als die Schlange Mosis aufzustellen, ist höchst merckwürdig."
Die „Terminologie" erscheint bei Goethe überhaupt als die Wörterordnung, die den Konnex mit der Sache und dem Ich am entschiedensten entbehrt — vor allem natürlich die Terminologie der Newtonianer: Kampagne — X 289; MR 983; WA IV 28, 296; 42, 377.

284 5. 7. 24 an Reinhard (38, 187) über die Paria-Legende: „. . . ich bewahre diese höchst bedeutende Fabel als einen stillen Schatz vielleicht vierzig Jahre und konnte mich erst jetzt entschließen ihn von meinem Innern durch Worte loszulösen, wo er mir die eigentliche reine Gestaltung zu verlieren scheint. Wird das Gebildete jedoch in einem treuen energischen Geiste reproducirt, so gelangt es wieder zu seinem ursprünglichen Rechte."

285 29. 10. 17 an v. Preen — 28. 296.

286 Spruch, Widerspruch. — I 48.

287 Ital. Reise. 1. Teil. (IX 333): „Man müßte mit tausend Griffeln schreiben, was soll hier eine Feder!" „. . . wo ein Tag so viel sagt, daß man von dem Tage nichts zu sagen wagen darf." Ebd. (361): „Keine Worte geben eine Ahnung davon." Ebd. 2. Teil. (619): „Wie

gern sagt' ich etwas darüber, wenn nicht alles, was man über so ein Werk sagen kann, leerer Windhauch wäre." 14. 10. 79 an Charlotte v. Stein (4, 79): „Kein Gedanke, keine Beschreibung noch Erinnerung reicht an die Schönheit und Grösse der Gegenstände, und ihre Lieblichkeit in solchen Lichtern Tageszeiten und Standpunckten." 28. 10. 79 an dies. (4, 109): „Es sind keine Worte für die Grösse und Schönheit dieses Anblicks". 18. (9.) 80 an dies. (4, 294): „Ich habe einige Tage her pausirt im Schreiben, einmal weil ich zu wenig, und dann weil ich zu viel zu sagen hatte." 13. 1. 00 an Schiller (15, 15): „... doch ich will nicht anfangen zu reden, weil so mancherley zu sagen ist." Auch: WA IV 4, 74 f.; 6, 247; 6, 305; 8, 73; 23, 324; 33, 294 f.; 39, 200; 39, 208.

288 13. 8. 12 an Reinhard (23, 58) über die Kaiserin Maria Ludovica von Österreich, der gegenüber Goethe immer wieder das Ungenügen seiner Ausdrucksmittel empfand: „Ich darf nicht anfangen von ihr zu reden, weil man sonst nicht aufhört; auch sagt man in solchen Fällen eigentlich gar nichts, wenn man nicht alles sagt, und es ist nichts schwerer als ein Individuum zu schildern, welches Verdienste in sich hegt, die dem Allgemeinen angehören." Ebenso 20. 9. 12 an dens. (23, 97): „Wäre es möglich und schicklich, eine so vorzügliche Individualität mit Buchstaben zu schildern, so würde ich es gewiß für Sie thun; nun muß ich es aber leider bey'm Allgemeinen lassen." Und 14. 11. 12 an dens. (23, 149): „Von der Kaiserin von Österreich habe ich mir abgewöhnt zu reden. Es ist immer nur ein abstracter Begriff, den man von solchen Vollkommenheiten ausdrückt." „Determinierte Vornehmheit", wie Hofmannsthal sie der Prinzessin im „Tasso" zuspricht, entzieht sich dem Begriff: „Here there is a kind of moral sexlessness, an ineffectual wholeness of nature — eine Ganzheit, eine Geschlossenheit des Wesens, worin das Strebende, das Wirkende aufgehoben erscheint". (Unterhaltung über den „Tasso" von Goethe. — Hugo v. Hofmannsthal. Ges. Werke in Einzelausgaben. Hg. v. Herbert Steiner. Prosa II. Frankfurt am Main 1951. S. 224.)
So erklärt sich auch die Silberstiftblässe Nataliens in den „Lehrjahren". Und auch Lucinde in den „Wanderjahren" erscheint wie eine bürgerliche Verwandte der Kaiserin: Während ihre Schwester Julie noch ebenso mühelos zu charakterisieren ist wie ihre „kleinlichen Lauben und kindischen Gärtchenanlagen" (812): „neckisch, lieblich, unstet, höchst unterhaltend" (804) —, ist Lucinde selbst „zu bezeichnen schwer, weil sie in Geradheit und Reinheit dasjenige" darstellt, „was wir an allen Frauen wünschenswert finden" (804); und auch ihr Lieblingsplätzchen ist „nicht zu beschreiben" (812).

289 8. 8. 67 an Charlotte v. Stein (3, 94): „Dein Verhältniß zu mir ist so heilig sonderbaar, daß ich erst recht bey dieser Gelegenheit fühlte:

es kann nicht mit Worten ausgedrückt werden, Menschen könnens nicht sehen." 17. 9. 31 an Zelter (49, 80): „... wovon viel zu melden wäre, aber nichts zu melden ist, weil das Zarte sich nicht in Worten ausspricht." Auch: WA IV 12, 218; 35, 192.

290 (7. — 10. 3. 75) an Auguste v. Stolberg (2, 243): „...o beste wie wollen wir Ausdrücke finden für das was wir fühlen!" 6. 2. 97 an Fürstin Gallitzin (12, 32): „Leider läßt sich eine wahrhafte Dankbarkeit mit Worten nicht ausdrücken." 14. 7. 28 an Soret (44, 196): „Ich glaube sonst immer daß mir Worte zur rechten Zeit nicht fehlen könnten, dießmal aber find ich daß gerade das tiefste Gefühl solcher äußern Hülfsmittel ermangelt." Auch: WA IV 3, 28; 3, 76; 7, 115; 8, 191; 8, 70; 19, 248.

291 Farbenl. Didakt. Teil. § 751: „Man bedenkt niemals genug, daß eine Sprache eigentlich nur symbolisch, nur bildlich sei und die Gegenstände niemals unmittelbar, sondern nur im Widerscheine ausdrücke. Dieses ist besonders der Fall, wenn von Wesen die Rede ist, welche an die Erfahrung nur herantreten und die man mehr Tätigkeiten als Gegenstände nennen kann, dergleichen im Reiche der Naturlehre immerfort in Bewegung sind. Sie lassen sich nicht festhalten, und doch soll man von ihnen reden". Auch: WA IV 22, 132: „Denn freilich läßt sich sehr wenig schreiben über das, was lebt und belebt werden muß." Und: Prolog zur Eröffung des Berliner Theaters im Mai 1821. 3. Abschnitt. — III 1264.

292 20. 6. 31 zu Eckerm. — 502 f.

293 Symbolik — XVIII 108.

294 Wie Anm. 292.

295 Vgl. Simmel 82.

296 15. 3. 32 an Sternberg — 49, 271.

297 11. 3. 16 an C. L. F. Schultz — 26, 290.

298 XVIII 108.

299 Zu H. Laube. — Biedermann II 525.

300 Symbolik — XVIII 108. Diese Abgelöstheit des Gesprochenen ist es, die die Sprache zum gesellschaftlichen Verkehrsmittel befähigt, die aber auch die Gefahr völliger Sprachentleerung in sich schließt, wie sie in den „Wanderjahren" an der Konfrontation der Pietistenterminologie mit der andersdenkenden Susanne durchgespielt wird (1189 f.). — Gleichsinnig: „Der ewige Jude" V. 65 f. — II 376; „Wilh. Meisters Lehrj." — VII 417 f.; „Dichtg. u. Wahrh.". 8. Buch. — VIII 40 ff.; WA 17, 268; 44, 53; 16. 12. 28 zu Eckerm. — 240.

301 Die Optik. Alle Erscheinungen sind unaussprechlich ... — XXII 699.

302 Farbenl. Didakt. Teil. § 751. — XXI 228. Die absichtliche Gleichnis-Rede läßt also nur einen aller Sprache immanenten Grundzug deutlich hervortreten; und Goethe wurde sich dessen „besonders in spätern

Zeiten" immer stärker bewußt. Denn die Hoffnung des Wetzlarer Goethe, von der Kestner berichtet (Bode I 35): „Er pflegt ... zu sagen, daß er sich immer nur uneigentlich ausdrücken könne; wenn er aber älter werde, hoffe er die Gedanken selbst, wie sie wären, zu denken und zu sagen" —, diese Hoffnung hat sich nicht erfüllt. Nicht nur daß die „Bilder und Gleichnisse", die Kestner seiner „außerordentlich lebhaften Einbildungskraft" zuschreibt (ebd.), im Laufe dieses Dichterlebens erst ihren ganzen unerhörten Reichtum entfalteten, daß Goethe sich bis in seine späteste Zeit auf sie angewiesen fühlte: „Gleichnisse dürft ihr mir nicht verwehren; / Ich wüßte mich sonst nicht zu erklären" (I 1153) —, auch das Bewußtsein der Uneigentlichkeit aller bildlichen und metaphorischen Rede erfuhr noch eine entscheidende Vertiefung durch die Einsicht in die prinzipielle Uneigentlichkeit und Tropik der Sprache überhaupt: „Man glaubt in reiner Prosa zu reden und man spricht schon tropisch" (Principes de Philosophie Zoologique. WA II 7, 93).

303 Farbenl. Hist. Teil. 18. Jh. Deleval. — XXI 948.

304 26. 2. 15 an Schlosser — 25, 307.

305 Riemer, Briefe von und an ... S. 340.

306 Vgl. Goethes Bericht über seinen Aufenthalt in Pempelfort (Kampagne. — X 413), wo er „das böse Prinzip" spielte und „den unter Menschen gewöhnlich entspringenden bornierten Streit durch gewaltsame Paradoxe aufzuregen und ans Äußerste zu führen" trachtete. — Zur Herkunft des Paradoxons aus dem Gespräch auch: Baumann, Maxime, S. 56.

307 Dazu vortrefflich Eckermann in seiner Vorrede zu den „Gesprächen mit Goethe", S. 9.

308 10. 6. 22 an Reinhard — 36, 61 — über die französische Sprache.

309 Dazu 28. 10. 21 an Riemer — 35, 157 f.: „... weil (solche Geheimnisse) sich nur in Widersprüchen ausdrücken lassen, die dem Menschenverstand nicht einwollen."

310 Bode II 423.

311 Baumann, Maxime. S. 57.

312 Ebd. S. 71. Und Wundt (S. 454): „Maxime und Reflexion unterscheiden sich dadurch, daß die Maxime nur einfach eine Behauptung hinstellt, ohne sie zu begründen, aber gerade durch dies Unvermittelte den Leser anregt, sie aus seiner eigenen Erfahrung zu verifizieren. Sie läßt somit eine Fülle von Beziehungen anklingen und die mannigfaltigsten Deutungen zu."

313 MR 561.

314 Das allgemeine Brouillon. Nr. 366. — Novalis Schriften. Im Verein mit Rich. Samuel hg. v. Paul Kluckhohn. Nach den Hss. ergänzte u. neu geordnete Ausg. Leipzig o. J. Bd. 3, S. 122.

315 Brouillon 987 — Bd. 3, S. 253.

[316] Brouillon 434 — Bd. 3, S. 136 f.
[317] Blütenstaubfragmente. Nr. 14. — Bd. 2, S. 17.
[318] Brouillon 121 — Bd. 3, S. 81.
[319] Ebd. 836 — Bd. 3, 224.
[320] Ebd.
[321] Ebd. 31 — Bd. 3, 64.
[322] Ebd. 325 — 3, 113.
[323] Baumann, Maxime, 57.
[324] Von Journalisten, Ästheten, Politikern, Psychologen, Dummköpfen und Gelehrten. Aus: Sprüche und Widersprüche. — In: Karl Kraus, Beim Wort genommen. Hg. v. Heinr. Fischer. München 1955. S. 212.
[325] 1915. Aus: Nachts. — In: Beim Wort genommen. 387.
[326] Aus: Pro domo et mundo. — In: Beim Wort genommen. 236.
[327] Apokalypse (Offener Brief an das Publikum) — In: Untergang der Welt durch schwarze Magie. Hg. v. Heinr. Fischer. München 1960. S. 20.
[328] Pro domo ... — a.a.O. 292.
[329] Ebd. 246.
[330] Baumann, Maxime, 57.

III. MITTEILUNG ALS KOSMISCHER BEZUG

Motto: Frgt. 93. — Übers. nach Wolfgang Schadewaldt, Goethe Studien, Zürich 1963. S. 17; u. Herm. Diels — Walther Kranz, Die Fragmente des Vorsokratiker, h. v. Gert Plamböck, Hamburg 1957, S. 29.

1 Probleme — WA II 7, 77.

2 Faust 11 446.

3 12. — 23. 12. 86 an Herzogin Luise — 8, 98.

4 Dichtg. u. Wahrh. 6. Buch. — VIII 266.

5 17. 11. 84 an Knebel — 6, 390.

6 Die Metamorphose der Pflanzen. — I 537.

7 Anschauende Urteilskraft — VIII 1370 f.

8 29. 4. 18 zu v. Müller — 29.

9 Dichtg. u. Wahrh. 11. Buch. — VIII 584.

10 Dazu: Schadewaldt, Goethes Begriff der Realität. In: Schadewaldt, Goethestudien. S. 233—241.

11 Kraniologie — XVIII 863.

12 Faust 4633, 4693—4714.

13 MR 236.

14 11. 4. 27 zu Eckerm. — 193.

15 13. 2. 12 an Reinhard — 22, 270.

16 27. 11. 27 an Sternberg — 43, 186.

17 31. 3. 31 an Zelter — 48, 169.

18 19. 9. 26 an Sternberg — 41, 169.

19 I 415, 527.

20 Ernst Stiedenroth, Psychologie zur Erklärung der Seelenerscheinungen, Erster Teil, Berlin 1824. — XV 388 f. Dazu: Die Weisen und die Leute (I 549 f.): Geh in dich selbst! Entbehrst du drin / Unendlichkeit in Geist und Sinn, / So ist dir nicht zu helfen." 14. 11. 81 an Lavater — 5, 214: „Ich bin geneigter als iemand noch eine Welt außer der Sichtbaren zu glauben und ich habe Dichtungs- und Lebenskraft genug, sogar mein eigenes beschränktes Selbst zu einem Schwedenborgischen Geisteruniversum erweitert zu fühlen." MR 392.

21 Ohly 423.

22 29. 4. 18 zu v. Müller — 28.

[23] WA 25/2, 60.
[24] Dazu Erich Trunz in der Hamburger Ausgabe S. 635.
[25] Zum Jahre 1815. Theater. — VIII 1422; und: Dichtg. u. Wahrheit. 11. Buch. — VIII 543.
[26] Philosophische Studie — XVIII 66. Dazu: Prolog zur Eröffnung des Berliner Theaters im Mai 1821 (III 1260): „In reiner Brust allein ruht alles Heil: / Denn immerfort, bei allem, was geschah, / Blieb uns ein Gott im Innersten so nah; / Wo Erd und Himmel sich im Gruße segnen, / Dem Staunenden als Herrlichstes begegnen."
[27] Selbstanzeige der „Wahlverwandtschaften" im „Morgenblatt für gebildete Stände" vom 4. 9. 09. — XV 456.
[28] 23. 11. 01 an Jacobi — 15, 280.
[29] MR 1347.
[30] MR 1076.
[31] Dichtg. u. Wahrh. 12. Buch. — VIII 632.
[32a] MR 1344.
[32] Georg Simmel 132 f.
[33] Dazu Goethes Ausfälle gegen das „Erkenne dich selbst": 8. 3. 24 zu v. Müller — 104; 29. 6. 25 zu dems. — 139; 10. 4. 29 zu Eckerm. — 285; WA IV 43, 26; 43,156 f.; 44, 81; 46, 167.
[34] MR 375.
[35] Versuch einer Witterungslehre — XX 911.
[36] Faust 12104 f.
[37] Spanische Romanzen, übersetzt von Beauregard Pandin — XV 1142.
[38] MR 1371.
[39] MR 1136. Dazu MR 32.
[40] Aus Goethes Brieftasche — XV 59. Schadewaldt hat in diesem Zusammenhang so formuliert: „daß wir das Leben ‚nur' am farbigen Abglanz, aber es am farbigen Abglanz eben doch auch ‚haben'". (A.a.O. 236).
[41] Vorspiel zur Eröffnung des Weimarer Theaters am 19. Sept. 1807. — III 1160.
[42] 28. 11. 12 an Seebeck — 23, 180.
[43] Karl Wilhelm Nose — XX 660.
[44] MR 266.
[45] 30. 3. 27 an Leopoldine Grustner v. Grusdorf — 42, 108 f.
[46] Ebd.
[47] 31. 1. 26 an Großherzog Carl August (Konzept) — 40, 275.
[48] MR 493.
[49] WA I 25/2, 13.
[50] 23. 9. 28 an Neureuther — 44, 319. Vgl. auch die Betrachtungen über „ideale Wirklichkeit" in: Winckelmann und sein Jahrhundert. Skizzen zur Schilderung Winckelmanns. Schönheit. — XVI 238; über die Gegensetzung von „Kunstwahrheit" und „Naturwirklichkeit":

Einleitung in die Propyläen — XVI 318; über „höhere" und „gemeine" Wirklichkeit: Dichtg. u. Wahrh. 11. Buch. — VIII 571.

[51] Wundt 198 f.

[52] Novalis a.a.O. 216—219.

[53] Dazu Schrimpf 151.

[54] Dazu Mercks Wort, das Goethe „oft im Leben bedeutend fand": „Dein Bestreben . . ., deine unablenkbare Richtung ist, dem Wirklichen eine poetische Gestalt zu geben; die andern suchen das sogenannte Poetische, das Imaginative, zu verwirklichen, und das gibt nichts wie dummes Zeug." — Dichtg. u. Wahrh. 18. Buch. VIII 842.

[55] (Über den Granit) — XX 232.

[56] Farbenl. Hist. Teil. Zur Gesch. der Urzeit. — XXI 480.

[57] 16. 1. 18 an S. Boisserée — 29, 12.

[58] Aus Goethes Brieftasche — XV 59.

[59] MR 1233. Dazu: WA IV 15, 291; 16, 170; 28, 230; 33, 243.

[60] 18. 1. 27 zu Eckerm. — 196.

[61] (Relief von Phigalia) — XVII 49.

[62] 30. 3. 31 zu Eckerm. — 392.

[63] 18. 1. 27 zu Eckerm. — 169.

[64] MR 103.

[65] MR 556.

[66] 25. 12. 25 zu Eckerm. — 132.

[67] WA II 6, 9.

[68] Wirkung dieser Schrift (Die Metamorphose der Pflanzen) und weitere Entfaltung der darin vorgetragenen Idee. 1830. — WA II 6, 278.

[69] Vgl. auch „Wer ist der Verräter?" — VII 818, 827.

[70] Venezianische Epigramme 4 — I 222.

[71] Zum Jahre 1815 (VIII 1422): Es hat „alles was uns umgibt, eine doppelte Seite, eine ideelle und eine empirische: eine ideelle, insofern es seiner inneren Natur gemäß gesetzlich fortwirkt, eine empirische, welche uns in der mannigfaltigsten Abwechslung als ungeregelt erscheint."

[72] Zur Naturwissenschaft überhaupt. Ersten Bandes viertes Heft 1822. Chromatik. Geschichtliches. Geheimnis wird angeraten. — XXII 952.

[73] 24. 2. 31 zu Eckerm. — 369.

[74] Principes de Philosophie Zoologique — WA II 7, 199. Dazu: WA IV 34, 127; 27. 3. 31 zu v. Müller — 201.

[75] Farbenl. Hist. Teil. 18. Jh. Darwin. — XXI 942: „Das Auge täuscht sich nicht; es handelt gesetzlich und macht dadurch dasjenige zur Realität . . .".

[76] 21. 8. 74 an Jacobi — 2, 186 f.

[77] 3. 4. 24 zu v. Müller — 112.

[78] Zur Morphologie. Nachlaß. Regionen der Erfahrung, genetische Behandlung, Einheit und Entzweiung. — XVIII 664.

[79] MR 865. Daher Werthers Ausruf: „Wenn wir uns selbst fehlen, fehlt uns doch alles." (1. Buch. 22. August. — VI 187.).
[80] Einleitung in die Propyläen — XVI 318.
[81] Probleme — WA II 7, 77.
[82] MR 328.
[83] Luke Howard to Goethe — XX 820.
[84] Dichtg. u. Wahrh. 19. Buch. — VIII 879.
[85] 17. 3. 32 an W. v. Humboldt — 49, 281 f.
[86] 3. 4. 24 zu v. Müller — 112.
[87] 10. 5. 29 an Schubarth — 45, 268.
[88] Jean Pauls Persönlichkeit. Hg. v. E. Berend. München 1913. S. 17.
[89] Vgl.: Bedeutende Fördernis durch ein einziges geistreiches Wort — VIII 1371.
[90] Tag- und Jahreshefte 1821 — VIII 1306.
[91] 31. 3. 20 an Zelter — 32, 216.
[92] MR 279.
[93] Farbenl. Hist. Teil. 18. Jh. H. F. T. — XXI 927.
[94] 2. 4. 18 an Schubarth — 29, 122.
[95] Eduard Spranger, Der psychologische Perspektivismus im Roman. Eine Skizze zur Theorie des Romans, erläutert an Goethes Hauptwerken. — In: Jb. d. Fr. dten. Hochstifts (1930) S. 83.
[96] 31. 8. 06 an F. A. Wolf — 19, 187 f.
[97] Christus nebst zwölf alt- und neutestamentlichen Figuren, den Bildhauern vorgeschlagen. — XVI 553, 556.
[98] Bedeutende Fördernis . . . — VIII 1372. Dazu: WA IV 2, 148; 17, 16; 47, 272; und die Belege bei Baumann, Maxime, S. 15, 83.
[99] Der Versuch als Vermittler von Objekt und Subjekt — XVIII 77. (Hervorhebung vom Verf.)
[100] Induktion — XVIII 301.
[101] 25. 1. 18 an Burdach — 29, 24 f.
[102] 15. 3. 32 an Grüner — 49, 272.
[103] 21. 6. 31 an E. H. F. Meyer — 48, 251.
[104] 2. 7. 92 an Sömmering — 9, 317.
[105] Einwirkung der neuern Philosophie — XIII 1365.
[106] Didakt Teil. § 175. — XXI 80.
[107] Farbenl. Hist. Teil. 16. Jh. Porta. — XXI 646.
[108] Zur Morphologie. Der Verfasser teilt die Geschichte seiner botanischen Studien mit. — WA II 6, 114.
[109] Farbenl. Didakt. Teil. § 720. — XXI 218.
[110] 10. 11. 13 an Knebel — 24, 29 f.
[111] Zur Morphologie. Die Skelette der Nagethiere, abgebildet und verglichen von d'Alton. — WA II 8, 253. (Hervorhebung vom Verf.)
[112] 26. 2. 15 an Schlosser — 25, 301.
[113] 4. 4. 14 zu Riemer — Biedermann II 224 f.

[114] Einfache Nachahmung der Natur, Manier und Stil. — XVI 295—300.
[115] Ebd.
[116] 12. 2. 29 zu Eckerm. — 251.
[117] Ohly 433.
[118] Okt. 30 an Eckermann (nicht abgegangen) — 47, 435.
[119] 15. 3. 32 an Grüner — 49, 272.
[120] 4713.
[121] XX 325.
[122] 25. 2. 32 an S. Boisserée — 49, 254.
[123] 1. 12. 31 an W. v. Humboldt — 49, 164.
[124] 12. 10. 07 an Leonhard — 19, 433.
[125] Anschauende Urteilskraft — VIII 1370.
[126] 14. 11. 12 an Reinhard — 23, 149. Dazu X 536.
[127] 24. 4. 15 an J. J. Willemer — 25, 283.
[128] Zur Morphologie. Das Unternehmen wird entschuldigt. — WA II 6, 6. Dazu WA IV 25, 164.
[129] Zur Spiraltendenz der Vegetation — WA II 7, 40.
[130] Farbenl. Didakt. Teil. § 361. — XXI 132.
[131] 9. 6. 85 — 7, 62.
[132] Parabase — I 533. (Hervorhebung vom Verf.)
[133] Farbenl. Didakt. Teil. § 720. — XX 218.
[134] Ebd. § 175. — XXI 80.
[135] 17. 8. 97 an Schiller — 12, 244 ff.
[136] MR 1378.
[137] Julius Cäsars Triumphzug, gemalt von Mantegna. — XVII 201.
[138] Zur Morphologie. Der Verfasser theilt die Geschichte seiner botanischen Studien mit. — WA II 6, 98.
[139] Die Metamorphose der Pflanzen. — I 536.
[140] Farbenl. Hist. Teil. 16. Jh. Baco v. Verulam. — XXI 656.
[141] MR 1374.
[142] MR 1113.
[143] MR 314.
[144] Zur Naturwissenschaft überhaupt . . . Geheimnis wird angeraten. — XXII 952.
[145] 2. 4. 18 an Schubarth — 29, 122.
[146] 21. 10. 05 an Riemer — Mitteilungen über Goethe. Hg. v. A. Pollmer. Leipzig 1921. S. 250.
[147] Zwischenrede (in den morphol. Heften) — WA 11, 46.
[148] Zur Morphologie. Die Lepaden. — WA II 8, 259.
[149] Etwa: WA IV 14, 81; 15, 62; 16, 324; 19, 275; 19, 477; 23, 85; 23, 425 f.; 27, 234; 29, 89; 31, 308; 34, 150; 35, 44; 38, 182; 43, 246; 49, 67; 27. 1. 24 zu Eckerm. — 65; 17. 1. 27 zu dems. — 166; 20. 3. 30 zu v. Müller — 185.

[150] WA IV 33, 243.
[151] 17. 8. 97 an Schiller — 12, 244.
[152] Schon in dem eben zitierten Brief an Schiller, der für die Entwicklung des Goetheschen Symbolbegriffs grundlegend ist, werden sie gleichsinnig gebraucht.
[153] Friedrich Gundolf, Goethe. Berlin 1916. S. 106.
[154] Sankt Rochus-Fest zu Bingen — X 604.
[155] 17. 8. 97 an Schiller — 12, 244.
[156] 14. 11. 16 an Zelter — 27, 234. Die Wendung ist hier auf den Symbolcharakter der Bibel gemünzt und an dieser Stelle im Sinne von „Fürstenspiegel", „Narrenspiegel" usw. zu verstehen.
[157] (29. 12.) 78 an Seidel — 8, 320.
[158] 8. 4. 97 an Schiller — 12, 85.
[159] MR 569.
[160] Wartesteine. Entoptische Farben. — XXII 961.
[161] Versuch einer Witterungslehre — XX 935. Dazu: 15. 11. 28 an Jäger (45, 54 f.): „Wie ich denn auf Monstrositäten fleißig fortgesammelt . . ., um immer klarer das Allgemeine im Besonderen zu schauen." MR 576.
[162] MR 1301: „Alle Manifestationen der Wesenheiten sind verwandt." Dazu: VII 1049 BdW; MR 380; Der Versuch als Vermittler . . . — XVIII 84; Fbl. Hist. T. 16. Jh. Porta. — XXI 645.
[163] Zur Morphologie. Der Verfasser teilt . . . — WA II 6, 121.
[164] Zur Spiraltendenz — WA II 7, 68.
Dazu: Fbl. Didakt T. § 794. XXI 238: „Und so entsteht, bei physischen Phänomene, diese höchste aller Farbenerscheinungen aus dem Zusammentreten zweier entgegengesetzten Enden, die sich zu einer Vereinigung nach und nach selbst vorbereitet haben."
[165] Ebd. § 48. — XXI 46 f.
[166] Probleme. WA II 7, 75.
[167] Über Wahrheit u. Wahrscheinlichkeit der Kunstwerke — XV 128.
[168] I 257.
[169] XIX 678.
[170] 5. 12. 08 an J. J. Willemer — 20, 239.
[171] 21. 2. 21 an Knebel — 34, 137.
[172] MR 575: „Man suche nur nichts hinter den Phänomen: sie selbst sind die Lehre."
[173] 18. 2. 29 zu Eckerm. — 253.
[174] MR 379.
[175] MR 460.
[176] Zur Morphologie. Schicksal der Handschrift. — WA II.
[177] 22. 6. 81 an Lavater — 5, 147.
[178] 5. 5. 98 an Schiller — 13, 137. Dazu: Einl. in die Propyläen —

XVI 323; Fbl. Didakt. T. Schlußwort. — XXI 273; WA IV 13, 77; 44, 31.

179 6. 1. 13 an Jacobi — 23, 226.

180 23. 2. 26 an Joh. Müller — 40, 305.

181 25. 2. 32 an S. Boisserée — 49, 250; Okt. 30 an Eckerm. (nicht abgegangen) — 47, 435.

182 VII 1005 (Montan), 1059 (BdW); MR 1273.

183 Faust 1770.

184 A.a.O. S. 38 u. 40.

185 Dichtg. u. Wahrh. 12. Buch. — VIII 602.

186 Fbl. Didakt T. Vorwort. — XXI 14.

IV. BEDEUTEN ALS MTTEILUNGSWEISE DES WERKS

[1] MR 1209.
[2] 14. 11. 27 an Knebel — 43, 167.
[3] 11. 6. 13 an Schlosser — 23, 364.
[4] 30. 1. 12 an Rochlitz — 22, 252.
[5] Dazu vorzüglich Schmitz 282 f.
[6] 21. 9. 27 an S. Boisserée — 43, 73 — über die „Wanderj.".
[7] 22. 6. 21 an Reinhard — 34, 297 f.
[8] 3. 12. 28 an Göttling — 45, 71 f.
[9] 22. 10. 26 an Zelter — 41, 205; 5. 6. 29 an Zelter — 45, 284 — über die „Wj."; 23. 11. 29 an Rochlitz — 46, 16 — über die „Wj."; 30. 7. 96 an Schiller — 11, 143 — über die Xenien; Anfang Sept. 88 an Wieland — 9, 15 — über eine Aufsatzreihe im „Merkur".
[10] 2. 5. 29 an Reichel — 45, 261.
[11] Wenn man bei anderen Romanen gelegentlich von einer „Mittelstellung" des Menschen spricht, so wird diese Redeweise meist durch die Optik des individuellen Helden oder durch das bewegte Spiel der menschlichen Komödie in der Welt nahegelegt. In den „Wanderjahren" gibt es keine Hauptperson, deren Sichtweite das ausgebreitete Leben zusammenhält, und Ort und Aufgabe werden dem Menschen ausdrücklich vom Unbedingten angewiesen. Hier hat die Mittelposition reflektierten Symbolcharakter und ist deshalb genauer und umfassender zugleich zu nehmen.
[12] Ohly 422.
[13] Wilhelm Emrich, Das Problem der Symbolinterpretation im Hinblick auf Goethes „Wanderjahre". In: Dt. Vjs. 26 (1952) S. 378 u. 348.
[14] Fbl. Didakt T. § 359. — XXI 132.
[15] 13. 2. 31 zu Eckerm. — 355.
[16] Krüger 48.
[17] Die Cotta-Ausgabe gibt in dieser Hinsicht kein zutreffendes Bild. Es fanden sich ursprünglich im Ganzen 57 (mit Einschluß der Spruchsammlungen 418) Zwischenstriche; allein in Wilhelms Brief 14 auf 14 Seiten.
[18] 1. 12. 31 an W. v. Humboldt — 49, 166.

[19] Dazu: Emil Staiger, Goethe. Bd. 3 (1814—1832). Zürich u. Freiburg 1959. S. 133.

[20] Dazu: Max Kommerell, Faust Zweiter Teil. Zum Verständnis der Form. In: Kommerell, Geist u. Buchstabe der Dichtung. Frankfurt am Main. 4. Aufl. 1956. S. 33. — Auch: Wundt 354; Schlechta 242; Sarter 30 ff.; Krüger 47.

[21] Gundolf 586 f., 630.

[22] 23. 11. 29 an Rochlitz — 46, 166.

[23] Kommerell 37, 39 f.

[24] 14. 11. 27 an Knebel — 43, 166 f. — über „Helena".

[25] 9. 12. 20 an S. Boisserée — 34, 37 f. — über die „Wj.": „Es kommt mir sehr wunderbar vor, ein zwanzigjähriges Manuscript . . . redigierend abzuschließen." Ähnlich schon am 27. 8. 94 an Schiller — 10, 185 — über die „Lehrjahre". Und: 14. 4. 22 an S. Boisserée — 36, 17 — über die „Kampagne"; 24. 5. 27 an Nees v. Esenbeck — 42, 197 f. — über Faust II; WA IV 20, 38; 32, 156; 35, 192; 38, 149; 38, 156, 49, 152.

[26] 27. 1. 23 an S. Boisserée — 36, 284; MR 995.

[27] 1. 6. 17 an Rochlitz — 28, 112; 3. 12. 20 an Nees v. Esenbeck — 34, 33; 24. 9. 21 an C. L. F. Schultz — 35, 98.

[28] 27. 8. 20 an C. L. F. Schultz — 33, 174 — über „Entoptische Farben". Auch: 14. 11. 27 an Knebel — 43, 166 f. — über „Helena"; 2. 9. 29 an S. Boisserée — 46, 66 f. — über den „Zweiten röm. Aufenthalt"; WA 45, 225.

[29] 28 4. 24 an Zelter — 38, 122. Dazu: 17. 12. 20 an Knebel — 34, 41; und im Gegenspiegel der klassischen Zeit: 28. 4. 97 an Schiller — 12. 105; 16. 5. 98 an Schiller — 13, 148.

[30] WA I 25(2) 59.

[31] Gilg 67.

[32] Vgl. dazu den ausgezeichneten Beitrag von Georg-Karl Bauer: Makarie. — In: GRM 25 (1937) S. 178—197.

[33] Zur analogen Funktion der Maximen vgl. Wundt 350.

[34] Ruisdael als Dichter — XVII 270.

[35] Das müßte nicht so sein. Jean Paul, der sich im „Hesperus" selbst zur Figur macht, um die bewegte Handlung in einem mitbewegten Referenten zu spiegeln, bietet das Gegenbeispiel. Wer sich dort nicht in spielerischem Einverständnis auf die fingierte „Wahrheit" der „Historie" einläßt und nicht durch die Augen des mithandelnden Autors sieht, für den fällt die ganze ausgeklügelte Konstruktion zusammen, der nimmt dem Dichter die Notenlinien, auf denen er seine Musik notiert hat. — Dazu: Hesperus oder 45 Hundposttage. Eine Lebensbeschreibung von Jean Paul. In: Jean Paul's sämmtliche Werke. 7. Teil. 2. Lieferung. Berlin 1826: 2. Band, 1. Heftlein S. XVIII,40;

4. Bd., 3. Heftlein S. 124, 150, 168 f., 172, 177, 208; 5. Bd., 4. Heftlein S. 166 ff.

[36] Über die Spiraltendenz der Vegetation — WA II 7, 63.

[37] WA I 25 (2) 109.

[38] Ebd. 115.

[39] In diesem Sinne: Eduard Spranger: Der psychologische Perspektivismus im Roman. Eine Skizze zur Theorie des Romans, erläutert an Goethes Hauptwerken. In: Jb. d. Fr. dt. Hochstifts (1930) 85 ff. — Sprangers gedankenreiche Studie mußte den Charakter der „Wanderjahre" schon vom Ansatz her verfehlen. Denn um „psychologischen Perspektivismus" ging es Goethe in seinen späten Jahren ganz und gar nicht mehr.

[40] 13. (u. 14.) 3. 03 an Ulrike von Kleist — Heinrich von Kleist. Sämtliche Werke und Briefe. Hg. v. Helmut Sembdner. München 1961. 2. Bd. S. 729 f.

[41] (Sommer 1811) an Marie v. Kleist — ebd. 873.

[42] 5. 2. 01 an Ulrike — ebd. 628.

[43] 19. (—23.) 9. 00 an Wilhelmine v. Zenge — ebd. 567. Dazu auch: 12. 1. 02 an Ulrike — ebd. 716.

[44] 5. 2. 01 an Ulrike — ebd. 627.

[45] 12. 11. 99 an Ulrike — ebd. 494.

[46] 12. 11. 99 an Ulrike — ebd. 495.

[47] 21. 8. 00 an Ulrike — ebd. 525.

[48] 3. (u. 4.) 9. 00 an Wilhelmine — ebd. 543.

[49] 14. 8. 00 an Ulrike — ebd. 514.

[50] 5. 2. 01 an Ulrike — ebd. 626. Dazu auch: (Juni 1807) an Marie — ebd. 782 f.; 12. 11. 99 an Ulrike — ebd. 626.

[51] 21. 7. 01 an Wilhelmine — ebd. 670.

[52] 24. 11. (06) an Marie v. Kleist — ebd. 772.

[53] 9. 4. 01 an Wilhelmine — ebd. 643.

[54] Wie Anm. 52.

[55] 28. 3. 01 an Wilhelmine — ebd. 638.

[56] 23. (—29.) 12. 01 an Heinrich Lohse — ebd. 709.

[57] Vgl. Ernst Bertram: Heinrich v. Kleist. In: Bertram: Deutsche Gestalten. Fest- und Gedankenreden. Leipzig 1934. S. 170.

[58] (Juli 1805) an Ernst von Pfuel — a.a.0. 757 — anläßlich einiger Übersetzungsproben Ruehles von Lilienstern aus dem Racine. — Dazu auch: 16. 8. 01 an Luise von Zenge — ebd. 691.
Zum folgenden vgl. den grundlegenden Aufsatz von Max Kommerell: Die Sprache und das Unaussprechliche. Eine Betrachtung über Heinrich von Kleist. In: Kommerell: Geist und Buchstabe der Dichtung. Frankfurt am Main, 4. Aufl., 1956. S. 243—317.

[59] Hans Joachim Schrimpf: Kleist. Der Zerbrochene Krug. In: Das

deutsche Drama von Barock bis zur Gegenwart. Interpretationen. Hg. v. Benno von Wiese. Düsseldorf 1958. S. 355.

60 Kommerell 305.

61 Dazu: Josef Kunz: Geschichte der deutschen Novelle vom 18. Jahrhundert bis auf die Gegenwart. In: Deutsche Philologie im Aufriß. Hg. v. Wolfgang Stammler. Bern, Bielefeld, München. 2. überarbeitete Aufl. 1957 ff. Sp. 1835 f. — Zwei Ansätze zur Rahmung gibt es bei Kleist: Im Inhaltsverzeichnis des 1. Bandes der „Erzählungen" von 1810 (noch nicht in der „Phöbus"-Fassung) findet sich beim „Michael Kohlhaas" der Zusatz: „Aus einer alten Chronik"; im Inhaltsverzeichnis des 2. „Phöbus"-Heftes vom Februar 1808 (nicht mehr in der Ausgabe der „Erzählungen") bei der „Marquise von O . . ." die Bemerkung: „Nach einer wahren Begebenheit, deren Schauplatz vom Norden nach Süden verlegt worden". In beiden Fällen wird die Bemerkung unter dem Titel des Textes nicht wiederholt. — Kleist, Sämtl. Werke, Bd. 2, S. 893 f., 897 f.

62 16. 8. 00 an Wilhelmine — a.a.O. 518.

63 Kommerell 248.

64 Wenn sich Makarie in Abständen vor aller Welt zurückzieht, so ist sie zwar nicht *nur* krank, wie es ihre Familie meint (778, 849, 1222); sie ist aber im menschlichen Sinne doch *auch* krank! Sie selbst spricht von ihrem „Kopfweh" (788), ihren „Leiden" (792), und eine Unwahrheit ist aus ihrem Munde undenkbar.
Über die „schwächliche Constitution" Manzonis bemerkte Goethe am 20. 12. 29 zu Eckermann (299 f.): „Das Außerordentliche, was solche Menschen leisten . . . setzt eine sehr zarte Organisation voraus, damit sie seltener Empfindungen fähig seyn und die Stimmen der Himmlischen vernehmen mögen."

65 Buch der Freunde. In: Hugo von Hofmannsthal, Gesammelte Werke in Einzelausgaben. Aufzeichnungen. Hg. v. Herbert Steiner. Frankfurt am Main 1959. S. 79.

66 29. 1. 30 an Zelter — 46, 222; 20. 5. 96 an J. H. Meyer — 11, 70.

67 MR 1347.

68 15. 3. 32 an Grüner — 49, 272. „Dein Lied ist drehend wie das Sterngewölbe", hatte schon der Divandichter in inniger Wahlverwandtschaft Hafis besungen (II 30).

69 Kayßler (1821) a.a.O. S. 1.

70 Wilhelm v. Schütz in den „Wiener Jahrbüchern der Literatur" Bd. 23 (1823) S. 98 f. — zit. b. Sarter S. X.

71 Staiger, Goethe III, 137.

72 8. 9. 31 an S. Boisserée — 49, 64. Vgl. auch 19. 12. 98 an Knebel — 13, 344 — über die „Propyläen".

73 Fbl. Hist. T. 18. Jh. Delval. — XXI 949.

74 Kurt Bimler, Die erste und zweite Fassung von Goethes „Wander-

jahren". Phil. Diss. Breslau 1907. S. 12.

75 Dazu Staiger, Goethe III, 175: „... wie ja der alte Goethe kaum mehr zwischen Großem und Kleinem, Haupt- und Nebensächlichem unterscheidet, sondern alles, im buchstäblichen Sinn, ‚bedeutend', deutend findet."

76 18. 1. 27 zu Eckerm. — 170.

77 VII 779, 780, 797, 781, 778.

78 25. 12. 29 an Zelter — 46, 194.

79 Otto Friedrich Bollnow, Die Ehrfurcht. Frankfurt am Main 1947. S. 149 f., 159, 165 f., 171, 173 ff. (!). Auch: Paul Hankamer, Spiel der Mächte. Tübingen 1943. S. 212, 247. Wundt 189; Schmitz 850 ff.

80 19. 9. 26 an Sternberg — 41, 169. Zur Parteilosigkeit des Dichters: Kampagne — X 466; Divan. Noten u. Abh. Eingeschaltetes. — II 247; März 31 zu Eckerm. — 404.

81 8. 6. 21 — 52.

82 Kayßler 32.

83 Gilg 24; Ohly 412.

84 Apuleius von Madaura, Metamorphosen oder Der goldene Esel. Nach der Übers. v. August Rode neu bearb., komment. u. mit einem Essay „Zum Verständnis des Werks" hg. v. Erich Burck. Hamburg 1961. S. 90.

85 25. 12. 25 zu Eckerm. (133) über die „Lehrjahre"; dazu 22. 1. 21 zu v. Müller — 43.

86 10. 4. 29 zu Eckerm. (286) über Claude Lorrain und 16. 8. 99 an C. W. M. Jacobi (14, 152) über „Euphrosyne". Dazu: 3. 5. 10 an J. H. Meyer — 21, 272 und die Gespräche mit Eckerm. vom 18. 9. 23 (38), 29. 1. 26 (136), 5. 7. 27 (201), 4. 2. 29 (245).

87 Wundt 360.

88 1. Buch. 10. Mai. — VI 135.

89 1. 6. 09 an Zelter — 20, 345 — über „Wahlverwandtschaften".

90 8. 2. 16 an Woltmann — 26, 251 f. — über „Dichtung und Wahrheit".

91 30. 7. 04 an W. v. Humboldt — 17, 174 f. — über „Die natürliche Tochter".

92 3. 3. 99 an Schiller — 14, 29.

93 Divan. Noten u. Abh. Künftiger Divan. (II 764): „... daß doch am Ende jedes Buch nur für Teilnehmer, für Freunde, für Liebhaber des Verfassers geschrieben sei." WA IV 19, 398: „Die Synthese der Neigung ist es eigentlich, das alles lebendig macht."

94 11. 9. 22 an Rochlitz — 22, 164.

95 (12. 10. 67) an Cornelie Goethe — 1, 108 u. 114; (Ende Nov. 72) an Betty Jacobi — 2, 128; 24. 10. 73 an Langer — 2, 114 f.; 1. 8. 75 an Sophie v. La Roche — 2, 271; 23. 6. 84 an Charlotte v. Stein — 6, 310 f.; 21. 7. 88 an Jacobi — 9, 4; 29. 7. 92 an Reichardt —

9, 323 f.; 21. 12. 98 an Fr. v. Stein — 13, 352; 3. 3. 99 an Schiller — 14, 29; 15. 3. 99 an Knebel — 14, 42; 26. 5. 99 an W. v. Humboldt — 14, 97; 30. 7. 04 an dens. — 17, 174 f.; 9. 6. 09 an Reinhard — 20, 358; 4. 5. 11 an Cotta — 22, 390; 3. 11. 12 an Zelter — 23, 122 f.; 1. 7. 13 an Reinhard — 23, 394; 27. 7. 13 an Zelter — 23, 417 f.; 16. 1. 15 an Schelling — 25, 159; 8. 2. 16 an Woltmann — 26, 252; 8. 6. 18 an Schultz — 29, 198 f.; 18. 2. 21 an Zelter — 34, 130 (über die „Wj."); 26. 9. 22 an Sartorius — 36, 173; 12. 3. 27 an Reinhard — 42, 84; 12. 8. 27 an Hirt — 43, 7; 7. 11. 27 an Sternberg — 43, 189; 28. 7. 29 an J. J. v. Willemer — 46, 25; 16. 1. 30 an Adele Schopenhauer — 46, 212; 17. 1. 30 an Sternberg — 46, 215 f.; 3. 7. 30 an S. Boisserée — 47, 123; 10. 7. 30 an J. J. u. M. v. Willemer — 47, 144; 12. 8. 30 an Caroline v. Sartorius — 47, 179; 10. 9. 30 an Varnhagen v. Ense — 47, 214 f.; u. ö. — Über den Wert des Einzelnen im deutschen Publikum: 6. 12. 97 an Schiller — 12, 372; 13. 12. 14 an Voigt — 25, 101; 14. 4. 16 an Zelter — 26, 337; 29. 5. 17 an Zelter — 28, 106.

[96] 11. 10. 28 zu Eckerm. — 233.

[97] 3. 10. 95 an Schuckmann — 10, 308.

[98] Dichtg. u. Wahrh. 13. Buch. — VIII 693.

[99] 18. 2. 10 Stieglitz — 21, 189.

[100] 13. 6. 19 an Rochlitz — 31, 178. Dazu: 29. 3. 01 an Rochlitz (15, 209): „Die Form behält immer etwas unreines und man kann Gott danken, wenn man im Stand war so viel Gehalt hinein zu legen, daß fühlende und denkende Menschen sich beschäftigen mögen, ihn wieder daraus zu entwickeln." 1. 6. 09 an Zelter (20, 346): „Das Geschriebene wie das Gethane schrumpft zusammen und wird immer erst wieder was, wenn es aufs neue ins Leben aufgenommen, wieder empfunden, gedacht und gehandelt wird." Auch: WA IV 20, 10; 27, 276; 32, 52; 37, 72; 40, 3; 43, 83; 14. 2. 28 zu v. Müller — 103.

[101] 15. 9. 04 an Eichstädt — 17, 197.

[102] 19. 11. 96 an Schiller — 11, 265.

[103] Dazu: Emil Staiger, Grundbegriffe der Poetik. Zürich 3. Aufl. 1956. S. 107, 116 f. 146, 149 ff. Vgl. auch Schrimpf 108 über den „Zusammenstand" der „Wanderjahre".

[104] 16. 10. 24 an Langermann —38, 271. Dazu: (März) 68 an Behrisch — 1, 157 f.; 8. 8. 76 an Charlotte v. Stein — 3, 95; 26. 12. 96 an F. A. Wolf — 11, 297; 28. 8. 07 an Adam H. Müller — 19, 403.

[105] 22. 6. 08 an Zelter — 20, 85.

[106] 19. 5. 12 an Zelter — 23, 23. Dazu: Fbl. Hist. T. 18. Jh. Deutsche große u. tätige Welt. — XXI 888.

[107] 19. 10. 21 an Zelter — 35, 146.

[108] Geneigte Teilnahme an den Wanderjahren — XV 538.

[109] 2. 9. 29 an S. Boisserée — 46, 66.

110 14. 11. 27 an Knebel — 43, 167 — über „Helena".

111 23. 11. 29 an Rochlitz — 46, 166. Dazu: 16. 8. 08 an Charlotte v. Stein — 20, 140 — über „Pandora"; 25. 1. 13 an Reinhard — 23, 266 — über „Dichtung u. Wahrheit"; (Künstlerische Behandlung landschaftlicher Gegenstände) — XVI 559.

112 27. 9. 27 an Iken — 43, 82.

113 23. 11. 29 an Rochlitz — 46, 166 f.

114 28. 7. 29 an dens. — 46, 27. Dazu: 21. 4. 19 an Schubarth — 31, 136; 26. 10. 20 an Zelter — 33, 323; und die selbstironische Überzeichnung: 27. 9. 15 an Anna Städel geb. Willemer — 36, 84.

115 14. 11. 27 an Knebel — 43, 167 — über „Helena".

116 8. 1. 21 an Gräbe — 34, 75.

117 Dazu: Trunz, Hamburger Ausgabe. S. 654. Staiger, Goethe III 165.

118 Ohly 262.

119 12. 8. 30 an Caroline v. Sartorius — 47, 178.

120 1. 5. 28 an Borchardt — 44, 79.

121 Tag- und Jahreshefte 1817 — VIII 1258.

122 Plastische Anatomie — XVIII 216.

123 28. 10. 21 — 35, 157 f.

124 23. 11. 31 an Zelter — 49, 147.

125 7. 1. 15 an Nicolovius — 25, 134.

LITERATURVERZEICHNIS

Quellen

Goethe, Wilhelm Meisters Wanderjahre oder Die Entsagenden. Ein Roman von Goethe. Erster Theil. Stuttgart und Tübingen, Cotta 1821.

Goethe, Wilhelm Meisters Wanderjahre. Nach der ersten Fassung des Jahres 1821 hg. v. Max Hecker. Berlin 1921 = Der Domschatz 4.

Goethes Werke. Vollständige Ausgabe letzter Hand. Stuttgart und Tübingen, Cotta. Bd. 1—40. 1827—1830. (Wilh. Meister Wj.: Bd. 21—23, 1829) Ergänzend: Goethes nachgelassene Werke (hg. v. Eckermann u. Riemer). Ebd. Bd. 41—60. 1832—1842.

Goethes Werke. Hg. im Auftrage der Großherzogin Sophie von Sachsen. Weimar, H. Böhlau 1887—1919. I. Abt.: Werke, 63 Bde. 1887—1918. (Wilh. Meisters Wj., hg. v. E. Joseph: Bd. 24 u. 25/1, 1894/95; Lesarten, Paralipomena u. Schemata zu Wilh. Meisters Wj., nach Josephs Tod abgeschl. v. J. Wahle: Bd. 25/2, 1905.) II. Abt.: Naturwiss. Schritfen, 14 Bde. 1890—1904. III. Abt.: Tagebücher, 15 Bde. 1887—1919. IV. Abt.: Briefe, 50 Bde. 1887—1912.

Goethes sämtliche Werke. Jubiläums-Ausgabe. Hg. v. E. v. d. Hellen. 40 Bde. u. ein Registerband. Stuttgart und Berlin, Cott o. J. (1902—1912). Wilh. Meisters Wj., hg. u. kommentiert v. W. Creizenach: Bd. 19 u. 20, 1904.)

Goethes sämtliche Werke. Propyläen-Ausgabe. Hg. v. C. Höfer u. C. Noch. 45 Bde. u. 4 Ergänzungsbde. München u. Berlin 1909—1932. (Wilh. Meisters Wj., 1. Fassung, hg. v. C. Noch: Bd. 34, o. J.; 2. Fassung, hg. v. C. Noch: Bd. 41, o. J.)

Goethes Werke. Festausgabe zum hundertjährigen Bestehen des Bibliographischen Instituts. Hg. v. R. Petsch. 18 Bde. Leipzig 1926/27. (Wilh. Meisters Wj., hg. v. J. Wahle, koment. v. O. Walzel: Bd. 12, 1926.)

Goethe, Gedenkausgabe der Werke, Briefe und Gespräche. Hg. v. E. Beutler. 24 Bde. Zürich, Artemis 1948—1960. (Wilh. Meisters Wj., hg. u. kommentiert v. G. Küntzel: Bd. 8, 1949.)

Goethes Werke. Hamburger Ausgabe. Hg. v. E. Trunz. 14 Bde. Hamburg, Chr. Wegner 1948—1960. (Wilh. Meisters Wj., textkrit. durch-

gesehen u. mit Anm. versehen v. E. Trunz: Bd. 8, 3., verb. Aufl. 1957.)
Goethe, Gesamtausgabe der Werke und Schriften. Hg. v. L. Lohrer u. a. (P. Stapf, G. Baumann, K. Maurer, W. Rehm, W. v. Löhneysen, W. Malsch, H. Hölder, E. Wolf, H. Hönl, R. Habel). 22 Bde. u. ein Zusatzband. Stuttgart, Cotta o. J. (1950 ff.) (Wilh. Meisters Wj., hg. v. L. Lohrer: Bd. 7, o. J.)
Goethe, Die Schriften zur Naturwissenschaft. Hg. im Auftrage der Deutschen Akademie der Naturforscher (Leopoldina) von D. Kuhn, R. Matthaei, W. Troll, K. L. Wolff. Weimar 1947 ff.
Goethe, Maximen und Reflexionen. Hg. v. M. Hecker. Schriften der Goethe-Gesellschaft Bd. 21. Weimar 1906.
Der Briefwechsel zwischen Schiller und Goethe. Nach den Hss. neu hg. v. H. G. Gräf u. A. Leitzmann. 3 Bde. Leipzig 2., erweiterte Auflage 1955.
Der Briefwechsel zwischen Goethe und Zelter. Nach den Hss. hg. v. Max Hecker. 3 Bde. Leipzig 1913—1918.
Goethes Gespräche. Neu hg. v. Flodoard Frhr. v. Biedermann. 5 Bde. Leipzig 1909—1911.
Eckermann, J. P., Gespräche mit Goethe. Nach dem 1. Druck u. dem Originalmanuskript des 3. Teils hg. v. H. H. Houben. Leipzig 1909.
Riemer, F. W., Mitteilungen über Goethe. Auf Grund der Ausg. von 1841 u. des hdschrftl. Nachlasses hg. v. A. Pollmer. Leipzig 1921.
Riemer, F. W., Briefe von und an Goethe. Desgleichen Aphorismen und Brocardica. Hg. v. Dr. F. W. Riemer. Leipzig 1846.
Kanzler von Müller, Unterhaltungen mit Goethe. Krit. Ausg. besorgt v. E. Grumach. Weimar 1956.
Goethe in vertraulichen Briefen seiner Zeitgenossen. Hg. v. W. Bode. 3 Bde. Berlin 1917—1923.
Goethe über seine Dichtungen. Hg. v. H. G. Gräf. 9 Bde. Frankfurt am Main 1901—1914.

Sekundärliteratur

Alexander-Meyer, Eva, Goethes Wilhelm Meister. — München 1947.
Bauer, Georg-Karl, Makarie. — In: GRM 25 (1937) S. 178—197.
Baumann, Gerhart, Maxime und Reflexion als Stilform bei Goethe. — Karlsruhe o. J. (1949). = Phil. Diss. Freiburg 1947.
Baumann, Gerhart, Die Tagebücher Goethes. — In: Euphorion 50 (1956) S. 27—54.

Bertram, Ernst, Goethes Geheimnislehre. — In: Bertram: Deutsche Gestalten. Leipzig (1934) S. 81—112.

Bimler, Kurt, Die erste und zweite Fassung von Goethes „Wanderjahren". — Phil. Diss. Breslau 1907.

Bollnow, Otto Friedrich, Die Ehrfurcht. — Frankfurt am Main 1947.

Borcherdt, Hans Heinrich, Der Roman der Goethezeit. — Urach 1949.

Boucke, Ewald A., Wort und Bedeutung in Goethes Sprache. — Berlin 1901 = Literarhist. Forschungen, hg. v. Schrick u. Waldberg, Bd. 20.

Carus, Carl Gustav, Goethe. Zu dessen näherem Verständnis. — Leipzig 1843.

Cassirer, Ernst: Philosophie der symbolischen Formen. Erster Teil: Die Sprache. — Berlin 1923.

Curtius, Ernst Robert, Europäische Literatur und lateinisches Mittelalter. — Bern 1948.

Curtius, Ernst Robert, Goethe als Kritiker. — In: Curtius: Kritische Essays zur europäischen Literatur. Bern (2. Aufl. 1954) S. 28—58.

Curtius, Ernst Robert, Goethe — Grundzüge seiner Welt. — ebd. S. 59—77.

David, Claude, Goethes „Wanderjahre" als symbolische Dichtung. — In: Sinn und Form 8 (1956) S. 113—128.

Dichler, Gustav, „Wilhelm Meisters Wanderjahre" im Urteil deutscher Zeitgenossen. — In: Archiv f. d. Studium der neueren Sprachen, 87. Jg., 162. Bd. (1932) S. 23—29.

Dyck, Martin, Goethes Verhältnis zur Mathematik. — In: Goethe. NF des Jb.'s der Goethe-Gesellschaft. 23 (1961) S. 49—71.

Emrich, Wilhelm, Das Problem der Symbolinterpretation im Hinblick auf Goethes „Wanderjahre". — In: Dt. Vjs. 26 (1952) S. 331—352.

Ermatinger, Emil, Goethes Frömmingkeit in Wilhelm Meisters Lehrjahren. — In: Ermatinger: Krisen und Probleme der neueren deutschen Dichtung. Zürich, Leipzig, Wien (1928) S. 167—192.

Ermatinger, Emil, Zwei Dichterworte. — ebd. S. 193—203.

Fairley, Barker, Goethe. (A study of Goethe, deutsch.) Aus dem Engl. v. F. Wernecke. — München 1953.

Fischer-Hartmann, Deli, Goethes Altersroman. Studien über die innere Einheit von „Wilhelm Meisters Wanderjahren". — Halle 1941. = Phil. Diss. Freiburg 1939.

Flitner, Wilhelm, Sinn und Tat in „Wilhelm Meisters Wanderjahren". — In: Die Erziehung 13 (1938) S. 244—266.

Flitner, Wilhelm, Reine Tätigkeit. — In: Goethe. Viermonatsschrift der Goethe-Gesellschaft. 3 (1938) S. 144—157.

Flitner, Wilhelm, Die Pädagogische Provinz und die Pädagogik Goethes in den „Wanderjahren". — In: Die Erziehung 16 (1941) S. 185—193, 206—223.

Flitner, Wilhelm, Goethe im Spätwerk. Glaube, Weltsicht, Ethos. — Hamburg 1947.

Fries, Albert, Stilistische Beobachtungen zu Wilhelm Meister. — Berlin 1912.

Gilg, André, „Wilhelm Meisters Wanderjahre" und ihre Symbole. — Phil. Diss. Zürich 1954 = Zürcher Beitr. z. dt. Literatur- u. Geistesgesch. 9.

Gundolf, Friedrich, Goethe. — Berlin 1916.

Hankamer, Paul, Spiel der Mächte. Ein Kapitel aus Goethes Leben und Goethes Welt. — Tübingen 1943.

Haupt, Gertrud, Goethes Novellen Sankt Joseph der Zweite, Die pilgernde Thörin, Wer ist der Verräter? — Phil. Diss. Greifswald 1913.

Henkel, Arthur, Entsagung. Eine Studie zu Goethes Altersroman. — Tübingen 1954. = Hermaea, Germanistische Forschungen, N. F. Bd. 3.

Hering, Robert, Wilhelm Meister und Faust und ihre Gestaltung im Zeichen der Gottesidee. — Frankfurt am Main 1952.

Hippel, Ernst v., Mensch und Gemeinschaft bei Platon und Goethe. — In: Goethe. Viermonatsschr. d. Goethe-Ges. 6 (1941) S. 285—315.

Howe, Susanne, Wilhelm Meister and his English kinsmen. — New York 1930.

Jantz, Harold, Die Ehrfurchten in Goethes „Wilhelm Meister". — In: Euphorion 48 (1954) S. 1—18.

Jolles, Matthijs, Goethes Kunstanschauung. — Bern 1957.

Kayßler, A. B., Fragment aus Platons und Goethes Pädagogik. — In: Einladungsschrift zu der auf den 4. 5. 6. Oct. festgesetzten Prüfung der Schüler des Königl. Friedrichs-Gymnasiums. Breslau 1821.

Koch, Franz, Goethe als Erzieher. — In: Koch: Geist und Leben. Hamburg (1939) S. 124—136.

Kommerell, Max, Faust Zweiter Teil. Zum Verständnis der Form. — In: Kommerell: Geist und Buchstabe der Dichtung. Frankfurt am Main (4. Aufl. 1956) S. 9—74.

Krüger, Emil, Die Novellen in „Wilhelm Meisters Wanderjahren". — Phil. Diss. Kiel 1926.

Küntzel, Gerhard, Wilhelm Meisters Wanderjahre in der ersten Fassung von 1821. — In: Goethe. Viermonatsschr. d. Goethe-Ges. 3 (1938) S. 3—39.

Lämmert, Eberhard, Bauformen des Erzählens. — Stuttgart 1955.

Leppmann, Wolfgang, Goethe und die Deutschen. — Stuttgart 1962.

Maurer, Friedrich, Die Sprache Goethes. — Erlangen 1932.

May, Kurt, Weltbild und innere Form der Klassik und Romantik im Wilhelm Meister und Heinrich von Ofterdingen. — In: Romantikforschungen = Dt. Vjs. Buchreihe Bd. 16 (1929).

Monroy, Ernst Friedrich, v., Zur Form der Novelle in „Wilhelm Meisters Wanderjahren". — In: GRM 31 (1943) S. 1—19.
Müller, Curt, Der Symbolbegriff in Goethes Kunstanschauung. — In: Goethe. Viermonatsschr. d. Goethe-Ges. 8 (1943) S. 269—280.
Müller, Joachim, Phasen der Bildungsidee im „Wilhelm Meister". — In: Goethe. NF des Jb.'s der Goethe-Ges. 24 (1962) S. 58—80.
Neumann, Gerhard, Konfiguration. Studien zu Goethes „Torquato Tasso". — München 1965. (= Zur Erkenntnis der Dichtung 1.) (vorher Phil. Diss. Freiburg 1963.)
Nitschke, Otfrid, Goethes Pädagogische Provinz. Eine Deutung von Goethes Erziehungsbild. — Phil. Diss. Heidelberg 1937.
Ohly, Friedrich, Goethes Ehrfurchten — ein ordo caritatis. — In: Euphorion 55 (1961) S. 113—145, 405—448.
Ohly, Friedrich, Zum Kästchen in Goethes „Wanderjahren". — In: Zs. f. dtes. Altertum 91 (1961/62) S. 255—262.
Pieper, Josef, Über das Schweigen Goethes. — München 1951.
Pyritz, Hans, Goethes Verwandlungen. Rede gehalten zur Feier des dreißigsten Geburtstages der Universität Hamburg am 10. Mai 1949. — Hamburg 1950 = Hamburger Universitätsreden 7. (Wieder abgedruckt in: Pyritz: Goethe-Studien. Hg. v. Ilse Pyritz. Köln, Graz 1962. S. 1—16.)
Rasch, Wolfdietrich, Ganymed. Über das mythische Symbol in der Dichtung der Goethezeit. — In: Wirkendes Wort 4 (Sonderheft) (1953/54) S. 34—44.
Rehm, Walther, Griechentum und Goethezeit. — Leipzig 1936.
Reiß, Hans S., Bild und Symbol in „Wilhelm Meisters Wanderjahren". — In: Studium Generale 6 (1953) S. 340—348.
Reiß, Hans S., Goethes Romane. — Bern, München 1963.
Riemann, R., Goethes Romantechnik. — Leipzig 1902.
Ruprecht, Erich, Das Problem der Bildung in Goethes „Wilhelm Meister". — In: Ruprecht: Die Botschaft der Dichter. Stuttgart (1947) S. 183—209.
Sarter, Eberhard, Zur Technik von Wilhelm Meisters Wanderjahren. — Phil. Diss. Berlin 1914 = Schriften der Literarhist. Gesellschaft Bonn NF 7.
Schadewaldt, Wolfgang, Goethes Begriff der Realität. — In: Schadewaldt: Goethestudien. Natur u. Altertum. Zürich (1963) S. 207—249.
Schaeder, Grete, Gott und Welt. Drei Kapitel Goethescher Weltanschauung. — Hameln 1947.
Schlechta, Karl, Goethes Wilhelm Meister. — Frankfurt am Main 1953.
Schmitz, Hermann, Goethes Altersdenken im Begriff und Symbol. 2 Bde. — Phil. Diss. Bonn 1955 (Masch.).

Schrimpf, Hans Joachim, Das Weltbild des späten Goethe. Überlieferung und Bewahrung in Goethes Alterswerk. — Stuttgart 1956. (vorher Phil. Diss. Münster 1951.)

Simmel, Georg, Goethe. — Leipzig 5. Aufl. 1923.

Spranger, Eduard, Der psychologische Perspektivismus im Roman. Eine Skizze zur Theorie des Romans, erläutert an Goethes Hauptwerken. — In: Jb. d. Fr. dten. Hochstifts (1930) S. 70—90.

Spranger, Eduard, Goethes Weltanschauung. Reden und Aufsätze. — Leipzig 1946.

Spinner, H., Goethes Typusbegriff. — Zürich 1933.

Staiger, Emil, Grundbegriffe der Poetik. — Zürich 3. Aufl. 1956.

Staiger, Emil, Goethe. — Zürich u. Freiburg 1952—1959. Bd. I: 1749—1786 (1952). Bd. II: 1786—1816 (1956). Bd. III: 1814—1832 (1959).

Stöcklein, Paul, Wege zum späten Goethe. Dichtung, Gedanke, Zeichnung. Interpretationen. — Hamburg 1949.

Thalmann, Marianne, Goethe, „Der Mann von funfzig Jahren". — Wien 1948.

Trunz, Erich, Alterslyrik. Altersstil. — In: Goethe-Handbuch. 2., vollk. neugestaltete Aufl., hg. v. Alfred Zastrau. Stuttgart (1955 ff.) Sp. 169—178; 178—188.

Wolff, Eugen, Die ursprüngliche Gestalt von Wilhelm Meisters Wanderjahren. — In: Goethe-Jahrbuch 34 (1913) S. 162—192.

Wolff, Eugen, Wilhelm Meisters Wanderjahre. Ein Novellenkranz. Nach dem ursprgl. Plan hg. v. Eugen Wolff. — Frankfurt am Main 1916.

Wolff, Hans M., Goethe in der Periode der Wahlverwandtschaften. — Bern 1952.

Wundt, Max, Goethes Wilhelm Meister und die Entwicklung des modernen Lebensideals. — Berlin u. Leipzig 1913.